陈 晶 晶

2009. 1. @ sh.

时寒冰 著

当次贷危机改变世界

中国
怎么办

机械工业出版社
China Machine Press

本书以令人信服的大量事实和严密的逻辑推理，深入浅出地向读者揭示了次贷危机的实质，剖析了危机的根源、影响以及世界经济的未来走势，提出了许多以长远眼光应对危机、发展中国经济的对策建议。

图书在版编目（CIP）数据

中国怎么办——当次贷危机改变世界 / 时寒冰著. —北京：机械工业出版社，2009.1

ISBN 978-7-111-25831-5

Ⅰ. 中…　Ⅱ. 时…　Ⅲ. ①房地产－贷款－信用危机－研究－世界　②金融危机－研究－世界　Ⅳ. F831.59

中国版本图书馆CIP数据核字（2008）第196327号

机械工业出版社（北京市西城区百万庄大街22号　邮政编码　100037）
责任编辑：李红梅　　白春玲　　　版式设计：刘永青
北京京北印刷有限公司印刷
2009年1月第1版第1次印刷
170mm×242mm · 18印张
标准书号：ISBN 978-7-111-25831-5
定价：38.00元

凡购本书，如有缺页、倒页、脱页，由本社发行部调换
本社购书热线：（010）68326294
投稿热线：（010）88379007

在全球化已成不可逆转趋势的条件下，中国的崛起不但取决于自身的努力，更不免受到外部世界的制约。在外在因素中，虽然不乏我们可资利用或者有利的一面，但是也必须承认，在这个世界上，确实有那么一些力量，尽管也许不那么明晰，它们不希望中国强大，而且它们常常能聚合起来设置或明或暗的障碍，掣肘我们前进的步伐。在最近十几年的国际政治经济博弈中，我们吃亏不少，而且尚没有对有意无意的挑衅做出更有力的回应。而正在席卷全球的金融危机，已经并将继续改变世界的面貌，它对中国构成的挑战是全面而空前的。美国的一系列重大救市举措，一些国家和地区借着危机得以显现的亲疏冷暖，颇为耐人寻味，也许只有等危机完全结束，我们才能看清背后的真面目。但是，那样的话，恐怕为时已晚。

财经评论家时寒冰先生的这部心血之作，是到目前为止，所有国内外学者有关金融危机的著作中最为深刻的一部。诚如作者所言，他不是什么阴谋论者，但他对诸多事件之间"精妙"巧合的细微洞察和深度分析，令我们在击掌拍案的同时，不免也感到不寒而栗：我们正在经历着一场用金融和货币作为武器的战争。

我相信，这绝非危言耸听，如果我们不警醒，并以主动的姿态迎接这个挑战，我们民族所背负的美好希望，可能就继续只能是一厢情愿的幻影。

经济学家　王福重

Contents
目录

用智慧擦亮我们的眼睛

一气读完本书，掩卷之后，耳边仍然回响着书中铿锵有力的字句所带来的震撼。近20万字的书稿，几乎句句都是振聋发聩的呐喊。在金融海啸扑面而来并有可能引爆国内经济泡沫的危险局势下，本书作者时寒冰先生以锐利的笔锋，如庖丁解牛般剖解了次贷危机——这个迄今为止人类最复杂的，甚至众多经济大家都看不明白的金融连环死结，分析了次贷危机给世界和中国带来的和即将带来的巨变，提出了区域合作、人民币突围、构筑资源财富体系和通过实现民富来有效拉动内需的可行性政策建议。这些内容充分展示了作者在国际政治、国际经济学、金融学领域扎实的功底和丰富的知识积累。

当然，仅有理论和敏锐性是不够的，如果没有废寝忘食的拼搏精神和严谨认真的态度，这本当前最具全局性和深度的全方位剖析美国金融危机的优秀作品，是无论如何也不可能如此迅捷地摆放在诸位读者面前的。可以说，本书不仅是一把帮助民众开启心智的钥匙，更是帮助人们认识世界的一本好书，也是时寒冰先生，这位人民赤子，为维护国家利益最真挚的表白。我深信，如果不是寒冰对这片土地爱之热烈，绝非有此作品的问世！

在寒冰熟知的众多经济学研究者当中，我有幸为这本注定会影响一大批中国读者的著作作序，内心非常感谢寒冰对我的信任。然而，由于一颗蠢蠢欲动的私心，我曾尝试写成一篇洋洋两万多字的文章，不仅想贩卖我自己的理论观点，更想借机分享这本注定畅销的书籍带来的影响力。所幸，机械工业出版社华章分社的编辑及时让我打消了这个可能喧宾夺主的念头，让我规规矩矩地工作，为各位介绍我阅读这本大手笔作品的收获和感受。

2007年4月2日，以美国新世纪金融公司申请破产保护为开端，美国的次贷危机逐步演化成为信用违约掉期危机，美国金融体系特别是投资银行体系遭受沉重打击；由于经济的全球化，美国金融危机迅速蔓延为全球金融危机，欧盟、英国、俄罗斯、日本、韩国、新加坡诸国股市连续暴跌，俄罗斯甚至被迫几次关闭证券交易市场；金融危机严重伤及美国实体经济，美国政府于2008年11月27日公布的4份报告表明，美国失业人数仍处于经济衰退期的水平，消费者支出降幅达到2001年"9·11"恐怖袭击事件以来的最高水平，工厂订单量骤减，新房销售量也降至近18年来的最低点。

美国金融危机的根源，与美国"双缺口"的经济结构不无关系。20世纪80年代以来，美国一直存在经常项目的高缺口，且呈逐年增长的趋势，这与美国的产业结构调整和对外直接投资扩大有关，更与美国长期存在的国民储蓄和投资之间的高额缺口密切相关。可以说，美国的国民储蓄与投资之间的缺口是由政府财政赤字和私人储蓄小于私人投资造成的。财政赤字意味着政府储蓄亦为负，因此整个国民储蓄（包括私人储蓄和政府储蓄）就不足以支持国民投资。因此，美国必须大量利用国外资本来弥补本国的储蓄缺口。

美国利用外部资本支持本国经济发展，一方面要向各国政府和央行发行数额庞大的政府债券，另一方面则要依靠其雄居世界金融核心的美国华尔街金融业，开展投资银行和资产管理业务，为美国企业特别是金融机构提供所需股票、债券，以及由资产管理公司支配的数以万亿美元计的投资基金。由于美国政府金融监管的缺失，金融组织毫无节制的金融创新导致全球衍生品市场规模急剧膨胀。金融衍生品带给人们的一个最大的幻觉是：财富可以通过其持续获得，实体经济已经不再重要！此前的全球经济增长更多地得益于全球资产价格的自我循环上涨，靠的是财富效应带来的资产增值空间。其中，由华尔街金融业主导的债券市场是保证全球资产价格循环上涨的主要资金融通渠道。

当然，世界上从来没有不破的泡沫。由房地产泡沫破裂引起的美国次贷危机和其后的全球金融危机，不仅令华尔街五大投行悉数"覆没"，也将那些贪婪的"始作俑者"掷入失业者队伍。笔者认为，美国金融危机爆发的根本原因，表面上看是美国金融衍生品的过度创新导致的市场崩盘，实际上是隐藏其后的、美国大规模利用外国资本和为保持财产性收入增长而进行的过度消费。可以说，美国金融危机的本质是资产膨胀型消费模式的不可持续。

不同于上述教科书式的分析，本书给我们展示的是美国金融决策体系与华尔街之间相互媾和，通过无限度的金融创新甚至是救市，向世界各国分散风险的一个巨大陷阱的构造过程。美国为了实现利益的最大化，不惜通过美元、金融、石油甚至战争的方式，以掠夺全球的财富为主要目标，这是一种极端追求利益的国家经营方式。要实现这个目标，就要尽可能采取极致的手段，金融就是一个极致的手段，为了最大限度地实现美国掠夺全球资源的国家目标和满足投资机构的贪婪欲望，白宫、美联储与华尔街相互利用，最终导致次贷危机这一历史性大灾难的爆发。

可见，次贷危机是美国把全球作为金融创新理论实验对象最终失败的结果。这个结局的发生，从一开始就始终存在着。次贷危机发生之后，整个欧洲、俄罗斯、巴西、日本、韩国甚至中国也同时成为受损的一方，这一方面是经济全球化的影响，另一方面更主要的是美国政府和华尔街已经通过事先设计的风险分散机制将损失转移给了世界各国。这既是阴谋，又是贪婪者的玩火自焚，不过全世界都成了美国金融游戏的埋单者。

进入21世纪以来，美国、英国、俄罗斯、中国等世界主要国家的房价不断上涨，致使无论是政府决策者还是公众的思考都普遍陷入了人类智慧的"短板"。

在很长的时间里，公众普遍认为人类社会进入了新的时期，房价只涨不落，投资者完全不顾房地产泡沫破裂的历史警告，陷入普遍买涨的"羊群效应"，金融机构的大规模参与进一步推高了房价。如今，"羊群"大逃亡，投资者普遍抛售房屋，致使房价呈更大幅度下跌趋势。

次贷危机极大地改变了中国经济持续高速增长和产业转型升级的步伐。与美国过度消费能力相对应的是中国相对于本国国内需求远远过剩的生产能力。截至2007年年底，中国粗钢产量占全球产量的36.4%，水泥更占全球产量的48%（主要为出口工业生产、投资和国内房地产建设服务）；中国汽车工业的产能超过1300万辆，但是能卖掉的不过900万辆；中国每年生产各种鞋超过100亿双，占全球制鞋总量的近70%，是世界最大的鞋类制造基地。这些例子说明，以低价格满足美国及全球消费需求的中国制造业，在本次金融危机引发欧美经济衰退导致进口需求缩减的情况下，正面临非常严峻的、以生产过剩为主要特征的经济危机。

连中国的普通老百姓都可以看出来，中国经济与美国次贷危机息息相关，次贷危机实实在在地改变了中国。除了贸易增速的明显回落给对外依赖过高的中国出口加工业构成直接打击以外，中国的外汇储备参与维持了美国的过度消费，而在这种过度消费回归的过程中，中国遭受了严重的海外投资损失、外汇储备贬值和外资欠账愈演愈烈的巨大痛苦；此外，中国在房地产、股票等领域也存在着较严重的资产泡沫，这些泡沫在一定程度上与国际热钱的进入存在密切关系。在世界金融危机的背景下，中国整体经济形势、地产和股票市场的低迷、人民币升值预期的走低和利率形势的逆转，都让热钱失去了存在的理由。如果热钱在短时间内流出，对中国金融体系的冲击将是巨大的。

看似与中国经济关系不大的美国次贷危机，对中国造成巨大的影响，导致中国工业产能过剩和房价、股价的回落。考虑到工业生产、房地产投资对于中国经济增长的重要推动作用，次贷危机将改变中国经济持续高速增长的局面，导致中国经济出现增长回落甚至衰退，也将反过来重创依赖中国每年1万亿美元进口规模的其他国家的经济，推动世界经济步入进一步的衰退周期，这是经济全球化的必然结果。

中国与世界经济互为市场，一荣俱荣、一枯俱枯，这无疑成了此次金融危机重灾区——欧美国家要求中国参与救市的基本借口。关于中国要不要参加美国救市，本书的分析是值得高层借鉴的。本书在冷静分析的基础上，提出若向美国注入救市资金，必然要面临美元贬值，亦即债务被合法"减免"的局面。一旦中国贸然介入美国救市，也许再过几年，拯救者会成为需要拯救的人，而被拯救者则可能成为巨人。关于中国未来的选择，本书提出了建立大人民币制度、建立货币区域同盟、守住自然资源等建议，对于当前中国政府进行宏观决策，具有重要的参考价值。

关于扩大内需，本书也提出了促进国民收入分配向国民个人倾斜、冲破内需不振的羁绊的重要思路，这是一项符合国情的重要建议。正如本书分析的那样，中国经济本身存在的问题，既有对外依赖度过高，又有对内过度依赖投资和房地产、收入分配分化导致内需不振、经济增长缺乏动力，存在着很大的"硬着陆"危险性。由于对外依赖度过高，中国的经济安全受制于人，容易在外围力量的影响下，发生经济动荡，甚至引发经济危机。

为了扩大内需，中国甚至牺牲了产业升级，通过实施房地产救市、降低出口退税率等措施，重回扩大投资和出口之路。然而，如果消费这个内需源头无法启动，目前实施的中国式救市就可能无法成为拯救中国经济的治本方案。

中国要实现稳定的、可持续的发展，必然要将经济增长动力由外需转为内需，通过增加民众的可支配收入、建立完善的社会保障机制、削减政府的行政管理支出等措施，将中国的未来夯实在满足绝大多数人民群众日益增长的物质文化生活水平提高的基础上。

自古以来，"不谋万世者，不足谋一时；不谋全局者，不足谋一域"。当众人皆醉的时候，总有不被"羊群效应"迷惑的清醒者。不过，他们的声音很快被淹没在众人数钞票的喧闹当中。据我了解，本书作者时寒冰先生就是具备这种智慧和能力的人，所以这部兼具理论性和实践性的作品更加弥足珍贵。

本书的最大特色是兼具历史纵深和时代感，同时从全球政治经济的视野来研究中国的发展出路，展现了一位华夏赤子应有的时代精神和社会责任感。我非常希望本书能帮助更多人擦亮智慧的眼睛，更加清醒地透视中国的未来，避免再走各种不必要的弯路。

曹建海博士

中国社会科学院工业经济研究所投资与市场研究室主任、研究员

2008年11月30日深夜于北京

坚守正义的预言者

我与寒冰已经有10多年的交往，兄弟之情，如同手足。

得知寒冰准备写一部关于次贷危机的书，曾有过担忧，我知道国内出版业有一批写手，好似猎人守候猎物，当一个事件逐渐引起世人关注、形成热点，便立即着手收集有关资料，犹如机械化流水线般将相关讯息编辑成文，在最短时间内推向市场。

读了寒冰的书稿之后，我便觉得自己是杞人忧天了。如同寒冰的一贯风格，犹如蜜蜂酿蜜，尽管取材广泛，索引了众多海内外资料，但绝非堆砌罗列，而是经过详尽的分析、耐心的解读，深入浅出地为读者娓娓道来，用通俗易懂的方式，使一个即使缺乏国际金融知识的普通读者，也能轻松地了解次贷危机的形成和演变过程。尤为可贵的是，寒冰的着眼点，并非只是泛泛地解释这一过程，而是透过纷乱的表面现象，进行深层次的剖析，以令人信服的大量事实和严密的逻辑推理，揭示出令人震惊的核心内幕。

寒冰对政治事件的敏锐触觉和果敢判断，常常会令同仁为他捏一把汗。早在2002年，印度和巴基斯坦在边境发生冲突，双方调兵百万，当时的国际舆论纷纷猜测战争即将打响，而寒冰在《华夏时报》发表文章称"印巴用战争作秀"，毫不犹豫地断言，战争绝不会打响。结果，两个月后战争烟消云散。

2003年2月，他公开发表文章预测，美国攻打伊拉克的战争将在当年"3月中下旬"打响。他的预言还引来同行的争议甚至部分人的嗤笑。但结果大家有目共睹，战争于北京时间2003年3月20日打响。

美国拯救女兵林奇一事刚刚被美国媒体曝光，他就写下4000多字的文章，列举出其中的重重疑点，引发世界范围内的大讨论，美国、英国记者随即跟进调查。最终，美国政府及林奇本人也出面否认。此事被作为经典案例列入传媒学教程。如果中国有普利策新闻奖，当年大奖一定非寒冰莫属。

他的判断，往往斩钉截铁、不留余地，绝不模棱两可。这样的风格充分表现在他在中央电视台的电视辩论中，他的剑锋直指要害，将对手逼到无路可退。

2008年上半年石油价格飙升，有人甚至惊呼石油价格可能会升至200美元一桶。6月25日，中央电视台《东方时空》节目采访寒冰，在节目的结尾，主持人向两位嘉宾提问，希望对石油的价格拐点做一个预测。另一位资深嘉宾说他估计在2009年上半年，而寒冰明确断言，拐点就在2008年10月。他的大胆预测令业内人士震惊不已。但是，三个月后的油价走势完全证实了他的判断。

时过境迁，尘埃落定，不少他的忠实读者感慨：回头再看寒冰当时的论述与文章，不像是推理及判断，倒更像是预言。

有人以《假如去年A股可以做空》为题作文，"在去年的牛市里，任何坏消息都被人嘲笑。热衷于坏消息的做空者，在中国尤其不受欢迎甚至有些风险。"

2007年下半年，正是有的股评人放言A股可能直冲1万点的时候，寒冰根据自己对市场的认识，对中国股市和楼市做出了两个重要判断：一是认为股市将在当年10月初达到历史高点，并从此步入下跌轨道，因此，明确发出空仓呼吁；二是认为2008年中国房价将从成交量的萎缩演变成深幅下跌。当股价继续向6000点攀升时，寒冰受到来自各方的强烈质疑，他感受到前所未有的压力。但转折迅即发生，那些当时的质疑者后悔莫及者有之，追讨良策者更甚，而相信寒冰的判断又采取了措施的人，自然是暗自庆幸，希望他能给出更多的预测。

去除神秘色彩，要做出精准的预言，必须具备多种过人的素质。无疑，全面的专业知识与认真的钻研劲头是必不可少的，但更为重要的是社会的责任感与自我牺牲的大无畏精神。在社会的各个领域，我们不乏见到各类精英，但形形色色的名利诱惑，使得许多颇具才华的优秀人士昧着良心说出违心的话。也有有识之士，明明看清了事实真相，但因种种压力，不敢仗义执言，颇让人为之扼腕。

而寒冰著书立说之最大特点也是最为可贵之处，就是他的坦荡胸襟，他尊重研究的最终结果，绝不会因这一结果是否开罪于某一利益团体，而做出任何修饰或掩盖。

"哭得最响亮的人，不一定是最悲伤的。在我国农村，就有一种拿钱替人哭的营生，给的钱越多，他们哭得越痛越肝肠寸断，而他们内心其实是充满欢喜的。"这是寒冰书中我最喜欢的一段话。它直指本书的要害，在这场全球经济灾难中，并非所有人都是受害者。寒冰的矛头所指，众所皆知，乃是世界上最强大的利益集团，但他的笔锋毫无畏惧。

寒冰的这本书大致可分为三部分：一是详细分析了次贷危机由谁制造，谁是大赢家；二是次贷危机的后果，他预言全球性通货膨胀即将到来；三是对策部分，主要讲了建立货币同盟、守住资源、建立以资源为核心的财富体系的重要性，并针对困扰中国已久的内需不振问题提出了切实可行的建议。

对于次贷危机的爆发，美国的主流媒体以及官方，无不将原因归为"投资者的贪婪"（格林斯潘）。寒冰在揭示次贷危机形成的各个阶段时，侧重于对深层隐秘的剖析。他指出在次贷危机的背后隐藏着一个最大的赢家，因而可以把整个危机事件看做是一个巨大的陷阱。读完此书，就可以清楚地发现，他的结论并非是狭隘的民族主义的主观臆想，而是建立在充分的事实依据基础上的，并据此做出了严谨的逻辑推演。

笔者在国外投资、经商数十年，在临近美国的某地区也拥有一片天地，因商务往来，与多国元首政要也有不浅的私交。我对寒冰的"大陷阱"的推断不感到吃惊，因为早在2000年，本人因一次奇特的机缘，亲身涉入一起大事件，这是由国际游资集团策划的,它阴谋颠覆一个小国,掌控该国全体政要,自行立法,操纵国际股市。参与方有国际游资大亨、国际洗钱组织、俄罗斯及意大利黑社会。其策划之详尽,准备之长久,涉及面之广,远远超过了一般文学作品的虚构。

目前的国际经济格局是少至几百人却占有了全人类过半的财富。仅举一个简单的例子:据国际货币基金组织估计,目前活跃在全球金融市场上的这类资金在72 000亿美元以上。其财力真可谓富可敌国,像索罗斯基金会这样的一个私有基金组织竟可以公然阻击一个国家的货币。

寒冰此书的另一特点是跳出了一般的技术分析层面,不是就事论事,而是站到了一个民族命运的高度进行分析。寒冰在书中以冰岛为例,揭示次贷危机如何让冰岛不幸成为一个面临政府信用破产、国家经济濒临破产边缘的国家。他指出"次贷危机正在从金融领域打开一个劫掠财富甚至摧毁一国经济的巨大缺口",并尖锐地警示我们"现在,战争的主角、摧毁一国经济主权的工具,已经变成金融而非笨拙的枪炮。同时,摧毁一国经济主权的主角,已经变成尖端的金融人才而非勇猛的大兵。"

一个团体、一个组织甚至一个国家领导的失误都还不足以致命,但是一个民族集体的误区将是一场万劫难复的真正灾难。

即使你是一个普通民众,当今的世界经济格局离你也并不遥远。远在华尔街的一场金融风暴,已经摧毁了世界各个地区的股市、楼市,使多少平民百姓毕生的血汗,顷刻间化为乌有。别以为安于一隅就可保住自身,看看一些企业破产,农民工返乡,面临没有土地、没有工作的境地,哪里是你的桃花源?

这就是阅读寒冰此书给我的最大观感。我力薄人微,但我感到了责任,尽管身在异乡,但我对我的民族有一份难辞的天职,我会认真去听、去看、去思考,在必要时付诸行动。

在此谨祝寒冰写出更多类似的好书。

刘广元

亚洲加勒比贸易有限公司董事长、慈善家

2008年11月于纽约

在次贷废墟中展望国际金融新秩序

时寒冰，字暖之，是我的挚友。虽然我只匆匆见过他几面，但为他高尚的人格和深邃的思想所折服，我相信读过他这本新作的读者也会有这样的感觉，那就是暖之也是你们的挚友。

自从雷曼兄弟公司申请破产保护，我就一直在感叹在如此剧烈波动的金融危机的进行时态中，居然找不到一本深入浅出、总揽全局的力作能帮助国内的读者来理智地分析当前形势，梳理出未来世界的金融格局。就在此时，暖之刚刚完成了此书，这本书对于国内大多数以前对金融危机知之甚少、现在又迫切想要了解其前因后果的读者来说，来得太及时了。

"只要你把问题分析得足够清楚，解决之道已然在握"，我的外国导师曾经这样教导我。暖之的这本书做到了这一点，他从次贷危机的冲击波开始写起，对格林斯潘时期利率政策的调整、布雷顿森林体系的瓦解、华尔街的利益动机等造成这场危机的因素进行层层剖析，娓娓道来，这使我想起了中国古代先哲的话："妙识所难，其易也将至"。

和现在大多数描写次贷的畅销书不同，暖之不仅在本书中深刻分析了次贷危机的成因，更理智地预测了此次危机改变世界格局的几种可能。其中几个章节的内容读来让我惊心动魄之余又陷入沉沉思索。暖之对全球通货膨胀的警告不是空穴来风，在今天看来，似乎全球各市场都陷入了美元去杠杆化操作带来的通货紧缩之中，但是通货膨胀并没有离我们远去！随着美联储创纪录地发行大量货币，同时美国政府开始出手资助那些本该倒闭的大型企业，全球必然会同时出现劳动生产率下降和货币泛滥，而这两者将毫无例外地把我们带入下一轮更严峻的通货膨胀之中。

我特别同意暖之有关构建未来国际货币新体系的预计。我相信10年之后，我们回头再看这些文字时，会为暖之的远见所折服。他认为，美元体系在布雷顿森林体系瓦解之后，经过这次金融危机将进一步丧失原有的信用，世界各国都必须联合起来建立一个货币新体系。我赞成暖之有关亚洲国家的货币互换机制的建议，这些建议和我们正在实施的国家政策也是一脉相承的。对于未来的世界储备货币，现在的议论有很多，但是大多缺乏综合的判断和合理的逻辑。暖之提出了把大宗原材料商品作为国家储备的一部分是合适的，他的许多分析建议很好地提炼了我原先对国际货币新秩序的一些想法。那就是：在国际条约的框架下，各国都必须遵守财政赤字纪律并实现贸易的基本平衡，然后将有关全球气候公约和货币发行机制相联系，使碳排放权成为一种储备货币，并最终实现大宗商品交易的非美元化，改为由一揽子货币针对石油和其他大宗商品的申购和赎回机制。这些改革过去也曾有人提起，但是大多数国家和国际组织都沉浸在美元泛滥的安逸日子中，缺乏改革的动机。现在的金融危机迫使我们不得不面对去美元化之后的世界，也就必须拿出一个可行的方案。我相信，暖之在书中提出的有关构建国际货币新体系的大多数内容都会在10年之内逐步变成现实的条约和公认的原则。

暖之是一个博学而敏锐的人，又是一个执着而坚忍的人，他是国内少有的清醒的学者，他思想敏锐，不受所谓权威影响，总是能直抒胸臆表达自己独立思考的观点。A股萎靡不振，国家出台4万亿的救市计划，暖之洞若观火，以清醒的头脑、敏锐的目光看到了其中隐藏的深层次问题。的确，凯恩斯主义不是拯救经济的良方，大规模提高政府支出只能使经济更加恶化，而最好的途径就是真正贯彻科学发展观，减少政府支出，让人民富起来以扩大内需。暖之在博文中又详细深刻地分析了4万亿刺激经济要特别警惕的5点问题，环眼四周，国内有几人能够如此清醒？

暖之谋猷杰异，心事拿云，他是一个让我感到兄弟般亲切的人。他从来不像布道者一样以一种居高临下的姿态用生硬呆板的语言来宣讲他的哲学，他总是充满着温情，用平和的目光打量着世间的一切，读他的文章亦如读他的人。"我希望长辈们把我视为自己的孩子，一个永远长不大会犯很多错的孩子，一个努力想做好事又经常会打破杯子的笨手笨脚的孩子；比我年龄大的朋友，把我当成一个小兄弟，一个动不动就热血沸腾、激情四射、缺乏城府和戒心的永远不成熟的小兄弟；我恳请，比我年龄小的朋友，把我当成一个可以倾诉的兄长，我会如同对待我的亲弟弟和亲妹妹那样，做一个称职的兄长。"他字字珠玑，其间饱含着对广大读者深沉的爱，就像冬日的阳光一样温暖地照耀着大地。读暖之的文章不仅是了解他的观点看法，这更像是在他乡偶遇多年不见的兄弟，火炉旁两人相顾，浊酒一壶，听他诉说这些年的点点滴滴。

暖之从来不屈从于压力，他用良知说话，始终能把大多数中国中下层人民的利益当做出发点，捍卫他们的权利。暖之所呼，乃为民众所呼，暖之所想，乃为民众所想，他是一个无畏的中国人。我亦相信，只有加强制度建设，创造一个公平公正的环境，对广大中小投资人采取更好的保护措施，才能促使资本市场对各项资产给出更准确的定价，从而为实体经济的资源配置树立尽可能准确的参照，让大多数人分享到中国经济发展的成果。暖之在他的众多文章中，总是紧紧围绕着一个核心，这个核心也就是他追求的最有价值的目标，正如他在博文中所说，公平公正的制度才能让人民免于掠夺和恐惧，才能让公心和敬畏生命成为普遍的价值观，他将为此努力一生。从此方面来讲，我们是在一个战壕里并肩战斗的亲密战友。

"5·12"汶川大地震发生后，大江南北，长城内外，神州共悲。暖之在悲痛之余四处奔波，在第一时间以多种形式组织为灾区捐款，他本身也捐献了数额不菲的现金。暖之利用自己的信息优势，从各个角度关注灾区重建中可能遇到的新情况、新问题，并善意地提醒广大民众和有关部门注意防范应对，暖之以实际行动投身于灾区重建的过程中去，体现了他对这个国家由衷的爱和对世间一切生命的同情与帮助，他是一个无私的中国人。

暖之让我想起了罗素。"三种单纯而强烈的激情支配着我的一生：对于爱的渴望，对于知识的渴求，以及对人类苦难痛彻肺腑的怜悯。"罗素以追求真理和正义为终生职志，他说的这句话也是他本人一生的写照。用这句话来形容暖之亦十分贴切，他头脑敏锐、言语犀利、内心洋溢着温暖的爱，而他的博学、清醒、无畏、无私亦源于一个伟大的出发点——对民族和国家的大爱。"位卑未敢忘忧国"，也正因为有了这种大爱，他才可以不惧艰险，奋勇前进，才可以不趋炎附势、刚正不阿，敢为人民鼓与呼。如果中国多一些像暖之这样的人，国家甚幸、民族甚幸。

全书跌宕起伏、引经据典，暖之轻松地把本来艰涩难懂的金融学概念变成了朴素而生动的文字，使广大读者能够轻松领悟，无意中又使人备感亲切。暖之嘱咐我为之写序，我读罢全书，不忍掩卷。几次想起些什么，又都是些不成文的思想碎片，真是"十里荷香清难写，一夜沉吟记已无"。

周洛华博士后

上海大学房地产学院副院长

2008年12月9日

财富原本是上天对公心者的恩赐:"神赐人资财丰富,使他能以吃用,能取自己的分,在他劳碌中喜乐。这乃是神的恩赐。"

但是,许多人却不是凭借公心、爱心、善心、敬畏之心和谦卑之心去获取财富,而是在贪婪的欲望驱使下,靠卑鄙的手段去掠夺、洗劫财富,即使这样做给其他人带来痛苦亦在所不惜,用这种方式获取财富是危险的:"人有恶眼想要急速发财,却不知穷乏必临到他身。"

次贷危机就是贪婪的掠夺者洗劫财富所引发的一场灾难。

那些买不起房的穷人,本应享受政府提供的公共住房(在美国,是指政府为城市低收入住户建造和维护、收取低额租金并由政府管理的住房),而美国政府因发动伊拉克战争和维持庞大的军事力量等多种原因,连年财政赤字,无力承担巨额公共住房建设支出。

美国政府试图找到这样一种方式:在削减公共住房资金投入的情况下,既能解决住房问题,又能通过房地产业的繁荣带动经济发展。

华尔街的既得利益集团洞悉政府的这种心理,于是,下面的一幕便发生了:鼓励穷人按揭买房,同时鼓励资产证券化，在按揭贷款的基础上，创造出庞大的金融衍生品，出售给全世界的投资者，即由全世界的人为美国的住房问题埋单，也为美国政府推卸的住房保障责任埋单，当然，也为华尔街的金融大鳄们甚至投机钻营的经纪商们埋单。

而在这一过程中，几乎所有的监管都梦一般地消失了。等潮水退去，那些原本被粉饰的慈善的面目突然露出可怕的狰狞。当格林斯潘以另一张面目出现时，您还能认出他来吗？

无论是华尔街利用了布什，还是布什利用了华尔街，他们都不是真正的受害者，真正的受害者是美国那些被作为道具使用的穷人，更是世界各地的那些最终的埋单者。

当那些原本买不起房的穷人悲伤地被赶出家园时，他们作为道具的角色已经完成。而全世界那些为次级债券埋单的无辜者，则继续承受财富损失之痛。

当然，这还只是初始阶段。

当您跟随我层层拨开围绕在次贷危机上面的迷雾时，您会发现越来越多的触目惊心的黑幕，嫁接于次贷之上的血手，像摘果子一般，在贪婪地实现一个又一个恐怖的阴谋。

从东南亚到南美洲，从冰岛到匈牙利，从英镑到日元，残酷的搏杀从来没有停止过。

这个血淋淋的过程，既可以在冰岛人无助的眼泪中找到答案，也可以在欧元国的恐惧中找到答案，更可以在俄罗斯总理普京深邃的眼睛里找到答案。

次贷危机，注定是一场经典的金融战争的缩影。它改变了世界，更改变了中国。

作为一名专职的财经评论员，和十几年痴迷于国际经济和经济趋势问题的研究者，我既不喜欢空洞的宣泄，也不喜欢捕风捉影的阴谋论，我努力以确凿的事实、充分的证据和严谨的推理来剖析次贷危机及其影响，并努力找寻解决之道。

在本书的后半部分，我对以下几个问题进行了更具体的探讨：国人该如何守卫自己的财富？如何应对血腥的金融战争？我们这个饱经苦难的民族，如何能够真正实现复兴之梦？

我认为，未来的财富（其实已在进行中），将不是建立在纸币上的虚幻的繁荣，而是以资源为核心构筑起来的新的财富体系。当我们依然沉迷于货币储备而不能自拔，对实物储备却无动于衷甚至眼睁睁看着宝贵的稀缺资源流走的时候，我们失去的不仅仅是代表财富的载体，更是一个民族未来发展和崛起的希望。

改革开放30年来，中国经济受困于内需的萎靡不振。因为内需不畅，政府投资与对外出口成为推动GDP增长的主角，在次贷危机之下，过于倚重两者的弊端暴露无遗。而当各地政府拿出总额超出18万亿的投资计划时，我深感震惊和担忧。在地方财政普遍赤字且连续多年赤字的情况下，这种庞大的救市计划是否会重演大跃进的错误？

经过10多年的研究和思考，我深信，我找到了制约中国内需启动的真正原因，那就是民众消费能力不强：一方面，民众收入的增长速度远低于税收和财政的增长速度；另一方面，社会保障机制不健全，民众不得不为医疗、教育等承受更重的负担，后顾之忧重重。

1960年12月27日，日本通过的国民收入倍增计划改变了日本的国运，让这个从废墟上爬起来的国家以不可思议的速度迈入世界强国之列。在实施国民收入倍增计划之后，日本国民工资的增长速度每年比美国快70%，到1980年工资水平就已经与美国持平。

率先实现了民富的日本，很快实现了国强，并且国力如日中天。

我们要拉动内需，解决困扰我国多年的这一难题，必须从促使民富入手，民富才是拉动内需的最根本的源动力。

我要特别强调的是，人类应该以超脱的心态和博大的胸襟去对待财富。

财富是一个符号、一种工具，人类应该用它做有益的事情，应该帮助弱者，让无助的人感受到爱和温暖。

如果把财富作为上天对人类公心和爱心的一种恩赐，那么奉献越多的人越能感受到大境界的幸福，而这样的人也最能得到上天的垂爱。"周济贫穷的，不致缺乏。""我从前年幼，现在年老，却未见过义人被弃，也未见过他的后裔讨饭。"

今天，当弱肉强食的丛林法则成为许多人遵循的行为准则，传统的道德伦理在被无情地抛弃，也因此，环境污染日益严重，食品毒性越来越大，人们的内心越来越惶恐不安。虽然住在窗明几净的房子里，却毫无归宿感。

心越自私，装载的东西就越多，而作为人身上最柔软的部分，心是最不堪承受重担的。

当人类的天空因贪婪而暗淡的时候，唯有公心和爱能够守住最后的光明。

当然，我们更需要一种制度，来确保公心者得到善报。这些年来，我一直坚持公益写作的目的即在于此。我深信："公平公正的制度才能让人民免于掠夺和恐惧，才能让公心和敬畏生命成为普遍的价值观。"

本书是我此生第一部作品，倾注了不少心血，我希望它能起到抛砖引玉、引人思索的作用，倘若能达到这一目的，内心当欣慰之至。

此书的写作，得到多位朋友的大力支持。我的挚友刘广元先生和黄峰姐，在本书尚处于构思阶段的时候，就提出了许多具体的建议，书稿完成后，又提出了详细的修改建议。美国的周缨、加拿大的张兮等多位朋友提供了不少一手的资料，并帮助做了许多翻译工作。经济学家王福重先生和夫人，逐字逐句审阅全书，提出了200多条修改意见，使得本书的论述更为严谨。机械工业出版社华章分社的张庆丽女士，三次通读全书，提出了许多非常有益的建议。另外，书展、王阳和一些再三嘱托不让提及的朋友，在写作和修改过程中，给予了很多帮助。在此，深表感谢！

还要感谢千千万万的博友们，他们的支持给了我阳光般的温暖和强劲的力量，他们永远是我坚强的后盾。

在这里，还要特别感谢我的父母，他们默默承受诸多苦难，把我抚养成人，并让我接受良好的教育。他们最朴实的教诲，让我懂得爱和奉献的意义，懂得保持谦卑和公心的重要性。他们永远是我人生中的明灯和港湾。

在书稿完成之际，我不禁深切地怀念我的爷爷，是他让我懂得这片生我养我的土地的博大和仁爱。我的第一本书，也将献给我的爷爷，献给这片饱经苦难的土地！

时寒冰

于2008年12月2日凌晨

■ 次贷危机正在从金融领域打开一个劫掠财富甚至摧毁一国经济的巨大缺口。隐藏在次贷危机背后的陷阱，正在像黑洞一样，无情地吞噬和掠夺世界的财富。也许若干年后，人们会惊愕地发现：次贷危机，真的改变了世界！

■ 从历史上来看，每一次战争过后，美国的经济都会有一次大的提升，美国的国际地位都会有一次飞跃；每一次金融危机或经济危机过后，美国都变得更强大。这已经成了一种规律。

■ 冰岛的困境只是金融战争中的一个环节，幕后的博弈者试图以冰岛为"小白鼠"，看到对方出的牌。但面对种种不确定性风险，欧盟最终选择了退守一隅。

■ 在救市过程中的国有化运作，不仅充分展示了市场经济成熟国家的政府在危机中强势的干预能力，更预示着大政府时代的来临。

■ 美国凭借货币霸权"空手套白狼"的游戏已经很难持续。危机将促使美国人的财富观念、消费观念发生颠覆性变化，过度的信贷消费已经走到尽头。美国自己需要转型，而美国的转型意味着世界经济的引擎发生变化。

■ 那些购买庞大次级债的国家，不得不面对财富迅速流失的痛苦。同样，那些外汇储备中美元占据主导地位的国家，也不得不无奈地咽下美元迅速贬值所造成的财富缩水的悲伤。

■ 由于主导救市的国家几乎全部都实行了减税政策，那么，其救市的庞大资金基本上都来源于印钞和发债，这意味着救市为下一轮严重通货膨胀的到来埋下了巨大隐患。

次贷危机改变了世界

次贷危机把世界拖下水

美国次贷危机正日益显露出狰狞而恐怖的面目。如果您和笔者一起层层剖析其背后的内幕，您就会得出一个结论：如果一些因素继续存在，危机还将重演，掠夺者还将掠夺，被掠夺者还将继续遭受痛苦。

在金融战争时代，弱肉强食的丛林法则，比人类尚处于蛮夷时代时更加残酷和血腥。

2008年3月，美联储前主席格林斯潘撰文指出："有一天，人们回首今日，可能会把美国当前的金融危机评为第二次世界大战结束以来最严重的危机。"[1]（不过，接下来您会发现，格林斯潘不是预言家，在次贷危机中，他所扮演的是一个令人恐惧的角色。）

金融大鳄索罗斯认为："全球长达60年的大牛市已经结束，全球正面临60年以来最严重的金融危机。"[2]

许多人都知道，次贷危机是由于美国让本来买不起房、信用等级也不足以获取银行贷款的低收入者买房所致，但是，怎么会造成如此严重的危机呢？

原因是，以这种贷款为基础构筑起来的庞大的各种金融衍生品所产生的杠杆效应放大了风险。

物理学家阿基米得自信："只要给我一个支点，我就能把地球撬起来。"这绝对是异想天开，即使给阿基米得这样一个支点，他也找不到那样一个巨大的杠杆。但是，**那些天才般聪明和魔鬼般贪婪的人，不仅找到了撬动地球的支点，也找到了足以颠覆世界经济的杠杆，这就是——包括次级债券在内的各种金融衍生品**。

这个杠杆到底有多大？400万亿美元！（关于全球衍生品的规模，目前有两个最常用的数据，一个是400万亿美元，另一个是531万亿美元，前者是中国社科院金融研究所公布的数据，后者是美国、德国等发达国家的媒体经常引述的数据。）

由于近年来毫无节制的金融创新，导致全球衍生品市场规模急剧膨胀，次级债券衍生合约的市场规模被放大至近400万亿美元，相当于全球GDP的7倍。所以，您可以想象，当下全球各大金融机构对外提供的信用实际规模已经远远超过其资产负债表内所反映的数字，表外资产规模甚至是其表内资产的4～5倍，如花旗银行表内资产5700亿美元，但是它至少有1.5万亿美元在表外，其中次级债衍生合约占了相当大的比例。表外资产虽不计入表内，但一旦发生亏损，是必须计入的。[3]

有经济学家认为，美国次贷危机引发了一场比1929年经济大萧条更为严重的危机，原因是它给金融市场的其他许多环节都造成了真正严重的影响……这场危机是美国经济史上最为严重的一次危机。[4]

由于金融衍生品的杠杆效应成倍放大了风险，难以阻止次贷危机恶化的趋势。2008年9月，当中央电视台《东方时空》记者就次贷危机未来发展趋势问题采访笔者的时候，笔者直言不讳地表达了自己的观点：第一，美国将有越来越多的金融机构破产倒闭；第二，次贷危机向金融危机蔓延，接着将向包括制造业在内的实体经济领域蔓延，从而引发经济危机。

不幸言中。2008年11月，美国对花旗银行的拯救，意味着金融危机新一轮恶化的开始。而美国联邦存款保险公司（FDIC）11月25日发布的报告称，在全美约8500家商业银行和储蓄机构中，2008年三季度有171家被列入"问题银行"名单，位居1995年以来"问题银行"数量之首。美国商业银行和储蓄机构2008年第三季度的利润，已经从2007年同期的270亿美元滑落到17亿美元，降幅高达94%。

如果把实体经济作为一副多米诺骨牌，那么，排在最前面的无疑是汽车行业。2008年10月开始，美国汽车业所面临的严重危机浮出水面，这是金融危机向实体经济蔓延的结果，它预示着次贷危机正快速向经济危机过渡，次贷危机最坏的时期不是在过去，而是尚在延续。

花旗银行与美国汽车业的困境，是次贷危机进一步恶化的两个重要标志。

次贷危机给全球经济和国际社会带来了什么恶果？

千万不要以为这是一个抽象的学术问题，它是具体的甚至是可触摸的。远的不说，我们可以感触得到的中国股市的持续下跌、外贸出口增速的急剧下降、中小企业的破产倒闭、通货膨胀，无不与次贷危机息息相关。

次贷危机发展到今天，有一点我们能够深切地感受得到：中国实体经济对次贷危机做出反应的激烈和敏感程度超过了美国的实体经济。这是为什么？

在次贷危机刚刚露出苗头的时候，美国就开始采取措施，避免危机蔓延到实体经济领域，无论是大规模减税，还是降息政策，都是呵护其实体经济的重要举措。

而在同期，我国相应的政策调整相对滞后，在美欧消费需求下降、我国出口企业开始感受到紧缩寒流的情况下，我们没有及时调整相应的货币政策，也没有及时出台相应的财政政策，加之我国出口导向型企业本身就以低附加值产品为主，对金融危机的抵御能力非常脆弱，使得我国实体经济对次贷危机的反应超过了美国和欧洲。

与中国有着同样教训的国家，并不在少数。

次贷危机以席卷世界的影响力，给人们发出了一个最明确和清晰的警示：

在全球化的今天，在金融衍生品高度发达的今天，一个安分守己、与世无争的人，即使守护着自己的财富寸步不离，也无法确保自己辛苦创造的财富不被掠夺。

当然，有被掠夺者，就一定有掠夺者，这是一种天然的对应关系，只是当掠夺者隐藏起来，以比被掠夺者更痛苦的扮相出现在世人面前时，人们由于本能的同情而忽略了真相和陷阱。

次贷危机，犹如《聊斋志异》中的画皮，当美丽的羽纱褪去，丑恶、污秽、阴毒、血腥……一一裸露出来，让人惊恐并战栗。

对美国而言，次级债的高明之处在于，通过精巧的设计把全世界许多知名金融机构都拖下了水……次级债衍生品在关键时候发挥了绑架作用，当涵盖了许多国家中央银行的阵容豪华的救援队一遍遍地去美国救火的时候，他们甚至还没有弄清楚火势究竟有多大。只是当近万亿美元注资无法产生效果，他们才惊愕地发现：由次级债衍生出来的创新产品，已经掘出了一个深不可测的无底洞，而这个无底洞就是作为一个超级大坟墓而存在的，再多资金也填不满！无论承认与否，次贷危机已经深深地在世界肌体上打上了痛苦的烙印。

从历史上来看，每一次战争过后，美国的经济都会有一次大的提升，美国的国际地位都会有一次飞跃；每一次金融危机或经济危机过后，美国都变得更强大。这已经成了一种规律。

举个最简单的例子，美国纳斯达克最火热的时候，全球的资金都去淘金，结果，纳斯达克泡沫破灭，无数资金灰飞烟灭，而微软、思科、英特尔、Google、甲骨文、苹果电脑、戴尔等IT巨头，早已借助淘金者提供的廉价资金实现了腾飞。当它们成长为世界级巨人时，美国以更强大的姿态傲视世界。

次贷危机也一样。**在次贷危机中，还不起贷款的是美国的买房人，而处在这个链条终端的埋单者则是全世界。**

这正是次贷危机的微妙之处。

当次贷危机像瘟疫一样，冷酷地步入我们的生活时，无论是安排投资、消费、生产、研究，还是规划养老、教育等事宜，或是保护与捍卫自己的财富与尊严，我们都需要对这一危机的本源及未来趋势有清晰的了解和把握。

以房价为例，随着次贷危机的蔓延，信用丧失导致全球流动性过剩向流动性紧缩骤然转变，资金将加快从高估值、泡沫比较严重的领域撤离，这必然导致房价的暴跌。

2007年10月，笔者对中国股市和楼市做出两个重要判断：一是认为股市将在当年10月初达到历史高点，并从此步入下跌轨道，因此，明确发出空仓呼吁；二是认为2008年及以后，中国房价将处于震荡阶段，主要表现形态为成交量的萎缩，然后，逐渐演变成深幅下跌——直到这个下跌周期完成。

对次贷危机的分析和把握，是笔者得出上述结论的依据之一。

是的，如果把次贷危机作为现代金融战争中的一部分，任何人都不能置身度外，也不可能置身度外。其实，即使您不认同金融战争的说法，那么深入了解次贷危机的真相，也会让您有豁然之感，对自己的经济活动大有裨益。

次贷危机正在改变世界。现在，我们需要一步步找出次贷危机的制造者，以及他们从中牟取的巨大利益。

大掠夺让国家破产

次贷危机正在从金融领域打开一个劫掠财富甚至摧毁一国经济的巨大缺口。

从1994年12月爆发的墨西哥危机，到1997年爆发的东南亚金融危机，到1998年的俄罗斯金融危机，到1999年的巴西经济危机，到2002年的阿根廷金融危机，再到2007年爆发的越南金融危机，危机一直在频繁发生，这到底是为什么？

这正是我们接下来要找寻的答案。

有一点是可以确定的，许多国家都在灾难临头时，求救于美国主导的国际货币基金组织（IMF）等机构，屈辱地接受不平等的条款。当危机过去，这些国家也难以恢复往日的风采。

这次的次贷危机，让冰岛不幸成为一个面临政府信用破产、国家经济濒临破产边缘的国家。

在最暗淡的时候，冰岛克朗兑欧元在短短的一周时间里就贬值了约80%！惨烈之至。但冰岛仅仅是一个开始——不仅仅指这场次贷危机。而冰岛

孤立无援、四处求救碰壁的悲壮身影，更是令许多国家心有余悸！冰岛为何成了孤家寡人？本书将解读这一问题。

冰岛银行业曾在20世纪90年代中期因证券市场的繁荣而迅速成长，现在造成的经济损

失达全年GDP（190亿美元）的9倍之多。

冰岛股票交易所运营商OMX Nordic Exchange在股指计算中将冰岛最大的三家银行Kaupthing Bank、Glitnir和Landsbanki的股价减为零之后，在无力偿还债务和陷入流动性危机的情况下，这三家银行被政府接管。

冰岛政府被迫支付巨额资金来保障信贷，因此，冰岛求助于西方国家，遭到拒绝后，又求助于俄罗斯，而经济学家们确信，冰岛政府最终还只能求助国际货币基金组织来帮助其重新恢复金融稳定，相应的，它也必须像昔日那些陷入金融危机中的国家那样，屈辱地接受苛刻的条件。

昔日强烈反对加入欧盟的冰岛，在孤立无助之际，怀念起了"组织"。

2008年10月13日，冰岛女外交部长英伊比约格·索尔伦·吉斯拉多蒂尔在当地报纸撰文称，从短期看，冰岛需要与国际货币基金组织合作；而从长期看，冰岛必须考虑加入欧盟、接受欧元，以得到欧洲央行的支持。

冰岛的困境，只是金融战争中的一个环节，幕后的博弈者试图以冰岛为"小白鼠"，看到对方出的牌。但面对种种不确定性风险，欧盟最终选择了退守一隅。

次贷危机犹如海啸，最脆弱的部分必然首先被摧毁。**冰岛的困局告诉我们，现在，战争的主角、摧毁一国经济主权的工具，已经变成金融而非笨拙的枪炮。同时，摧毁一国经济主权的主角，已经变成尖端的金融人才而非勇猛的大兵。**

冰岛虽然是次贷危机中第一个面临国家经济破产风险的国家，但它也仅仅是众多多米诺骨牌中的一块，我们不能确切地知道最后一个会是谁，但我们知道"项庄舞剑，意在沛公"的典故。

欧盟正是次贷危机制造者瞄准的目标之一。

欧元是当今唯一能够挑战美元的货币。截至2007年1月，罗马尼亚和保加利亚两国加入欧盟，欧盟经历6次扩大，已经成为一个涵盖27个国家、总人口超过4.8亿、GDP高达12万亿美元的当今世界上经济实力最强、一体化程度最高的国家联合体。

所谓"卧榻之侧，岂容他人酣睡"，冰岛或许只是一个被当做试验品的"小白鼠"，下一个目标正是冰岛要加入的欧盟。当2005年，法国提议用欧元作为石油支付货币时，美元与欧元主导者的摊牌时刻已经渐渐到来。[5]

冰岛的弱点，在欧盟其他国家一点也不存在吗？或者，欧盟国家不存在其他的弱点吗？作为一个联合体，它的结构终归是脆弱的，彼此之间的信任是有一定局限性的，一旦某个国家成为猎物而身陷次贷危机的泥潭，这个被打开的突破口是否会成为金融战争的一个开局？

虽然我们现在还无法确切知道结果，但有一点却是可以肯定的，那就是，在未来，冰岛的悲剧将重演，一些国家可能沦为经济上的附庸国——尽管它们主权仍存。

有关这一系列的问题，在接下来的章节会进行详细探讨。

大政府的形成加大世界的变数

2008年9月7日，美国财政部长保尔森宣布美国政府接管陷于困境中的两大房贷巨头房利美和房地美，计划向其提供多达2000亿美元的资金，并提高其信贷额度，随后，"两房"的监管机构联邦住房金融局将接管这两家公司。

9月16日晚间，美联储与美国最大保险公司美国国际集团（AIG）达成协议，美联储接收AIG集团80%的股权，向其提供850亿美元贷款，AIG的全部资产都将被用于贷款抵押。

这是两个具有转折点意义的事件。美国在救市过程中的国有化运作，不仅充分展示了市场经济成熟国家政府在危机中强势的干预能力，更预示着大政府时代的来临。今后的世界历史，甚至都有可能受到这一事件的影响。但是，许多人只注意表面的信息，而忽略了其内涵和动态的外延部分。

对美国接管两房及之后的相关救市事件，有两个人给出了很有趣的评价：一个是委内瑞拉总统乌戈·查韦斯，另一个是俄罗斯总统梅德韦杰夫。

查韦斯批评乔治·布什对美国私人金融公司进行预算支持的决定，认为"布什同志开始走向社会主义"。梅德韦杰夫说布什的救市如同实行金融社会主义，他认为，美国、欧洲等国家将金融公司国有化和强力干预市场，标志着新自由主义和货币主义被彻底放弃，"金融社会主义"在全球流行。

的确，从东到西、从北到南的许多国家，都在积极出台救市措施，但是，查韦斯与梅德韦杰夫主要是从意识形态角度做出判断的。笔者认为，**类似美国的这种强力救市绝非意味着发达国家意识形态的变化，而是意味着一个在未来将令人心生畏惧的现象的出现，那就是大政府的出现。美国的救市意味着一个大政府的诞生，无论对于美国还是世界历史进程，都意义重大。**

在自由资本主义模式下，人们信奉一个基本原则：干预最少的政府是最好的政府，小政府是最好的政府。一方面，小政府效率高，便于公众监督；另一方面，小政府给社会带来的负担小，社会资源配置更容易在市场内在力量的作用下趋于合理。正是受益于这种模式，英国人在长达200余年的时间里，称霸全球。

美国从英国那里继承了这种模式。但是，从罗斯福开始，政府的强力干预走向前台。为了应对始于1929年的经济危机，罗斯福实行了"新政"。"新政"的理论依据是凯恩斯的政府干预经济的理论。

须要指出的是，罗斯福干预经济的"新政"，与小布什政府和美联储所主导的国家接管有着本质的区别，前者是对市场失灵后的强力修复，而后者则是政府直接接管，让政府的有形之手直接插入经济体中，从而催生出一个更强势的政府。

事实上，罗斯福"新政"改革的过程，也是联邦政府权力迅速扩张的过程。当时，罗斯福把经济界、学术界的知识精英聚集在华盛顿，作为政府的智囊，这为大政府下的美国迅速崛起奠定了强大的智囊基础。也正是从罗斯福的大政府开始，美国的对外政策发生了重大变化，美国开始以世界领导者的身份走向世界。

那么，在小布什通过救市建立起来的大政府遗产交到新任总统奥巴马手中后，美国的这位新总统又将如何运用大政府赋予的权力？美国又将以怎样的身份走向世界、改变世界？

有一点是可以肯定的：像美国这样的起着全球经济火车头作用的国家，其向大政府的转型对世界政治、经济格局将产生深远影响，它依托军事强权和货币强权形成的在金融和经济方面的侵略性和掠夺性，将会使未来世界政治、经济形势的不确定性进一步增强。

罗斯福由于他的"新政"而名垂青史，凯恩斯也因为罗斯福的辉煌而作为政府成功干预经济理论的缔造者被人树碑立传。但是，后来的货币学派的领袖、1976年诺贝尔经济学奖得主弗里德曼通过研究认为，美国20世纪30年代经济大萧条恰是美国政府过度干预经济运行造成的恶果。1963年，弗里德曼与施瓦茨合著的《美国货币史》提出，如果不是在1913年成立了联邦储备局，如果不是美联储过度干预经济，1929年的经济危机原本就不会出现。弗里德曼认为，20世纪30年代的全球经济灾难实是源于一场普通的金融风暴，由于联邦储备银行的政策和管理失误，错误地紧缩货币供给，进一步恶化了这场风暴，最终演变成无法收拾的大恐慌。

对此，现任美联储主席本·伯南克在2002年庆祝弗里德曼90岁生日时说："有关大萧条，你是正确的，我们（联邦储备系统）当时的确做错了。我们真的很抱歉。"

亚当·斯密在《国富论》中说，政府的天职是"守夜人"，经济活动和资源的合理配置应该由市场机制来完成，政府的经济职能重点在于保护自由竞争、保障私有财产、建立某些必要的公共事业和公共设施。

而今，小布什对两房的接管，对市场的强力干预，不仅远远超出了昔日罗斯福总统对市场的干预力度和深度，也将政府直接拖入了经济体中，完成了政府职能的一次巨变。

从此开始，美国经济乃至世界经济，都在因此增加更多的变数、更多的动荡——即使在次贷危机结束后，这种风险也会继续存在下去。大政府下的美国，会有意或无意地犯下更多的错误，然后，它再用新的错误修复此前的错误。世界将在这种修修补补中，摇晃着前行。问题是：谁为这种错误埋单？这种悲剧又将延续到何方？

美国经济学家、《超级帝国主义》一书的作者迈克尔·赫德森在接受美国媒体采访时指出，早在尼克松政府时期，他就撰写了《超级帝国主义》一书（该书最初是为政府做的一份研究报告）并指明：因为美元是世界货币，如果扩大当时已很严重的美国经常项目赤字，在相当长时期内可以加强美国的地位，但会加剧世界经济的失衡，因此不能走这条道路。但美国政府看到赫德森的报告后却说"这样好极了"，于是从此走上努力扩大赤字的道路，直至劫持整个世界经济为自己的泡沫经济和越战以来的所有对外战争融资，使世界经济处于高度失衡状态。赫德森认为，这种用美元霸权，不仅剥削穷国，还剥削富国中央银行的帝国主义，相对于向穷国投资获得超额利润的帝国主义来说，是超级帝国主义。

在大政府时代，迈克尔·赫德森所称的超级帝国主义就变得更大更贪婪。

财富大洗劫后的强权洗牌

在全球化的今天，货币已经代替枪炮成为战争的主角，其造成的后果与真正的战争一样血腥和残忍，只是许多人被洗劫后还浑然不觉而已。我们需要认真思索，以透彻地了解和掌握这个时代的黑暗与危机，让更多的人从麻木不仁和被欺骗的状态下觉醒。

次贷危机将对未来的世界经济格局产生深远影响，最起码，美国凭借货币霸权"空手套白狼"的游戏已经很难持续，危机将促使美国人财富观念、消费观念发生颠覆性变化，过度的信贷消费已经走到尽头。美国自己需要转型，而美国的转型意味着世界经济的引擎发生变化。

次贷危机中，无数财物被掠夺（接下来我们要找出隐藏着的掠夺者），这些财富的数额令人瞠目结舌。

2008年10月7日，国际货币基金组织在半年度的报告中称，美国引起的信贷危机带来的损失将达14 000亿美元。而在同年4月，该机构评估的损失为1万亿美元。

笔者认为，这个评估报告忽略了金融衍生品杠杆效应对危害的放大效应。

美国著名分析家努里尔·鲁比尼指出，此次次贷危机有可能让美国付出将近3万亿美元的代价，相当于美国GDP总量的20％。这对美国经济乃至全世界经济而言都将是一次重创。

笔者对努里尔·鲁比尼认为的美国的所谓损失持有异议，如果次贷危机的损失仅限于此，哪里会有如此严重的后果？另外，美国在次贷危机中所得到的公共住房、债务的稀释等"战果"，远远弥补了其所谓的损失（本书将一步步进行剖析）。但是，努里尔·鲁比尼提供的数据至少从一个侧面暴露出次贷危机所造成的损失的严重程度。

那些购买庞大次级债的国家，不得不面对财富迅速流失的痛苦。同样，那些外汇储备中美元占据主导地位的国家，也不得不无奈地咽下美元迅速贬值所造成的财富缩水的悲伤。

美国的净外资所有权在过去10年里增长了5倍。根据美国经济分析局的数据，2006年年末，其他经济体拥有的美国资产（包括股票、债券和房地产等），已经远远超过了美国在其他经济体中所拥有的资产。

据统计，当前在全球流通的美元现金中，约有70％以上是在美国之外的国家流通。

在美元与黄金脱钩后，美元就成了脱缰的不受制约的野马，美国通过不断发行货币换取其他国家辛辛苦苦生产出来的劳动成果——这也是美国敢于成为世界上最大债务国的原因，它通过发行美元就可以"稀释"自己的债务。

迈克尔·赫德森指出：实际上，美国已设想出一种新的办法，通过欧洲和亚洲的中央银行接受不限量的美元储备而向它们征税。美元霸权使美国能够进口远远超过其出口能力的商品。这为美国提供了一种独一无二形式的富裕，这种富裕是通过搭欧洲、亚洲和其他地区的便车而得到的。

当美元完成从高含金量到纸张的蜕变[6]，它已不可避免地成为掠夺者的工具，而嫁接其上的金融衍生品，不过是强化了这种掠夺性。

中国深受其害。

美国财政部2008年11月公布的国际资本流动报告显示，截至2008年9月末，中国持有的美国国债达到5850亿美元。中国取代日本成为美国国债最大持有国。另据2008年10月14日的《第一财经日报》报道："根据美国财政部7月公布的数据，中国共持有……房地美和房利美债券3760亿美元，这其中商业性机构、外汇储备及中投公司分别持有的规模不详。"

次贷危机之下，通货膨胀如噩梦般挥之不去。

自2007年下半年开始，国际油价连破70、80、90、100、110、120、130、140美元关口；黄金价格涨势空前，一举突破1000美元/盎司[⊖]关口；铁矿石价格又暴涨了近一倍……

放眼望去，许多商品价格都在快速上涨，无论是发展中国家还是发达国家，都面临抑制物价上涨的难题。而在这一过程中，美元持续快速地贬值。美元作为全球金融体系和贸易体系的计价单位、支付和储备手段，使得美国具有了天然的向世界输出通货膨胀的便利。

虽然随着次贷危机的恶化，国际大宗商品的价格大幅回落，但这只是暂时的。一旦次贷危机结束，全球经济回暖，通货膨胀又会如影随形。

美国施行的弱势美元政策，在客观上造成了向世界各国输送流动性的后果，使许多国家饱受输入型通货膨胀的困扰，并导致这些国家所采取的应对通胀的措施无法产生预期效果。

在次贷危机恶化过程中，美国作为救市的主导者，所采取的救市策略，与其他国家存在着很大的区别。其他国家是拼命地向美国注资，拿出的是真金白银，救的是美国的虚拟经济，而美国则把重点放在稳定实体经济发展方面。最典型的是，在次贷危机爆发后，美国就实行大规模的减税政策。

比如，2008年1月18日，美国总统布什要求实施金额为1400亿到1500亿美元的减税方案，以刺激经济增长，有效刺激消费和促进投资，创造就业机会，避免经济陷入衰退。1月24日，美国白宫和国会就总额约1500亿美元的一揽子经济刺激方案达成一致，美国1.17亿个家庭从这一经济刺激方案中受益。

美国一边小心翼翼地呵护其实体经济，一边呼吁其他国家拿出真金白银

⊖　1盎司＝28.3495克

拯救其已经是无底洞的虚拟经济。也许，不久之后人们才会发现，拯救者才是真正要被拯救的，而现在的被拯救者将来会突然站立起来，成为巨人。

次贷危机是一个陷阱，那么，拯救次贷危机的过程中，同样布满重重陷阱。而且，拯救次贷危机可能制造出一个更为可怕的陷阱。

须要说明的是，笔者并非什么阴谋论者，只是从纯粹的技术分析角度，以一个经济学研究者的视野，以认真和严谨的态度，去剖析和梳理次贷危机背后的层层逻辑，并对一个民族沉痛的迷失做出理性的反思。

我们须要多角度地去观察和认识危机，这能使我们更透彻地看清真相，找到恰当的对策。

从历史上的大危机来看，每次大的经济危机或战争的发生，基本上都会导致全球的一次大洗牌。第一次世界大战以及1929～1933年的全球经济危机，促成德国和美国的崛起；第二次世界大战后，英国衰落而美国取得霸权地位；伊拉克战争，使得美国错失扼杀欧元的机会，欧元储备货币地位确立。

那么，次贷危机之后呢？

笔者认为，次贷危机对未来世界格局的变化影响深远。

其一，欧元储备货币地位的确立，使得美元日益面临挑战，美国通过加印钞票和发行国债换取世界辛勤劳动财富的模式开始受阻，相应的，美国国内过度消费、借贷消费的模式也将因次贷危机而发生重大变化。一旦作为世界经济引擎的美国消费降下来，世界上那些依赖美国需求的国家，都将面临痛苦的转型。

其二，次贷危机的恶化，终结了以美国为代表的虚拟经济高速发展的神话，为中国、印度、巴西、俄罗斯等新生代势力的茁壮成长，打开了一个更广阔的空间。

其三，当美国等国把庞大的救市资金撒向市场时，又为另一场危机埋下了巨大隐患，它们在填上一个窟窿的同时，又挖了一个更大的窟窿。

2008年11月26日，德国总理默克尔向德国议会表示："美国过度廉价的资金是促成今日危机的原因之一。我深深担忧，我们现在是否在通过美国和其他地区正在采取的措施巩固这一趋势，我们5年后是否会面对完全一样的危机。"[7]

这是笔者所看到的西方政治家中最有远见的一种判断，默克尔的观点与笔者一致。次贷危机如果拯救不当，或者如果一些国家的措施副作用过大，不仅有可能使次贷危机的危害继续扩散，还可能为下一次金融危机埋下隐患。

不得不防的两场战争

2007年，国际油价和粮价的上涨，至今令许多国家心有余悸，而这仅仅是一次预演。次贷危机带来的巨大而沉重的阴影，虽然暂时终止了国际油价与粮价的上涨之路，但是，一旦次贷危机接近尾声，短暂的空缺就可能被新的危机取代，那就是石油和粮食危机。

这将是次贷危机之后，更可怕的武器。

国际油价从2004年的每桶40多美元，一口气上涨到2008年7月11日的147.27美元的最高价，可谓涨势如虹。因为美国本身就是石油投机的直接受益者。诚如业内专家所言："统计表明，油价上涨过后，其产生的溢价约有10%为石油输出国获得，而将近90%被美国人收入囊中。所以，从表面上看高油价弱美元似乎是投机力量在借题发挥，其实背后真正的操控者是美国政府和经济调控当局。"美国总审计局2007年秋发布的一份报告称，对冲基金和大型机构投资者参与的原油交易量，在2006年比2003年增长了1倍多。这可作为石油投机泛滥的一个佐证。[8]

2008年6月25日，中央电视台《东方时空》播出了对笔者的采访，笔者认为，油价不会像当时的分析师所说的那样会一口气涨到200美元以上，而是应该会大幅回落，2008年国庆节后就会看到更低的油价——直到这次下跌周期结束。

之所以得出如此结论，除了次贷危机恶化必将损害实体经济、减少对石油的消耗之外，还有三个重要依据：

其一，笔者通过计算得出结论，综合当时美国经济的承受力，它所能接受的最高油价为每桶120美元。超过这一点，美国就要采取措施，因为美国对油价上涨的承受力弱于欧盟。事实上，在油价达到这一界限时，美国国会就开始调查石油投机。同时，美国在大力发展生物燃料，以提高其对油价的承受能力。

其二，投机是推动油价上涨的重要因素之一。2008年6月23日，美国国会公布的一项调查结果显示，在某些关键的石油期货交易方面，有70%的合同为投机者参与，该份额在2000年仅为37%。随着次贷危机的恶化，笔者推断，美国政府会借机狂砸油价，洗劫盘踞在油价中的投机资金，并重伤包括中东各国在内的产油国，给世界带来不安全感，将这些国家及国际上的游资、热钱逼向美元资产，在美元投机中获取暴利。

美国终于动手了。

2008年6月23日，美国国会众议院监督调查委员会举行听证会，调查原油期货交易中的投机问题。众议院监督调查委员会主席巴克·斯都帕克表示，国际原油价格的一半左右是投机行为的结果，石油投机使原油价格每桶增加了65~70美元。众议院能源和商业委员会主席丁格尔认为，国会应该考虑采取一系列措施，限制石油市场的投机行为，包括对金融资本的投资抽取50%的利润，阻止退休基金参与石油期货的投资，禁止投资银行拥有能源资产的股票等。外交关系委员会的能源问题专家诺曼赞同这种建议，他认为，国会必须采取行动，否则，石油投机后患无穷。美国国会表示要制定法律，限制和禁止一些投机性的石油市场投资。

2008年7月14日，美国总统布什宣布解除在美国近海开采石油的行政禁令，并敦促国会采取类似措施废除相关法律禁令，以应对国际油价不断攀升的局面。

受此影响，国际油价暴跌不止，到2008年11月底，已经跌到50美元以下。

其三，给俄罗斯一个教训。国际能源机构公布的数据显示，俄罗斯2007年日产石油1008万桶，已超越沙特阿拉伯成为全球第一大产油国。石油收入决定着俄罗斯的国运。

近年来，俄罗斯借助油价上涨的翅膀，踏上了实现经济复兴的道路，腰板硬起来的俄罗斯，大国民族主义复活，在各种问题上尤其是北约东扩的问题上表现出强硬的一面。美国需要通过打压油价，给俄罗斯一个教训。

俄罗斯总理普京曾经说，原油价格跌至每桶70美元，俄罗斯仍能维持预算平衡，这与德意志银行计算出来的俄罗斯能够承受的70美元底线相吻合。问题是，如果油价再向下跌呢？美联社报道说："如果油价继续滑落，俄罗斯将不得不考虑放缓夺回世界政治舞台中心的步伐。"

这是笔者当时对油价必然大幅回落所做的三点分析，油价随后的走势，印证了笔者的判断。

但是，必须认识到，美国不惜通过军事打击抢占伊拉克的石油资源、不惜冒着制造人道主义灾难的指责大力发展生物燃料[9]，其根本意图在于强化资源控制和减轻自身对石油的依赖，这意味着，美国未来将能够更灵活地运用石油武器洗劫财富。

美国既是金融衍生品高度发达的国家，同时也是期货业高度发达的国家，而这两者都可以作为操纵实物价格的工具。比如，利用期货的发现价格功能，通过对未来商品价格变动趋势的演绎，来影响、左右和操纵现实生活中的油价、粮价，这早已经被华尔街的金融专家们运用得非常娴熟。

曾任美国里根政府农业部长的约翰·布洛克就这样说过："粮食是一件武器，用法就是把各国系在我们身上，它们就不会捣乱。"在未来，粮食战争将是比石油战争和货币战争更可怕、杀伤力更强的武器。

粮食战争古已有之。春秋时期，齐国国王命令大臣们必须穿丝制衣服，但国内只准种粮食而不准种桑树。齐国丝需求量大，价格上涨，邻近的鲁、梁等小国纷纷停止种粮改种桑树。几年后，齐王又命只准穿布衣，且不准卖粮食给其他小国。结果，鲁、梁等小国因饥荒而大乱，不战而亡，齐国渔翁得利，坐享其成，使疆土得以扩张。

近年来，美国、欧洲各国在将大量能耗严重的产业向第三世界国家转移的同时，大力补贴农业。1998年以后，美国对农业的补贴一直稳定在每年至少200亿美元以上的水平。现在，整个发达国家和地区对农业的补贴高达

3000多亿美元。同时，欧美发达国家投资研发先进的农业技术，提高粮食产量，使农业生产得到了快速发展，从而实现了两大转型：一是从传统工业向服务业的转型；二是从传统农业向现代化农业的转型。在全球贸易自由化不断向前发展的大背景下，欧美等国唯独在农业补贴问题上始终不肯妥协，许多人不解原因，当那些农业补贴低的国家因无力与欧美农业竞争纷纷减少粮食生产投入、依靠从发达国家进口粮食时（犹如春秋时的鲁、梁等小国纷纷停止种粮改种桑树），那些悄然发展起来的农业大国就有了操纵世界的能力——这或许正是前述问题的答案。[10]

对美国而言，大力发展生物燃料是一举三得的事情：

其一，美国是世界上最主要的粮食生产国和出口国，其中大豆产量占全世界产量的42.7%，玉米产量占34.4%，小麦产量占11.6%，其粮食出口量占据全球粮食出口的半壁江山，粮价上涨美国是最直接的受益者。大力发展生物燃料对粮食的消耗，相当于减少了粮食的市场供应，成为粮价上涨的最重要推动力，因粮价上涨而多获取的收益，弥补了它发展生物燃料的生产成本。

其二，美国可以通过生物燃料占燃料比例的逐渐增大，减少对石油的依赖，更有利于确保其能源安全。

其三，粮价上涨，以美国为主的国际投机资金将获取丰厚利润。著名国际地缘政治与经济学家威廉·恩道尔一针见血地指出："（粮食危机）一个直接的原因，就是这些国家希望粮食价格继续上涨。"

粮食安全隐患，中国亦身在其中。美国等发达国家长期实行工业补贴农业的政策，导致其农业竞争优势非常突出。中国有史以来就是大豆主产大国，但是，当美国廉价大豆如同洪水一般冲进国门，国内几千年形成的大豆生产体系全面崩溃，变成了排在世界第二位的大豆进口大国，大豆和豆油的需求基本上依赖于美国的进口。根据国家粮油信息中心的统计数据，2007年中国的大豆进口量超过5000万吨，2008年中国将消费掉4900万吨大豆，其中进口大豆3400万吨，占大豆总消费量的70%。[11]

美国拥有世界上最发达的农业，或许许多人并不知道这是美国在实行严格的休耕制度的情况下取得的成就。限产休耕是美国政府为调节农产品市场供应而采取的一项措施。政府采用面积控制和休耕补贴的办法，要求和鼓励农民休耕部分土地。这一做法既控制了产量，又达到了保护水土资源的目的。但是，从另一面来看，一旦粮食被作为战争工具，这些休耕的肥沃的土地，何尝不是最充足的弹药呢？

2008年年初，世界银行发布报告称，由于粮食和能源价格达到连续6年来的最高点，墨西哥、也门等33个国家可能面临"社会动荡"。如果粮食武器真的被人运用起来，更大范围内的动荡在所难免。

全球性通货膨胀隐患

2007年，全球性通货膨胀给世界许多国家的人民带来了痛苦和恐惧，而这一切，都将在未来成为常态。

次贷危机之后，全球性通货膨胀将再次来临。

美国是全球性通货膨胀的一个重要源头。

即使在次贷危机恶化过程中，通货膨胀的隐患也在不断被种下。美国不断向市场注入流动性，或者说，美国以救市为由得到了一个冠冕堂皇的开足马力加印钞票的良机，它会说，救美国就是救世界经济。实际上，美国（确切地说，美国的既得利益集团）一直在向世界灌输这个逻辑。而加印钞票必然导致美元急速贬值，这有利于促进美国的出口、促进其经济的复苏，却会加速其他国家美元资产的大幅缩水。

以美国8500亿美元的救援计划（7000亿美元救市计划的修订版）为例，由于美国是双赤字国家，居民储蓄又少，要实现这个计划通常有两种选择：一是直接印发美钞，二是发行国债。美国财政部要求国会批准将美国国债的发行额度上限从10.6万亿美元提升到11.3万亿美元，显示了其急切的心情。但是，这两种做法，必然导致持有巨额美国国债、美元储备的国家的资产大幅度缩水。美国不动声色地稀释了债权国的财富，消除了一部分债务。

美元在快速贬值，这种做法无异于持续向世界输入通胀，为未来在世界范围内掀起新一轮的物价上涨埋下了巨大隐患。

在次贷危机恶化过程中，美元却突然一改颓势，展现出强势的一面。这既有国际资金在世界主要经济体露出衰退迹象后流向美国寻求避险的因素，也有美国为了更容易发行国债自己托盘的因素，一旦这个步骤走完，在未来，美元必然重新步入快速贬值的轨道，而石油、铁矿石等大宗商品，将迅速止跌回稳，并步入快速上涨的轨道。

一个众所周知的现象是，由于次贷危机恶化，全球都在救市，而且，规模越来越庞大，从美国的8500亿美元（此前的不计算在内），到欧盟的2万亿欧元，无不显出大手笔气派。同时，中国也推出了4万亿人民币的救市计划，规模虽然小于欧盟，但是，如果从救市计划的规模在GDP中的占比来看，中国则明显高于欧美。

暂且不提效果如何，救市的资金从何而来呢？

各国救市的资金来源（尤其是财政赤字的国家），无非三个途径：

其一，发行货币，这将加大通货膨胀压力。以美国为例，其人均存款量接近零，加印美钞似乎是政府救市的必然选择。

其二，发行债券（主要是国债）。比如，倘若美国通过发行国债救市，那么，就会导致产生如下几个问题：首先，增发国债将降低美国国债的信用评级，会使已经持有美国国债的国家受损；其次，与加印钞票一样，会加大通货膨胀压力；另外，发行国债可能使那些更需要资金的地方因失血而饱受资金短缺的困扰。

其三，增加税费征收。在消费低迷、内需不振的情况下，增加税费收入，不仅可能会加重企业的负担，加快企业的倒闭速度，也会严重削弱民众的购买力。

而且，由政府主导的救市，中间掺杂着腐败、低效率、损耗、重复建设等难以克服的弊端。美国救市过程中，美国媒体披露出来的相关金融机构的腐败问题，充分说明了这一点。比如度假丑闻，美国国会议员在一次众议院听证会上披露，全球保险业巨头AIG 9月16日获政府提供的850亿美元"救命钱"数天后，其高层管理人员赴加利福尼亚州豪华海滩度假胜地疗养，花费超过44万美元。再比如高管奖金丑闻，美国《华尔街日报》10月31日公布的一项分析报告称，截至2007年年底，接受美国政府金融救援资金的首批9家银行共欠高级管理人员养老金和延期支付奖金超过400亿美元，这意味着政府旨在缓解银行流动性危机的部分资金可能直接流入高管腰包。

在由严格制约机制约束的国家尚且如此，其他国家的情况可想而知。

这些问题，还不是最主要的。由于主导救市的国家几乎全部都实行了减税政策，那么其救市的庞大资金基本都来源于印钞和发债，这意味着救市为下一轮严重通货膨胀的到来埋下了巨大隐患。截至2008年11月底，油价已经跌到了50美元以下，这种下跌与笔者此前的判断完全吻合，除此之外，像煤炭、有色金属等也都在下跌。但是，随着大量救市货币被注入市场，随着货币争相贬值局面的出现，资源类产品止跌回稳的可能性越来越大。因为，一旦人们意识到通货膨胀将要到来，就会本能地通过买进资源产品来实现保值增值,至于国际热钱则更可能倾巢出动,玩抄底游戏,国际大宗商品的价格就会步入一个新的更令人瞠目结舌的上涨周期之中,全球性通货膨胀就会到来。

失业:社会动荡的隐患

当金融危机到来,被掠夺者往往承受着莫大的痛苦,并因痛苦而生出仇恨,而这种仇恨的发泄往往是盲目的,这正是社会动荡的可怕动力。

BBC记者在美国街头采访普通百姓,就有人愤怒地指出:"什么是有组织犯罪?我看华尔街这些券商就是有组织的犯罪。"[12]

如果说仇恨是干柴,那么失业则是烈火。

在次贷危机中,穷人成了华尔街大鳄们掠夺财富的道具,他们被剥夺了仅有的财富。随着次贷危机的恶化,越来越多的人失业,越来越多的穷人因为还不起按揭贷款而被迫离开家园,以至于在一些城市出现了此类人群聚集的"帐篷城"。美国社会学家认为,随着美国越来越多家庭断供,社会会因为流浪、犯罪及疾病数字的飙升而濒临崩溃。事实上,随着断供浪潮出现,罪案的确开始增加。

如果"帐篷城"继续扩大,后果是显而易见的,这容易使人联想到"巴黎骚乱"。

2005年10月起,法国首都巴黎郊区发生了大规模的骚乱,开始的一段时间几乎每晚都有近千辆汽车被烧毁。骚乱发生的根源在于穷人被社会边缘化,他们集中居住在廉租房里,没有就业机会,内心怀着对社会的不满,最终,仇恨被一起偶然事件(两名移民少年为避警而触电身亡)引爆。

就业是决定社会能否稳定的最重要指标之一。倘若次贷危机继续恶化,会导致越来越多的人失业,那么世界就将在动荡不安中前行。

就业是任何政府首先要解决的问题。无论是求发展还是求稳定,就业问题解决不了,一切都是妄谈。有充分的就业作为前提,消费需求才能被拉动起来,促进经济增长的一大引擎才能发动起来。

但是，次贷危机正成为就业者的梦魇。

由于次贷危机已经波及全球大部分国家和地区，其对就业的影响也是多方面的。美国次贷危机打破了一个旧有的就业体系——一个以房地产和金融泡沫所带动的就业增长机制的破灭。

2008年11月17日，全美商业经济学协会（NABE）在其最新的调查报告中表示，被调查的经济学家目前平均预计美国2009年底时的失业率将上升至7.5%；而2008年10月的美国失业率为6.5%，已经创造了14年新高。NABE表示，在同年10月份之前该机构曾经预计美国失业率将为6.2%，但美国政府公布的实际数据比预计数据更为糟糕：

美国截至11月8日当周首次申请失业救济人数增加32 000人，共计516 000人。这是2001年9月29日以来最高水平；截至11月1日，当周持续申请失业救济人数增加65 000人，共计3 897 000人，接近400万人的关口，创1983年1月份以来的最高水平，意味着失业者再次找到工作的时间延长。

"劳工市场正在强化很悲观的状况。"美国一位劳工经济学家在电视采访中说，"当你看到经济萧条对工资以及信用的压力时，那只会使消费者更加紧张。"

值得注意的是，失业人口伴随着次贷危机的蔓延而增长，并非短期趋势。2008年10月20日，国际劳工组织总干事胡安·索马维亚就发出警告称，到2009年年底，全球金融危机有可能使世界失业人口猛增2000万。

2008年10月31日，欧盟统计局公布的数据显示，9月份欧元区的失业率为7.5%，高于去年同期的7.3%。而9月份欧盟27国的失业率由前一个月的6.9%升至7.0%。分析人士担心，受金融危机冲击，欧洲经济形势显著恶化，就业形势只会更加严峻，而失业人口增加反过来会对推动经济增长的个人消费产生消极影响。

2008年11月3日，由欧盟雇主协会组织的"共同应对当前金融危机的政策"特别会议指出，部分成员国进入经济衰退后，将严重影响企业投资和现有的就业机会。由于一些工业部门投资与生产环境急剧恶化，欧盟27个成员国2009年就业人口将减少约110万。参加会议的专家们表示，欧盟和欧元区国家必须在就业政策上继续密切合作并进行改革，以促进就业率的提高。

在日本，日本厚生劳动省的调查显示，2008年9月份领取就业保险失业补贴的人数同比增加2.6%，时隔1年零4个月后再度上升。这表明经济不景气导致就业形势日趋严峻。调查还显示，首次领取失业补贴者人数也有所增加。一旦经济危机长期化导致就业危机扩大，消费等方面可能将受到不利影响。从2008年7月开始，普通求职者（不包括季节性劳动者在内）领取失业补贴的人数连续突破60万，9月更是达到60.6万，自2007年5月以来首次出现同比增长。

2008年8月3日，我国发改委中小企业司发布的统计结果显示，当年相当部分中小企业面临资金链断裂等困难，全国约1/10的规模以上中小企业在2008年上半年工业增加值增长率较去年同比减少15%。中小企业司有关负责人透露，据初步统计，全国2008年上半年6.7万家规模以上的中小企业倒闭。作为劳动密集型产业代表的纺织行业中小企业倒闭超过1万多家，有2/3的纺织企业面临重整。

目前，中小企业是我国扩大就业的主渠道，提供了75%以上的城镇就业岗位，绝大部分的国有企业下岗职工、农民工等在中小企业实现了就业。2008年上半年6.7万家规模以上的中小企业倒闭，就意味着大批劳动力的失业。

就整体而言，美国就业人数下降和失业人数增加的现象，要远远轻于中国等发展中国家。由于美国在次贷危机之前，就已经将劳动密集型的企业，尤其是那些高污染高耗能的企业转移到中国等发展中国家，加之美国在次贷危机发生后，实行减税、降息等措施，刺激实体经济的发展，次贷危机的负面影响在美国境内却被降低到了最小限度。

事实上，也正是以此为依托，美国最大限度地避免了"杀敌一万自损八千"的悲剧，让自己成为表面的受害者而真正的大受益者——这是接下来我们要讨论的核心问题。

注　释

1. 格林斯潘. 美国次贷危机的教训.金融时报，2008年3月18日。

2. 这是2008年1月索罗斯在"世界经济论坛"上的发言。

3. 刘煜辉. 从流动性过剩到流动性紧缩. 每日观察，2008年3月18日。

4. 次贷危机为祸或甚于大萧条.新华每日电讯1版，2008年8月28日。

5. 2005年4月10日，法国负责工业的部长级代表德韦日昂说，由于"纯投机"因素，每桶油价至少多涨15美元。他提议，各国可尝试以欧元代替美元作为支付石油的货币，这将有助于稳定国际油价。这给美国带来了一块心病。货币的更改将削弱美元的结算货币地位，引发其他国家的外汇储备中增加对欧元的配置，从而引起国际贸易结算、外汇储备、资金供应等一系列连锁反应，给美国经济造成致命打击。

6. 1792年，美国铸币法案通过，美元问世。当时，美元采用金银复本位制，1美元折合371.25格令（24.057克）纯银或24.75格令（1.6038克）纯金。1971年8月15日，美国总统尼克松宣布美元贬值并且停止美元兑换黄金，布雷顿森林体系开始崩溃。美国从此可以不受限制地向全世界举债，由于向别国举债是以美元计值的，美国通过加印美元即可以"还账"。美国印制一张100美元钞票的材料费和人工费只需0.03美元，却能买到价值100美元的商品，美国由此得到每年大约250亿美元的巨额铸币税收益。

7. 伯特兰·贝努瓦·默克尔. "廉价资金"埋下未来危机种子.金融时报，2008年11月27日。

8. 时寒冰. 美国"讲政治"或促使油价回落.上海证券报，2008年6月2日。

9. 大量粮食用于制造乙醇燃料是导致粮价飞涨的一个重要因素。美国预计在2008年耗费大约1.3亿吨玉米生产乙醇燃料，这相当于全美国玉米产量的一半。

10. 时寒冰. 生物燃料背后的道德风险. 上海证券报，2008年7月7日。

11. 段聪聪. "谁来养活中国"仍是问题. 环球时报，2008年6月22日。

12. 朱伟一. 救市前敌总指挥保尔森. 南方周末，2008年10月9日。

次贷危机改变了中国

■ 人们隐约感觉到，一股神秘的力量一直在做空中国股市并挫伤市场的信心，等投资者信心崩溃的时候，持仓成本低的大小非代替那股神秘的力量成为做空中国股市的主力。

■ 次贷危机爆发后，我国企业为何表现得如此脆弱？中国经济上半年还在控制通货膨胀，下半年就开始防止通货紧缩，为何变幻如此之快？ 次贷危机

■ 重货币储备而轻实物储备，是我国无法抵御美元贬值导致的财富缩水的根本原因。

■ 2008年，中国先后对出口退税进行了三次调整，意在刺激出口，但这种以低附加值为主体的产品结构，对资源的浪费、环境的污染和能源的消耗，将使我们继续在制造业食物链的低端挣扎。从长远来看，这种状况的持续将给中国带来更大的隐患。

■ 中国把钱投给黑石，黑石再拿它投回国内，既然如此，我们何不直接把钱投向包括中国在内的新兴市场？事实上，中国国内企业对资金的渴求，远远超过了国际市场。

经济转型可能被次贷危机暂时中断

在次贷危机爆发之前，中国走科学发展观路线，对建立在高耗能、高污染和资源浪费基础上的低附加值占绝对主导地位的经济结构进行调整，这是中国经济一次痛苦的转型。如果转型成功，中国经济对外依存度过高的危险隐患将能逐步得到纠正，并促使经济由外需拉动向内需拉动转变，中国经济将更加健康、更具有活力，当然，包括美国、日本在内的发达国家，从中国原来的经济结构中获取的收益无疑将大大减少，这当然是他们不愿意看到的。

就在中国经济的转型刚刚起步的时候，次贷危机鬼魅一般地到来，时间节点巧合得简直天衣无缝，轻巧地扰乱了我国的这次经济转型之路，同时也使中国经济的高速增长态势受阻。

2008年11月26日，国务院常务会议确定了解决企业困难、促进经济发展的政策措施。其中，第一项就是大力支持重点产业发展，抓紧制定实施钢铁等重点产业振兴规划。

但是，截至2008年，中国钢铁总产量已相当于世界前十大钢铁生产国（不含中国）的总产量之和，同时分别是美国和日本钢铁总产量的5倍，已经出现过剩。"高能耗、高污染"行业的发展已经走到尽头，继续鼓励其发展，将为未来埋下隐患。

另据2007年6月11日的《人民日报》报道，仅一个唐山市就有56家钢铁企业，数量超过整个欧洲的钢铁企业总和。

在钢铁供应过剩的情况下，关停和淘汰落后钢铁产能对我国来说意义非凡：一年可节能5000多万吨标准煤，节水1亿吨，减少二氧化硫排放量40多万吨。但是，次贷危机恶化带来的压力，可能让中国被迫推迟产业结构调整的步伐。

不仅钢铁，我国水泥行业也已经出现过剩。从1985年起，我国水泥产量已连续20多年居世界第一位，占世界总产量的48%左右。中国经济刺激计划的出台，能在一定程度上缓解水泥需求压力，但不能扭转供过于求的局面。加上新的水泥生产线也开始上马（2009年新增产能将超过2.5亿吨），未来水泥供大于求的现象将会更为突出，与钢铁业一样，其产能过剩的隐患将在未来显现出来，给中国经济发展带来潜在的危害。

笔者要强调的是，按照科学发展观的指导思想所进行的产业结构调整，关停和淘汰落后产能的步伐，绝不能停止。这个阵痛是我国经济可持续发展必然要经历的。如果因为短暂的救市而造成落后产能的进一步增长，对未来而言，那将可能产生严重的后果。

应该认识到，对外部需求的过于依赖并非长远出路。

一切经济发展在于促使民富国强，而对外部需求的过于依赖，如果综合计算我国的资源损耗、环境污染等因素来看，后果可能非常悲观。根据凯恩斯主义者的对外贸易乘数理论，当贸易为出超或国际收支为顺差时，对外贸易能增加一国的就业量，提高国民收入，此时，国民收入的增加量将为贸易顺差的若干倍。但是，"十五"时期，我国出口贸易年均增长25.5%，而国民总收入年均增长仅为16.1%。中国的国民总收入并没有取得与出口贸易同样快速的发展，归根结底在于：

其一，外资企业成为出口主力，它们占据了贸易顺差的主体。以加工贸易为例，据海关统计，2008年1~9月，外商投资企业加工贸易进出口值占全国加工贸易进出口总值的84.44%，其中加工贸易出口值占全国加工贸易出口总值的84.63%，加工贸易进口值占全国加工贸易进口总值的84.12%。许多外资企业在赚取利润之后，留给中国的是被污染的环境和日益减少的资源。

其二，我国出口的快速增长是以要素价格过于低廉为代价的，重污染、高能耗、浪费资源的低附加值产品占据主流。

鉴于次贷危机的恶化，为了避免经济衰退，中国的货币政策和财政政策大调整（假借金融危机之手迫使它国改变政策，恐怕也是次贷危机后必须警惕的一种倾向），推出了4万亿的刺激经济发展计划，并决定从2008年11月1日起，上调3486项商品的出口退税率，约占中国海关税则中全部商品总数的25.8%。这是自2004年以来中国调整出口退税政策涉及税则号最多、力度最大的一次。同时，在2008年一年之内三次调高部分产品的出口退税率，在我国对出口产品实行退税政策23年来还是第一次。

这些重大措施的出台，意味着中国全面应对次贷危机的开始，同时也意味着中国经济结构转型可能暂时中断。次贷危机对中国经济转型进程的这一阻碍，将可能使我们在未来付出更大的代价来完成产业结构转型的全过程。

笔者认为，次贷危机对中国的危害，这一条的杀伤力是最难以估量的。

欧美和日本将继续从中国低附加值的产业结构中获取收益。同时，出口退税政策可能加剧因中国巨大贸易顺差引起的国际关系紧张，尤其是在美国和欧洲等重要市场失业率开始上升的时候。可以想象，美欧将以此为突破口要求中国在其他利益方面做出让步。

事实上，奥巴马在竞选美国总统时就做出承诺，如果他当选将会监控中国的纺织品，确保其贸易不会违反"适用法律和条款"，他还保证将支持贝瑞修正案，这项修正案要求美国国防部只能购买美国制造的纺织品。

奥巴马同时暗示，他会主动考虑针对中国商品的特殊限制保障措施，实际上就是美国贸易法的第421条款。该条款针对中国产品实施贸易救济措施，随意操纵性很大，有可能极大限制中国产品出口到美国。

中国须要清醒的是：欧美和日本的产业结构和长远发展战略决定着它们不可能在高能耗、高污染的低附加值领域与中国竞争，它们以贸易顺差为由向中国施压，只是追逐自身利益最大化的政策取向。

一方面，他们分享中国低附加值产品带来的便利，另一方面，得了便宜再卖乖，迫使中国让渡更多的利益是发达国家常用的手段。

出口几无增长空间

次贷危机爆发后，我国企业为何表现得如此脆弱？中国经济上半年还在控制通货膨胀，下半年就开始防止通货紧缩，为何变幻如此之快？

其一，我国经济发展长期依靠资源，走低工资路线（在制造业领域，我国的劳动力价格甚至比20世纪90年代才开始快速增长的印度还要低10%）[1]，这降低了我国产品的成本，具有了比较强的出口竞争优势。但是，由于工资过低，导致无法产生出与产品供应相配套的内部需求，即内部需求是残缺的。由此，不得不进一步依靠外部需求，国内的生产与国外的需求构成一种平衡，而要依靠外部需求，又常常进一步压低工人工资，从而形成了一种恶性循环。由于内需缺乏，使得这种经济结构在金融危机中非常脆弱，外部需求的细微变化就会让中国经济对外依存度过高的弊端暴露无遗。如果外部需求急剧萎缩，则会导致中国产能过剩的现象更为突出，甚至有引发产能过剩危机乃至经济危机的隐忧。

解决这一隐患，拉动困扰我国多年的萎靡不振的内需，确保中国经济的可持续发展，就必须走民富之路。正是1960年12月的国民收入倍增计划，帮助日本率先实现了民富的目标，并在此基础上成就了日本迅速崛起的神话。中国只有走民富之路，才能最终实现国强，实现民族复兴的宏大目标。

其二，中国经济是一个复杂的"二体经济"，也就是我们通常所说的体制内和体制外。体制内企业依附于行政和权力资源，资金和政策资源都向其倾斜，可以说衣食无忧，而体制外的私人企业非常缺钱，企业发展的融资需求在现有高度垄断的金融体系内得不到满足，这种生存和发展环境的不平等，使得货币紧缩政策的结果是许多民营企业倒闭。在次贷危机发生后，缺少资金注入的中小企业（尤其是出口导向型的中小企业）倒闭，与此不无干系。

其三，中国经济发展过于倚重房地产业的弊端，在过去十多年间被高房价掩盖，但在次贷危机爆发后步入调整，这种由于我国内部经济结构问题引发的调整与次贷危机带来的外部影响合二为一，产生的巨大破坏力使得我国实体经济对次贷危机的反应更为激烈。

其四，以己之牺牲成全世界经济的发展，但我们并未得到相应的回报，并因此而显得更加脆弱。

中共中央党校教授周天勇曾撰文指出：就经济总量来看，被称为世界经济发动机的中国，用自己的资源、环境和国民健康，为西方国家贡献了惊人的财富增长……中国已经连续4年，以仅占全球4%的GDP总量拉动了全球经济增长的15%，4年为世界贡献的GDP总量约1.5万亿美元，相当于12万亿元人民币，按照去年全国工资水平计算，相当于全国城镇职工6年多的工资总额。中国对世界经济贡献之大，从世界资源价格的疯狂上涨中反映的最为明显，这些年由于中国进口导致世界矿产品价格以年均70%的幅度上涨，世界海运价格更是以年均170%的幅度疯狂上涨，中国进口产品价格的疯狂上涨和中国出口产品价格的急剧下跌，已经成为世界经济发展史上不可思议的怪异现象。

这种反思是理性的。

次贷危机导致美欧消费需求下降，将降低中国产品的出口，压缩中国企业的利润空间，使我国企业的生存和转型之路变得更为艰难。

2008年10月28日，中国国家统计局发布的报告显示，2007年，中国出口额占世界出口总额的比重提高到8.8%，世界排名跃居到第二位。

在中国的出口中，欧美日等三大市场占2/3左右。2007年，中国对北美、欧洲和日本的出口占比高达59.5%（不包括转口贸易），这三大市场已经难以承受中国出口快速增长之重。中国商品即使继续走更低的价格路线，在次贷危机的大背景下，恐怕也难以在出口方面有大的作为。

物流与采购联合会在2008年12月1日公布的数据显示，2008年11月，CFLP中国制造业采购经理指数（PMI）仅为38.3%，再创新低。其中，生产指数、新订单指数、采购量指数、新出口订单指数、进口指数下降幅度达到7个百分点以上，尤其是新出口订单指数降幅最大，达到12.4个百分点，预示西方金融危机对中国实体经济已产生实质影响。从业人员指数连续两月低于50%，显示制造业的收缩已严重影响该行业的就业。

现在，中国的外贸出口只有对欧盟是呈明显增长态势的（2008年前9个月，欧盟继续为中国第一大贸易伙伴，中欧双边贸易总值为3225亿美元，增长25.9%，分别高于同期中美、中日双边贸易增速12.1和8.1个百分点），一旦欧盟在次贷危机的侵袭下需求下降，中国的对外出口将迅速回落。这需要中国未雨绸缪。

虽然，2008年10月份，我国贸易顺差达到352.39亿美元，创下历史新高，但这与中国进口额的下降和热钱的借道进入有关，可持续性值得怀疑。当务之急是必须尽快启动内需，改变对外部需求过度依赖的状况，以防止可能出现的生产过剩危机。

2008年，中国先后对出口退税进行了三次调整，意在刺激出口，但这种以低附加值为主体的产品结构，对资源的浪费、环境的污染和能源的消耗，将使我们继续在制造业食物链的低端挣扎。从长远来看，这种状况的持续将给中国带来更大的隐患。

随着次贷危机的恶化，无论是高附加值产品还是低附加值产品，出口增速的下降和利润的下滑趋势都变得越来越普遍。具体表现是：有的企业拿不到订单，有的企业即使有订单也不敢接。

受次贷危机影响，我国的一些企业开始收缩原来庞大的研发和投资计划，一些企业则着手调整过高的海外销售目标，做好应对寒冬的准备。

以客车制造业为例，目前国内客车出口利润一般在10%～20%之间，由于人民币升值，国内汽车厂家都选择用欧元结算，但随着次贷危机的恶化，欧元也大幅贬值，使得国内的客车出口几乎无利可图，即使有订单也不敢接。

再以钢铁业为例。由于美元贬值及我国产能扩张过快，近年来，进口铁矿石价格一路上涨：2005年上涨了71.5%，2006年上涨19%，2007年上涨9.5%，2008年涨幅超过90%。铁矿石成了疯狂的石头。

但是，2008年的钢材价格却是一路走低。过高的铁矿石进口成本、过高的煤炭价格与持续暴跌的钢材价格，最终让我国的钢铁行业迅速走向低谷。大部分钢铁企业已处于亏损状态。2008年第三季报显示，45家钢铁行业上市公司利润总额环比下降44.68%，净利润环比下降42.04%。

中国钢铁业在铁矿石价格上涨且涨到历史最高点的时候大量进口并囤积铁矿石，以至于在各大港口铁矿石堆积如山。次贷危机恶化后，钢材价格持续暴跌，一涨一跌之间，我国钢铁企业在短短的时间里就陷入了水深火热之中。次贷危机对中国钢铁行业的"围剿",又选择了一个最具杀伤力的时间点。

我国的企业以生产低附加值产品为主,利润率非常低,并且难以向消费者身上转嫁,因为在我国,许多产品尤其像日用产品这类商品的供应非常充足,在产品基本处于完全竞争的情况下,因原材料涨价所增加的企业成本,往往要由企业自行消化。

同时,政府为了防止通货膨胀压力加大,对相关价格进行管制。这导致企业在两头挤压的过程中利润逐渐降低,许多企业从盈利滑向亏损,甚至倒闭。

从2008年1月到8月,PPI涨速分别为:6.1%、6.6%、8.0%、8.1%、8.2%、8.8%、10%和10.1%,连续8个月保持加速增长趋势,8月份更是创下自1996年以来PPI的最高涨幅,只是到2008年9月才开始回落至9.1%,10月份回落到6.6%。另一方面,CPI增长呈现回落态势。从2008年1月到11月,我国CPI涨速分别为:7.1%、8.7%、8.3%、8.5%、7.7%、7.1%、6.3%、4.9%、4.6%、4%和2.4%。

PPI涨幅高于CPI涨幅,意味着PPI向CPI传导不畅,企业不得不自行消化成本压力。这导致了许多中小企业因不堪成本之重而猝死。

次贷危机爆发后,中国实体经济的激烈反应,充分证明了经济发展对外依存度过高的风险是多么可怕。[2] 中国经济要保持可持续健康发展,要确保不被他国的金融危机杀伤,必须改变外贸依存度高达60%以上的状况,确保一个稳定的内部需求。

中国企业要走出这种病态的黑暗,也必须坚持科学发展观,加快实现自我转型,无论这种转型多么痛苦! 我们的企业必须从生产高污染、高耗能、耗费资源的低附加值产品,向污染小、耗能小、耗费资源少的高附加值产品转换。同时,促进我国服务业的发展,使其成为拉动我国内需的新的增长点。

中国股市暴跌之谜

美国次贷危机大致是从2007年10月份开始加速恶化的,中国股市也是在

2007年的10月份创出历史新高后一路下跌的。这又是一个看起来巧夺天工的巧合。

2007年10月1日，身在伦敦的美联储前主席格林斯潘一改过去模棱两可的表述，以明确而清晰的声音说：中国A股市场已经完全泡沫化并彻底沦为一个泡沫市场。格林斯潘还"风趣"地补充道："想知道泡沫化的定义吗？看中国股市就知道了。"

对于格林斯潘在次贷危机中的作用，以后的章节将进行详细地剖析。人们看到的是，在格林斯潘发言后不久，中国股市暴跌不止。

此后，人们隐约感觉到，一股神秘的力量一直在做空中国股市并挫伤市场的信心，等投资者信心崩溃的时候，持仓成本低的大小非代替那股神秘的力量成为做空中国股市的主力。

上证综指从2007年10月16日创出历史高点6124.04点后，一路下跌，到2008年10月28日创下1664.93点的近期新低，整个跌幅高达72.8%！

放下谁在做空中国股市不提，股市暴跌后，我们面对的是财富的大幅缩水，对应的是美国次贷危机急剧恶化，裸露出一些诱人的投资机会。比如，2007年11月2日，中信证券公布了与贝尔斯登建立全面战略合作的预案，当时，贝尔斯登的股价约为120美元，而到了2008年3月16日，摩根大通以换股形式并购贝尔斯登时，每股仅折合2美元。再比如，中国平安2007年年底收购富通部分股权以来，富通的股价已下跌超过96%。

从2008年10月起，美国汽车业步入萧条，汽车类股票暴跌，截至2008年11月20日，通用汽车股价最低跌至1.7美元，最低市值仅10.39亿美元；福特汽车最低跌到1.01美元，最低市值也仅有24.146亿美元。从理论上讲，当时以35亿美元（约236.23亿元人民币）即可买下美国两大汽车巨头。

尽管通用汽车、福特汽车已如此不值钱，但分析师们仍要狠狠地踩上一脚，德意志银行分析师甚至将通用汽车的目标价调降至零！在分析师们看来，通用汽车、福特汽车的现金不足以支撑其度过这个“寒冬”。通用汽车第三季度亏损25亿美元，远远超过预期；且通用汽车现仅持有162亿美元现金、有价证券和可利用资产。如以第三季度月均支出30余亿美元计算，通用汽车不久将因现金匮乏而引发破产。与通用汽车同样难过的，还有福特汽车和克莱斯勒汽车。[3]

从这些公司股价的变化上，可以清晰感觉到投资机会的到来。但是现在，很多绝好的机会与中国没有关系了，中国股市持续暴跌导致的市值惨烈缩水，几乎自废武功，很难有能力走出去，趁次贷危机恶化之际进行资产收购。这种契合的时间点何等的巧妙！

同时，A股的此轮悲壮暴跌，使得参与股市投资的中等收入者和低收入者损失惨重。中等收入者财富的大面积缩水，改变了我国的财富人群结构，使得支撑中国消费的主力军遭受重挫，成为制约中国内需拉动的一个重要因素。同时，中等收入者财富的大面积缩水，使中国社会失去了一个稳固的缓冲带，使得贫富分化和对立更为明显。而低收入者仅有的血汗钱的损失，则使其生活压力与社会保障压力同时增大。

由于中等收入者财富缩水，使得中国在刺激经济当中的拉动内需战略受到限制，不得不继续依靠投资和出口拉动。相应的，中国对国外市场的依赖度依然很高，廉价商品的生产、加工和销售依然是中国企业乃至中国经济复苏的重要依托。这会延缓中国产业结构调整的时间。

这些神秘的巧合非常值得玩味。这种效果是谁最愿意看到的？

交易所公布的数据显示，截至2008年10月30日收盘，沪深两市总市值为11.42万亿元人民币，而在2007年10月16日前后，沪深两市的总市值约为27.5万亿元。A股市场的股票账户为1.15亿户左右，考虑到每个股民同时拥有沪深两个账户，A股的股民约为5750万户，每个账户平均损失38万元的市值。

笔者在2007年10月初呼吁吁空仓时，当时做出中国股市见顶判断的依据主要是A股累积的泡沫、大小非、热钱可能撤离等因素，后来，笔者发现一股神秘力量在做空中国股市，而且都与外资背景有关系。

以A股为基础建立起来的衍生品是热钱做空中国股市的一大动力。2006年9月5日，新加坡交易所正式推出以A股为标的的新华富时中国A50指数期货。2007年11月8日，全球首只通过做空中国股票市场来获利的ETF在美国证券交易所上市。这只以中国股票市场下跌获利的ETF，将双倍反向于新华富时中国25指数的日回报率。有评论指出："一旦这只抛空中国股市获利的ETF产品在美国挂牌，将会引来大量的巨鳄闻腥而来，尤其是已经通过QFII在中国A股投资的大行。"

这意味着倘若热钱先在海外股指期货上做空，然后，等中国股市达到某一高位、存在内在调整要求的情况下做空A股，就可以达到双重获利的目的。一方面，在A股高位抛售股票套现，同时为暴跌后低价接单创造条件；另一方面，在以A股为标的的股指期货产品中所下的卖单，将因A股的下跌而获取更大的暴利。因为期货本身所具有的"以小博大"的特点能发挥杠杆作用，将盈利和风险成倍放大。

事实上，全球首只通过做空中国股票市场来获利的ETF在美国证券交易所上市的日期本身就非常值得玩味。这只ETF产品是在2007年11月8日上市，

而11月5日正是在中国石油刚刚登陆A股之时。中石油是A股第一大权重股，中石油每跌10%，大盘就要下跌200点，反之亦然。中国石油登陆A股意味着做空股市者有了更强大的操纵中国股市的工具。因此，对于瑞银做空中国石油与海外通过做空中国股票市场来获利的ETF有无关系，不好下结论，但是，中国石油自登陆A股后，对于推动股市下跌所起到的作用却是有目共睹的。境外机构及热钱通过做空中国股市获取了丰厚暴利（通过唱多诱惑散户高位接单），与此同时，它们在股指期货上所获得的暴利恐怕更为丰厚。

事后的数据显示，一些席位一直在疯狂抛售股票，且重点抛售对象集中在排名最靠前的几只权重股，打压中国股市的目的非常明显，操作手法非常坚决。

如果说通过抛售股票砸盘是海外机构与热钱打压中国股市的直接手段，那么通过提出庞大再融资计划及散步谣言等方法达到做空中国股市的目的无疑是间接手段，而这种手段更有效，能达到四两拨千斤的效果。对照A股走势就会发现，一种无形的力量一直在有条不紊地达到打压中国股市的目的。

第一阶段，2007年11月5日，中国石油上市后，以瑞银为代表的外资机构一边唱多，一边疯狂抛售中国石油，带动大盘下跌。

第二阶段，2008年1月21日，多家媒体在首页重要位置刊登新闻：《中国平安或创A股史上最大再融资》，接近1600亿元的再融资规模导致股市暴跌。沪指当即从5200点狂泻，一口气跌到4195.75点。事实上，在中国平安再融资消息传出之前，一些机构就已提前逃离。上证所授权发布的Topview数据显示：2007年12月28日，超过330家机构持有中国平安约62.8%的股权；但到大跌前的最后一个交易日，2008年1月18日，持股机构已缩减至225家！在这一过程中，散户手中的筹码却在逐步上升。

第三阶段，在中国股市因新基金发行而反弹，重上4600点，股市人气重新恢复的情况下，2008年2月20日，市场突然传出浦发银行再融资400亿元的传闻（传闻随后得到了确认，只是金额略有出入），引发恐慌性抛盘，股市再次暴跌。浦发银行再融资计划传出之前，得到消息的机构同样提前就开始逃离。

中国平安与浦发银行犹如在A股扔下了两颗原子弹，使得市场对于庞大再融资计划充满了恐惧，纷纷抛售股票，这导致股市陷于更惨烈的暴跌之中。中国平安与浦发银行即使以后放弃再融资，其对股市的打压效果也已经顺利实现。而这两家上市公司背后都有外资背景。中国平安的第一、二大股东分别是汇丰保险控股有限公司和香港上海汇丰银行有限公司。浦发银行背后则站着花旗银行。根据浦发银行与花旗银行达成的《战略合作协议》、《战略合作第二补充协议》，花旗银行承诺将继续增持浦发银行股份至19.9%。

外资在中国操纵股市的行为已经到了肆无忌惮的地步。如马丁居里有限公司（MCL）100%控股的马丁居里投资管理有限公司（MCIM）和马丁居里公司（MCI）在2007年8月买入的南宁糖业的股票，在已经超过5%的情况下，既未向中国证监会、证券交易所提交书面报告，也未通知上市公司予以公告，同时，它还违反了《证券法》的有关规定，是非常大胆的违规违法之举，匪夷所思的是它们尚未因此受到中国法律的惩处。

随着中国资本市场日益走向开放，境外机构及热钱通过各种途径、各种方式操纵中国股市以牟取暴利的行为将愈演愈烈，热钱到底进来了多少，没有谁知道确切的数据，但在这几年新增的外汇储备无法由贸易顺差和FDI解释的部分大幅增加，无疑就是热钱悄悄涌入的最好证明。然而，遗憾的是，时至今日，监管部门对这些外资无可奈何，相关制度也迟迟未能建立起来，即使已有法律规定的违法之举，亦轻易逃过惩处。这既为外资、热钱操纵中国股市提供了便利，也对热钱做空中国股市牟利产生了更强大的诱惑力。

值得一提的是，在中国股市始于2007年10月的这轮大跌中，国内监管起了一定作用。比如，监管层从2007年10月初开始清理问题账户，导致部分盘踞在问题账户中的热钱在惊慌之下获利了结。如果这项工作早点展开，也许不至于给中国股市造成如此大的杀伤力。

当然，以上因素只是外因，股市大跌根本的原因则在于历史遗留的隐患：推行股改时，没有对庞大的限售股解禁压力制定限制性政策，使得大小非成为打压中国股市的重要力量，即使此后多次对解禁股出台限制措施，但为时已晚，只能缝缝补补。加之新股发行速度过快，最终导致了中国股市坠入熊市的深渊。

中国股市此轮悲壮的下跌，教训深刻！

海外投资损失惨痛

次贷危机给中国海外投资带来的损失是巨大而惨烈的，这应当促使我国以更加理性和审慎的态度对待在海外的投资。如果中国因此觉醒并成熟起来，那么，尽管心中疼痛，尚可承受，最怕的是一错再错、永不自省。

2007年9月29日中投公司挂牌，但第一单却先于此"早产"。早在成立前4个月，中投就斥资30亿美元购入美国私人股权基金黑石集团9.99%的无投票权普通股，锁定期4年。

2008年11月10日，黑石集团发布了第三季度大幅亏损的公告，导致黑石股价再度低位跳水，截至11月10日，报收于7.57美元。至此，中投的这笔30亿美元的投资已经缩水了22亿美元，账面浮亏超过75%。

而中投首席风险官汪建熙曾表示，中投每笔投资都有详尽方案，都由投资委员会集体决定，绝不做"亏本买卖"；中投董事长楼继伟也表示，长期来看入股黑石是好投资。[4]

值得我们反思的是，黑石基金却选择了投资中国。黑石基金推出了黑石中国基金（港元资产类别）后，该基金有70%投资于在中国注册成立或在内地进行大部分经济活动的公司股票。黑石亚太股票首席投资总监施健德表示："现在推出黑石中国基金，正值中国经济周期的转折点，亦是最佳的投资时机。中国正由一个边际利润偏低、劳动力和能源密集的出口经济，逐渐发展成为由消费者主导的内需型经济。"[5]

这是一个非常值得玩味的对比。中国把钱投给黑石，黑石再拿它投回中国国内，既然如此，我们何不直接把钱投向包括中国在内的新兴市场？事实上，中国国内企业对资金的渴求，远远超过了国际市场。何苦再让黑石过一下手导致"雁过拔毛"的结局？

次贷危机，暴露出我国一些海外投资急功近利的弊端。

次贷危机恶化，对中国的资本市场和金融业所造成的影响最为直接，我国金融机构的损失可能会继续增加。

中国银行公布的半年报称，截至2008年8月25日，中国银行持有的"两房"发行的相关债券合计126.74亿美元。其中，中国银行持有的"两房"发行的债券为75亿美元，"两房"担保的住房贷款抵押债券为51.74亿美元。

据资料显示，中国银行持有的次级债超过了亚洲的任何一家公司。此前日本最大的银行东京三菱曾经透露，该行共持有26亿美元次级债。在亚洲金融机构中，中国银行的次级抵押贷款投资规模居于首位。这让中国银行在资本市场备受考验，在2008年半年报中，受次级债规模过大的影响，中行的盈利42.9%的增速是所有商业银行中增长最慢的。[6]

雷曼兄弟走向不归路后，中资银行相继发布了持仓信息，其中招商银行持有雷曼兄弟7000万美元债券，建设银行持有雷曼兄弟1.914亿美元债券，工商银行持有雷曼兄弟1.518亿美元债券，兴业银行持有雷曼兄弟3360万美元债券，交通银行持有雷曼兄弟7002万美元债券，中国银行持有雷曼兄弟7562万美元债券，中信银行持有雷曼兄弟7600万美元债券……值得一提的是，俄罗斯在雷曼兄弟出事以前，悄悄抛售了所持的全部雷曼兄弟的债券。

每当美国一个大型金融机构倒闭，就会有中资银行受损的信息浮出水面，随着次贷危机的恶化，中资银行的损失额也在逐渐加大。

我国保险等金融机构在海外的投资亦损失惨重。以中国平安为例，2007年11月27日，中国平安宣布从二级市场直接购得富通集团约4.18%的股权，成为富通单一第一大股东，后增持至4.99%，前后共斥资超过238亿元人民币（遗憾的是，从中国平安去年底收购富通部分股权，到2008年11月份，富通的股价已下跌超过96%，导致中国平安238亿元投资只剩下10亿元左右。中国平安2008年第三季度已经对部分浮亏计提了157亿元的减值准备，导致第三季度亏损达到78亿。平安决定计提减值准备后，富通股价继续下跌，平安同时还面临着70多亿的减值压力）。[7]

不仅如此。2008年9月份，比利时、荷兰和卢森堡三国政府宣布向富通集团注资112亿欧元，以避免富通破产。中国平安9月底曾发表声明对此表示欢迎，但中国平安很快发现自己陷入了一个骗局。中国平安当时欢迎三国政府注资富通时，富通集团割出去的只有旗下富通银行在三地49%的股权。然而，2008年10月3日、6日，富通又分别宣布：荷兰政府以168亿欧元收购富通银行荷兰控股公司，包括富通集团此前收购的荷兰银行业务及富通集团荷兰保险业务；比利时政府以47亿欧元现金收购了剩余的富通银行50%加1股的股权，以及法国巴黎银行将以57.3亿欧元收购富通保险比利时业务100%的股权。前后四笔交易之后，富通集团将从"银保双头鹰"解体为一家资产仅含国际保险业务、结构化信用资产组合部分股权及现金的保险公司，中国平安几乎是血本无归。[8]

遥想2008年1月21日，中国平安推出1600亿再融资方案时的焦躁与果敢，是何等的固执！当时，笔者与许多同仁一起，连续写了多篇文章，呼吁管理层阻止中国平安再融资计划实施，维护资本市场稳定，保护我们的财富。加上全国广大投资者也纷纷抨击中国平安的再融资计划，这个计划被迫推迟，但其对股市所造成的沉重的打压效应已经充分释放。中国股市从此步入漫漫熊途。

2007年是中国海外投资最密集的一年，在次贷危机刚刚步入恶化阶段的情况下，这种投资无异于飞蛾扑火。

值得注意的是，中国企业投资巨亏的教训早已有之，并且，极其刻骨铭心。比如，1997年的株冶事件，3天内亏损1亿多美元[9]；始于2003年的中储棉事件，亏损约10亿元[10]；2004年的中航油事件，亏损5.5亿美元[11]；2006年的国储铜事件，亏损也达数亿美元[12]。

为什么悲剧一再重演？为什么不能吸取教训？

中国企业的大手笔投资，尤其是变异为投机的套期保值及海外投资，需要以理性和智慧的眼光，全面进行调整，尤其是提高投资决策的透明度，让民众、媒体参与其中，构筑起严格的监督机制。

外汇储备之痛

储备实物还是货币？储备黄金还是美元？这个问题，曾经被翻来覆去地讨论，又坠入无声无息之中。但是，随着次贷危机的恶化，我们不得不再次面对这个事关国民财富的大问题。

2001年诺贝尔经济学奖得主、哥伦比亚大学教授约瑟夫·斯蒂格利茨指出："持有大量外汇的机会成本非常高。美国短期国库券的收益率目前为1.75%，而如果一个亚洲国家将这笔钱投入到国内经济，回报率在10%～20%之间。"[13]

而我们庞大的外汇储备，损失的不仅仅是机会成本。

自2005年7月21日，我国开始实行以市场供求为基础、有管理的浮动汇率制度以来，人民币兑美元累计升值幅度已达21%。而在这一过程中，我国外汇储备快速增长。

2005年7月，我国外汇储备为7327.33亿美元。2006年2月底，我国以8536.72亿美元（不包括港澳台地区）的外汇储备总额超过日本，位居全球第一。到2008年9月，就已经增长到19 055.85亿美元。

在美元一路贬值的过程中，外汇储备的增长，实际上意味着财富的大幅缩水。仅以2008年3月份为例，该月美元相对国际主要货币跌去2.6%，如果假定中国外汇储备90%是美元，这一个月就蒸发357亿美元，相当于中国2月份贸易顺差的4倍。《货币战争》作者宋鸿兵说，这相当于中国每月被击沉了4艘航空母舰。[14]

美元贬值给我国外汇储备造成了巨大冲击，但上述算法并不严谨。因为，中国的外汇储备与日本等发达国家的外汇储备是有明显区别的，中国的外汇储备并不是中国政府的财产盈利，它由外贸顺差、国际贷款、境外直接投资等组成，外汇储备是央行资产负债表上的资产，维持这一资产的是央行相应的负债。

外汇储备除了面临上述损失之外，还会带来其他一些负面影响，比如金融安全问题、通货膨胀问题等。金融安全问题好理解，通货膨胀问题是怎么回事呢？

这要从强制结汇制度说起。

1994年外汇体制改革，我国实行银行结售汇制度时，对中资企业实行强制结汇，经常项目下的外汇收入除少数非贸易非经营性收入外，都必须卖给外汇指定银行，不得开立外汇账户保留外汇。1997年10月，为便利中资企业生产经营，允许符合一定条件的中资企业开立外汇结算账户，在限额内保留经常项目外汇收入。由于条件较高，绝大多数中资企业都不具备开户资格。到2001年11月底，全国只开立了几百个外汇结算账户。[15]

非金融专业的读者，可能难以理解这一点，那么，看了下面的例子，一切就会清清楚楚了。

假如有海外企业向中国投资100万美元，这100万美元进入中国后，由国内的指定外汇银行"拿去"，"上交"给人民银行作为外汇储备，而人民银行则发行接近700万元（以目前的汇率计算）人民币交给外汇指定银行，外汇指定银行再交给海外企业。

这意味着，人民银行增加了100万美元的外汇储备，而国内市场新发行了近700万元的人民币。国外进来的捐赠款，甚至热钱也都是如此操作。这意味着由于强制结汇，中国人民银行将因此不断加大基础货币供应量，占款越大，基础货币的投放量也就越大，货币的乘数效应也就越高，国内的通货膨胀压力越大，而国外一般通过政府盈余或发行国债购买外汇，其对通货膨胀的影响就极其有限。

2008年8月5日，国务院公布了修订后的《中华人民共和国外汇管理条例》，取消了企业经常项目外汇收入强制结汇的要求，为解决这一弊端迈出了重要一步。

在美元贬值的大趋势几成定势的情况下，过多的美元储备是不明智的。事实上，就连美国人自己都以储备黄金为主。2008年的数据显示，美国货币储备黄金规模约为8500吨，占美国外汇总储备的56.5%，占全球货币储备黄金总数的27%，且从不卖出黄金。

尽管我国的年黄金产量已经超过了200吨（2007年达到了270.49吨，仅次于南非，居世界第二位），2008年黄金产量据测算将可达到280～300吨，但截至2008年10月，我国仍只有600吨黄金的储备。

重货币储备而轻实物储备，是我国无法抵御美元贬值导致的财富缩水的根本原因。

从历史上来看，实物储备的重要性也远大于货币储备。明朝晚期，中国对外贸易表现为商品的净输出和白银的净流入，明政府并未用白银进口实物，导致白银储备日益增多，而市场中供应的商品越来越少（也是苛捐杂税所致），通货膨胀压力日益增大，并最终形成严重的通货膨胀。以至于明后期政府虽然储备大量白银却采购不来足够的商品，最终，经济衰退，明朝被起义军灭亡。

中国应该扭转重货币储备而轻实物储备的思路。国际上正在形成一种新的财富计量体系：衡量一国财富的标准不是看它拥有的纸币，而是实实在在的资源，尤其是稀缺资源。

以铟为例。中国的铟储量世界第一，也是世界最大的产铟国和最大的出口国，原生铟产量占全球原生铟总量的60%以上。早在20世纪90年代初，铟在液晶显示器上广泛应用，由于日本、韩国是LCD的生产大国，两国分别是世界第一和第二大精铟进口国，其中日本70%以上的进口量来自中国。但是，日韩联手压价，让中国国内企业自相残杀，导致铟价一路下跌。2007年全年到2008年年初，国际铟市场持续低迷，铟价从近5000元人民币/公斤一直跌至3000元/公斤。

铟资源不可再生，资源总量非常有限。日本和韩国已经启动了对铟的战略储备。我国与其储备不断缩水的美元，不如储备珍贵资源。即便是每年全部铟的产量都由国家统一购买和储备，也还不到3亿美元，我国何不大力储备这样的宝贵资源呢？储备资源的结果，是这类资源价格的暴涨，我国以极少量的出口就可以得到跟目前出口额一样的收入。这种储备绝对是划算的。

再以稀土为例。稀土有工业"维生素"之称，当今世界上的最尖端武器几乎都离不开稀土。从1990年到2005年，中国稀土的出口量增长了近10倍，可是平均价格却被压低到当初价格的64%。目前，美国、澳大利亚、加拿大等拥有稀土矿的发达国家近年来全部限制或停止开发本国的稀土矿，转而从中国进口。日本更是处心积虑，大量购买中国的稀土囤积起来。有资料显示，按照目前的开采水平，再过50年，中国将从稀土资源大国变成小国，世界最大稀土矿白云鄂博矿藏将在30年内消失；有"世界钨都"之称的江西赣州稀土资源矿将在20年内开采殆尽。到时候，中国将被迫以惊人的高价向国外购买稀土，而人家还不一定卖！

2007年中国稀土出口为4.90万吨，换回的外汇仅11.79亿美元，稀土企业的利润一般在1%~5%之间，稀缺又珍贵的资源卖的是土的价钱。如果中国把每年的稀土全部买下来储备起来，也一定是坐享升值之利，这比储备美元要有意义得多！

在次贷危机恶化的过程中，美国的大规模救市计划使得美元成为国际资金暂时的避风港，美元奇迹般地展现出强势特征。但是，这种强势根本无法保持下去。

全球性的庞大的救市规模，正在为未来的通货膨胀埋下巨大的隐患。在次贷危机邻近结束或结束以后，美元必将继续贬值，大宗商品都是以美元计价的，美元贬值意味着大宗商品价格上涨。同时，大批热钱在美元贬值或有贬值预期的影响下，会热炒大宗商品，推高石油、铁矿石等大宗商品价格，增加中国原材料的进口成本。

现在，由于次贷危机恶化，全球资源类价格暴跌，国外许多企业的股票市值大幅度缩水。趁次贷危机恶化裸露出来的机会，趁低价用我们的外汇储备去世界各地收购铁矿石、石油、有色金属等矿产资源或相关企业（这同样也可作为中国企业的选择），应该被作为最迫切的选择。否则，机会转瞬即逝，我们将来得到的可能又是遗憾和伤痛。我们必须从单纯投资美国国债的偏好中走出来，购买更具有价值的资源或企业。这才是实实在在的财富！

外企欠账愈演愈烈

伴随着次贷危机的蔓延，国外企业拖欠甚至恶意拖欠货款的现象迅速上升，已经成为我国众多出口企业的难以承受之痛。

中国商务部研究院对500家外贸企业的抽样调查表明，中国出口业务的坏账率高达5%，是发达国家平均水平的10～20倍。[16]

海关统计数据显示，2006年广东省对外贸易总值达到5272.1亿美元，其中出口3019.5亿美元，但该省2006年的出口业务坏账额高达150多亿美元！按照当时的汇率计算，坏账额就超过了1000亿元人民币。

所谓"一叶知秋"，通过广东省出口企业被拖欠的状况，可以感知到整个中国的出口企业被拖欠的严重性。

在美国次贷危机发生之后，中国出口企业海外坏账迅速上升。

国家发改委对外经济研究所国际贸易室主任刘旭指出，拖欠货款已成为美国企业在金融危机中转嫁损失的一种办法。统计显示，仅2008年前5个月，浙江企业的海外坏账就达10亿美元。

破产倒闭的并不都是小企业，美国大牌企业也可能破产并欠下巨债。比如，2008年7月18日，美国知名服装零售商Steve & Barry's申请破产，因此拖欠全球1700多家公司2.5亿美元货款，中国50余家公司受到牵连。

2008年11月中旬，美国著名电脑品牌商Gateway的母公司MPC Computers申请破产，债务总额高达2.78亿美元，江苏某知名IT企业因此担上约720万美元的无保障债务。

据悉，类似这样的债务，90%都无法追回了，剩下的10%，平均追回率也只有50%。[17]

随着次贷危机的恶化，国外许多与中国有贸易往来的企业资金链紧张，它们通过恶意赖账的方式，向中国企业转嫁因次贷危机所受到的损失，并盘活现金流。因此，一项针对浙江省出口企业进行的调查显示，2007年7月起，美国客户累计欠款越来越多。我国出口企业的利润本来就非常低，一旦拖欠货款现象发生，一些企业就可能被拖垮，导致大量人员失业，影响国内的社会稳定和经济可持续发展。

中美两国之间目前还没有在债务追讨方面签订相互认可和制约的司法行政协议书，倘若中国企业在国内起诉美国欠款企业并胜诉，其结果并不被美国法院认可。因此，中国出口企业在处理海外坏账时，不得不选择专业机构，利用法律手段到海外追账，这加大了追账的成本和难度。对于那些欠款金额较小的企业而言，追账甚至还不如放弃合算。

一些外国企业利用这一点，故意拖欠多家中国企业的货款，通过欠账不还的方式，实现自身利益最大化。

另一方面，由于内需不振，国内出口企业对外商高度依赖，且竞争激烈，许多企业采取先发货、后收钱的赊销方式与外商做贸易，这本身就埋下了违约风险。而有的外国公司以先下小订单并及时付款获得中国企业的信任，再下大订单骗中国企业先发货后付款，甚至设立空壳公司，骗取中国公司的货物。另外，在我国的一些出口企业中，开拓市场与收货款由两个部门完成，前者只负责联系订单和工厂，后者负责追账，这种货款脱节的现象，也为海外赖账提供了机会。

海外企业的恶意赖账行为，加剧了中国企业的困难，并与次贷危机给企业带来的困难交织在一起。中国政府应该全力以赴地帮助国内企业追债，否则，赖账之风蔓延，我国的企业将被迫充当冤大头，无奈地被西方发达国家欺诈和剥夺。建议政府体谅民族企业之痛，整合资源，向企业尽可能提供包括法律援助在内的一切支持，为企业维权提供帮助，最大限度地节省我国民族企业的讨债成本，维护我国企业的合法权益。

注　释

1. 时寒冰. 工资落后于经济增长有违世界潮流. 上海证券报，2007年5月24日。
2. 这里所指的依存度，主要是指外贸依存度，目前流行的外贸依存度定义是外贸总额与国内生产总值（GDP）之比，与此相应，进口依存度是进口总额与 GDP 之比，出口依存度是出口总额与 GDP 之比。外贸依存度反映一国经济对外贸的依赖程度，也即一国经济对国外市场的依赖程度。
3. 吴琼. 美国汽车业，实体经济倒下的第一张多米诺骨牌？上海证券报，2008年11月28日。
4. 邱壑. 中投出海：鲸鱼之困. 第一财经日报，2008年11月14日。
5. 郑焰. 黑石推出中国基金. 上海证券报，2008年7月7日。
6. 中资银行：次贷危机带来双重考验. 财经时报，2008年9月4日。
7. 殷洁. 持富通股份已浮亏逾200亿 平安拟起诉富通集团. 新京报，2008年11月19日。
8. 黄蕾. 对分拆资产或存芥蒂 平安不排除起诉富通. 上海证券报，2008年11月19日。
9. 株冶事件。株洲冶炼厂是我国最大的铅锌生产和出口基地之一。1997年，株冶从事锌保值具体经办人员越权透支进行交易，出现亏损后没有及时汇报，结果继续在伦敦市场上抛出期锌合约，被国外金融机构盯住而发生逼仓，导致亏损越来越大。最后，亏损实在无法隐瞒才报告株冶时，已在伦敦卖出了45万吨锌，而当时株冶全年的总产量才仅为30万吨。为此国家出面从其他厂调集了部分锌进行交割试图减少损失，但是终因抛售量过大，为了履约只好高价买入合约平仓。从1997年初开始的六七个月中，伦敦锌价涨幅超过50%，而株冶在集中性平仓的3天内亏损达到1亿多美元。
10. 2003年8月开始，国内棉花价格一路走高，以致国内棉花市场在2003年底到2004年初出现一股"炒棉热"。中储棉在这个背景下闯进市场。2003年10月，中储棉突然决定进口15万吨棉花；随后几个月，它又陆续进口了10万多吨。中储棉一方面将大量棉花捂在手里，待价而沽；一方面将部分棉花销售给作为中间商的各地省级棉麻公司，助其层层加价。中储棉的突然大量进口，还在一定程度上推高了国际棉价。棉花价格的非理性暴涨，积累着大量的市场风险。2004年3月份开始，国内棉花价格开始逐渐走低，中储棉不幸被套。中储棉进口的20多万吨棉花，按最保守的估计，其成本也应在16 000元/吨以上，而到2005年1月11日，国内标准级棉花价格为11 789元/吨，按这个市场化的价格来计算，中储棉亏损已近10亿元。——《人民日报》（第5版），2005年1月15日。

11. 中航油于2003年3月28日开始投机期权交易。2004年1月初，航油价格迅速上涨，期货交易出现亏损。随后经过两次挪盘后，亏损恶化速度加快。2004年10月25日，国际原油价格飙升至每桶55.67美元的历史高点。中航油集团向中航油提供了1亿美元贷款，但也未能帮助中航油免予被交易所强制平仓。自2004年10月26日至11月29日，中航油已经平仓的石油期货合约累计亏损约3.9亿美元，而将要平仓的剩余石油期货合约亏损约1.6亿美元。累计亏损5.5亿美元，成为中国海外公司中最大的一宗丑闻。

12. 2005年8～9月，国储中心交易员刘其兵在伦敦金交所建约20万吨期铜空头头寸。在刘其兵陆续建立空头的2005年8～9月，伦敦金交所3月期铜均价在3500美元/吨，而到12月20日，也就是交割日的前一天，伦敦金交所3月期铜开盘价4426美元/吨，收盘4410美元/吨。照此计算，国储中心每吨期铜亏损910美元/吨，20万吨亏损就是1.82亿美元。如果国储中心2005年12月21日没有完全交割，而是选择部分延期到2006年，直到2006年3～4月才离场，此时的期铜价早在7700美元/吨以上，国储中心亏损将在8亿美元以上，远远超过中航油因投资期货交易5.5亿美元的窟窿。2005年12月底，银监会主席刘明康回应国储铜事件，承认"由于缺乏对市场风险的有效控制，国储铜事件代价惨。"但对于国储铜到底亏了多少，至今未有确切数据。

13. 斯蒂格利茨呼吁"肥水"莫流美国田. 参考消息，2002年5月4日。

14. 专家称我国外汇储备月损失约357亿美元. 华夏时报，2008年4月5日。

15. 从强制结汇向意愿结汇过渡　新闻发言人答记者问. 中国证券报，2002年9月28日。

16. 时寒冰. 不能让海外赖账拖垮国内企业. 上海证券报，2008年7月3日。

17. 王晓洁. 美国企业破产殃及中国　中国公司美国讨债忙. 国际先驱导报，2008年11月11日。

第3章

次贷危机隐藏的大陷阱

■次贷危机最直接的起因，是让全世界为美国的住房问题埋单——这或许不是什么阴谋，因为一切都是在阳光下进行，但却在客观上达到了这样的效果。当以次级债构筑起来的各种产品被卖到世界各地时，美国筹到了数目惊人的房屋建设资金，而华尔街的金融投机家和相关从业人员也赚了满钵。

■原来那些买不起房的人重新搬出了新房，作为道具的角色，他们已经出色地完成。房价下跌使更多的美国人买到了便宜房子，减轻了政府的住房保障压力。政府可以腾出更多的财力和精力去解决低收入者的住房问题。更何况，现在的一些住房本身就可以承担公共住房的功能。而那些房子作为抵押物归属于美国金融机构，将来房价一旦步入上涨周期，美国金融机构会因为房价的升值而再次迅速膨胀成为巨人。美国政府由于接管了部分金融机构，也将从中受益，这会提高政府提供公共产品的能力。而全世界那些购买次级债券及相关衍生品的投资者，却由于大都不以基础资产为支撑，只能无奈地吞下苦果……

■次级债券及其他衍生品，在小布什任期内的放任自流之下，得到了最快速的发展，最终演化成这场令人恐惧的次贷危机。是华尔街的金融投机家利用了小布什？还是小布什利用了华尔街的金融投机家？亦或二者兼而有之，各取所需？

■让穷人买房的过程中，充满了贪婪和欺诈，而在这种无序的表象之下，其实一切都在按部就班地有序进行。为了能够创造条件让民众买房，美国的金融政策给予了极大的支持——无论有意还是无意，客观上都造成了同样的效果。

次贷危机中谁是赢家

笔者不是阴谋论者，也非常不喜欢用这样的词汇论证经济问题，但是，美国次贷危机中种种反常的细节不得不促使我们深入地剖析异相背后的内幕，让我们更清晰地看透问题的本源，找到更好的应对之策。

在这场次级债危机中，反常之处不胜枚举。

美国为什么要鼓励穷人去买房？为什么诱导民众购房的信贷政策，在推行房贷的过程中，犹入无人之境？甚至那些提出加强监管的人反而遭到奚落与羞辱？美国领导人在次贷危机之初，为何一再粉饰和掩盖危险？美国总统小布什、财长保尔森、前美联储主席格林斯潘，在这场危机中都扮演了什么样的角色……

找到这些问题的答案，就彻底理解了次贷危机。

从表面上来看，次贷危机中似乎所有的人都是输家。有人问道："次贷危机，美国损失了，欧洲和日本损失了，中国也损失了，钱亏到月球上去了吗？"这种困惑代表了很多人在次贷危机下的迷茫。

笔者要说的是，**如果是一场自然灾难，所造成的结果可能是全输，但是，如果一场灾难是人为制造的，一定有潜在的大赢家，通常就是危机的制造者。次贷危机是一个大陷阱，有人不动声色地成了大赢家，成为灾难的受益者。**

次贷危机爆发的过程是财富重新分配和转移的过程，但是，假象欺骗了人们的眼睛，遮掩了真相。从表面上来看，美国也是受损者，其依据是大批普通的美国人因还不起贷款而失去房屋，住进庇护所，同时，包括美国投行在内的金融业损失惨重。

的确，这一切看起来都是那么顺理成章。但事实上，在这背后，隐藏着一个巨大的赢家。

次贷危机让那些原本买不起住房的人买到了梦寐以求的房屋，当他们欢天喜地地享受拥有住房的快感时，却发现这快感竟然是如此短暂。

其实，他们本来就是被作为道具而推上前台的：一场不见硝烟的金融战正在展开，而次贷危机不过是这场战争中的一个有机组成部分，次贷危机爆

发的过程也是全球财富转移和重新分配的过程。有一点我们不能忽略：**财富并没有消失，而是在被转移和重新分配，等次贷危机过后，人们会惊讶地发现，次贷危机背后隐藏着一个最大的赢家。哭得最响亮的人，不一定是最悲伤的。**在我国农村，就有一种拿钱替人哭的营生，给的钱越多，他们哭得越痛越肝肠寸断，而他们内心其实是充满欢喜的。

大批普通的美国人因还不起贷款而失去房屋以及美国投行的倒闭，并不等同于美国的损失。我们所说的美国是一个笼统的概念。其实，应该这样表述：美国的低收入者无疑是这场危机的受害者，他们被剥夺了仅有的财富，当他们因为还不起贷款被赶出家园时，内心的痛楚不难想象。而美国强大的利益集团，隐藏着的制造这场危机的罪魁祸首，则是实实在在的大赢家。更确切地说，美国的弱者也不是这场危机的最后一个受害者，他们在被作为道具使用后，在经历一段黑暗的日子后，仍会享受到相对好一些的福利待遇——次贷危机过后，美国政府将能向他们提供更多更好的公共福利。

　　美国购房的普通民众是真正意义上的道具或者诱饵。他们本来不应该买房，也没有资格和实力买房，但是，政府、金融机构甚至活跃于房地产领域的各类经纪人，人为地"创造条件"，让他们购买房屋。当他们欢天喜地地搬进自己的新家，以次级贷款为基础的各种金融衍生品被疯狂地创造了出来。这些金融衍生品被打包和包装后销售给全世界的政府、金融机构和民间投资者，把风险和成本也迅速转嫁了出去。

　　次贷危机爆发后，我们发现原来那些买不起房的人重新搬出了新房，作为道具的角色，他们已经出色地完成。房价下跌使更多的美国人买到了便宜房子，减轻了政府的住房保障压力。政府可以腾出更多的财力和精力去解决低收入者的住房问题。更何况，现在的一些住房本身就可以承担公共住房的功能。而那些金融衍生品的制造者，他们获利丰厚，满载而归。在"道具"们搬出新房后，这些建在美国土地上的房屋作为抵押物归属于美国金融机构，将来房价一旦步入上涨周期，美国金融机构会因为房价的升值而再次迅速膨胀为巨人，成为世界上一个个最令人畏惧的、拥有惊人财富的大鳄。美国政府由于接管了部分金融机构，也将从中受益，这会提高政府提供公共产品的能力。而全世界那些购买次级债券及相关衍生品的投资者，却由于大都不以基础资产为支撑，只能无奈地吞下苦果。这就是次贷危机的真相——当然，只是其中的一个真相，接下来还有更多，需要我们一一剖析。

小布什与华尔街，谁利用了谁？

　　次贷危机最直接的起因，是让全世界为美国的住房问题埋单——这或许不是什么阴谋，因为一切都是在阳光下进行，却在客观上达到了这样的效果。当以次级债构筑起来的各种产品被卖到世界各地时，美国筹到了数目惊人的房屋建设资金，而华尔街的金融投机家和相关从业人员也赚了满钵。

　　追溯次贷危机的根源，我们会发现，**小布什与华尔街，因为不同的目的走到了一起——前者为了解决住房问题，后者为了通过金融衍生品贪婪地牟取暴利，他们共同为危机的爆发埋下了隐患。**

自古到今，在任何一个国家，住房都是一个举足轻重的大问题，社会的稳定和经济的可持续发展都需要以对住房问题的良好解决为重要依托。

发达国家都深谙安居乐业之道，它们都首先在法律上明确政府在住房建设方面的责任。

比如，早在1901年荷兰就颁布了《住房法》，明确规定：政府应为公共住房建设提供补贴和制定建筑规范，政府在住房市场中扮演决定性的角色。其宪法更是强调"提供充足住房"是政府的责任。1974年，荷兰又颁布了《租房与补贴白皮书》，强调"住房政策的目标就是为低收入阶层提供合适的住房"。依据法律规定，荷兰政府共建造了239.36万套公共住房，这一数字在人口不多的荷兰是相当惊人的。

1919年，英国颁布了《阿迪逊法》（又称《住房和城镇规划法》），明确规定：解决住房问题属于公共事物，政府应对公共住房建设提供支持。资料显示，在1946~1951年间，英国政府负责建造的房屋总量高达全国建房总量的78%，由于政府的努力，住房短缺问题以最快的速度得到解决。

1937年，美国联邦政府出台了《住房法案》[1]，授权地方政府成立公共住房委员会负责低收入家庭的公共住房建设，居住者只需支付较低的房租。1949年，美国修订的《住房法案》批准政府建造公共住房，美国建造了大约130万套公共住房，这些住房绝大部分建造在市中心，而不是像我国的经济适用房那样建造在偏僻的城外。随后，美国又陆续颁布了诸如《住房和城市发展法》、《住房和社区发展法》等法律，住房的公共特性因此得到保证。[2]

美国对住房问题极其重视。罗斯福有句名言：一个居者有其屋的国家不可战胜。这是一句非常经典的概括。

美国住房和城市发展部的宗旨之一就是努力让每一个家庭买得起自己的住房，并且减低在购房能力方面的贫富差别。人口调查局的研究显示，家庭住房拥有率提高对促进家庭和社会进步非常重要。拥有稳定住房的家庭更和谐稳定，对社区在经济和社会方面的贡献更大。他们更加愿意做志愿者和从事慈善活动，犯罪率也相对较低。因此，美国从政府到商业机构都把提高居民的私有住房拥有率当做重要的目标。

事实上，这个结论至今仍受到学者的质疑。《美国住房政策》的作者阿列克斯·施瓦兹就指出："很多关于自有房好处的宣扬只是根据极少的研究和分析得出的结论。另外，关于自有房的经济获益大家所知甚多，但其在社会、心理、环境和其他方面的影响却没有被充分检验。首先，目前为止的研究不能解释为什么自有住房能带来这些良性结果；其次，关于自有房导致社会稳定、个人满足及儿童健康发展等良性结果的过程还没有被真正揭示出来。"

但不管怎样，提高家庭住房拥有率成了美国首脑主政的重点。小布什多次强调建设一个"所有者社会"[3]，就是鼓励私人拥有住房和证券。

所有者社会是小布什心中的一个梦想，事实上，小布什总统上任伊始推出的住房计划就已经体现出这种思路。

在美国的住房历史上，一直存在着一个难以破解的难题，那就是政府负担与公共住房需求之间的矛盾。这一矛盾只有到了小布什时代，才真正得到了"完美"的解决，其后果是今天全世界都在饱受次贷危机的折磨。

纵观美国历任总统的住房政策，大致可以分为两类：一类是注重为低收入者建造公共住房或者提供补贴，美国大部分总统都是这样做的。但是，这类做法意味着政府财政负担的加重，因为公共住房的兴建成本完全由政府支付，政府不堪重负。因此，20世纪60年代以后，美国政府为减轻建房负担，进一步扩展了住房政策，鼓励私营开发商为低收入者建造住房。这一政策从1968年通过的《住房和城市发展法》中可以清晰看出来。该法有两大突破：一是为发展商提供低于正常市场水平的贷款利率，使其为中低收入者提供低于正常租金水平的住房；二是在联邦住房委员会（FHA）的抵押贷款保险计划下，为符合要求的买房者提供低于市场水平的利率。

但是，私人建公共住房，质量难以保障，经常不得不拆除重建，造成重复建设，导致社会资源的极大浪费。

1972年尼克松当选总统后，通过了《住房和社区发展法》，把住房保障的重点放在直接补贴需求者身上，对新建住房、大修住房、存量住房给予补助，1978年后又规定对承租住房的一般性维修也给予补助，以提高低收入者支付租金的能力。[4]

为低收入者建造公共住房或者提供补贴的方式都使政府面临着沉重的负担。于是，另一类住房政策走上前台，那就是通过鼓励低收入者购房、提高家庭住房拥有率的方式来解决住房问题，减轻政府的负担[5]。巧合的是，在这方面做得最优秀的两位总统，正是老布什与小布什。

1988年11月8日，老布什当选为美利坚合众国第41任总统。1990年，美国通过了《Cranston-Gonzalez 国家经济型住房法案》和《低收入住房保有与住房拥有率法案》，强调提高住房拥有率及租赁补贴的重要性。

美国学者阿列克斯·施瓦兹在其著作《美国住房政策》中指出："从20世纪90年代起，各级政府为了提高自有住房率，特别是低收入者和少数种族住户的自有住房率而采取了一系列广泛的措施。"[6]

自老布什开始，提高自有住房率成为美国住房政策的核心。

小布什当选总统后，继续本着提高自有住房率的思路前行。

小布什强调的建设一个"所有者社会"，就是鼓励私人拥有住房和证券。

但是，让穷人买房并非易事。阿列克斯·施瓦兹指出："自由市场从来没有为极低收入住户提供廉价而舒适的住房的责任，仅维护住房的费用就超过了这些住户的承受能力。通过降低建造标准和调整分区法规而减少住房费用的方法不可能走得太远。"

这当然是从常规角度来看的，通过金融衍生品对成本的转嫁，布什就走得很远！在历任美国总统当中，小布什是解决公共住房问题最彻底的一位，在他任期内，美国私有住房拥有率一度达到70%，超过迄今为止的任一位总统[7]，成就不可谓不辉煌。当然，小布什的这项辉煌成就得益于他巧妙地转嫁了成本，通过金融衍生品之手，让全世界为美国的住房梦埋单。

次级债券及其他衍生品，在小布什任期内的放任自流之下，得到了最快速的发展，最终演化成这场令人恐惧的次贷危机。是华尔街的金融投机家利用了小布什？还是小布什利用了华尔街的金融投机家？亦或二者兼而有之，各取所需？

次级债换来的是真金白银

低收入者的住房问题，应该纳入社会保障体系，由公共财政来解决。在社会保障制度日益健全的今天，这应该是一个基本常识。如果政府不履行原本应该由它来承担的住房保障责任，就容易造成社会动荡，这同样是一个基本常识。

在1949年通过的《住房法案》的序言里，美国议会宣布了它的住房目标："让每一个家庭都能在适宜的居住环境里拥有一个舒适的家。"

但是，美国的住房问题依然紧迫。

截至2003年，全美共有4600万户家庭面临各种各样的住房问题，他们或者居住在设施落后不全的住房里，或者为住房问题承受着巨大的经济压力——不得不把超过30%的收入用于住房支出，甚至有人无家可归、流落街头。换句话说，9400万美国人，这相当于全美人口的36%，同时也是全国缺少医疗保险的人数的2倍多，正面临严重的住房问题，有些甚至无房可住。[8]

解决住房问题，需要非常庞大的资金。与其他国家一样，美国面临着资金紧张的难题。这一困难在小布什上台后，变得更加窘迫。小布什在其任期内，为了满足军火商等利益集团的要求，当然也是出于反恐、占据中亚战略制高地以及国家安全的需求，先后发动了阿富汗战争和伊拉克战争，由于耗资巨大，美国财政赤字直线上升，根本无力承担公共住房建设这一责任。

美国的财政赤字从1992财政年度（美国的财政年度是从10月1日到下一年的9月30日）的2700亿美元不断下降，到1999财政年度实现了多年来的首次财政盈余，国债限额提升的速度也大大放慢。但2001年小布什执政后的第一年，财政盈余就迅速减少，第二年就出现财政赤字，而且一下子就高达1570亿美元。2008年10月7日，美国国会预算局公布的数据显示，在截至2008年9月30日的2008财政年度，美国联邦政府财政赤字高达4380亿美元，创历史最高纪录。下一届美国总统在2009财政年度很可能将要面对超过5000亿美元的财政赤字。[9]

这与小布什上任后推行的减税政策也有关。

小布什上台不到5个月就提出了一个10年减少个人所得税1.35万亿美元的议案，并获得通过。这是自1981年里根减税以来的最大减税方案。[10]

事实上，在小布什担任总统职位以后，减税一直是他政策中的一个重要组成部分。

小布什连续推行的减税政策，不仅造成严重的财政赤字，也因减税力度的厚此薄彼而造成对弱者的不公。

小布什的减税方案中最引人注目的是他将推动红利税率降低50%以上，这意味着减税的好处几乎全部流向最富裕的纳税人，因为他们的收入中红利所占比例最大。根据美国税务政策中心的计算，如果小布什的计划能够得到顺利执行，那么64%的减税好处将流向5%的最富裕纳税人。白宫官员承认，富有纳税人是新方案的主要受益者，但他强调，政府减少红利税是为了进一步振兴股市。

在这一点上，小布什的方案遭到了民主党议员的强烈抨击。他们认为该计划并没有促进基建投资、帮助中小企业等，反而是为富人减税的计划，根本就是一个幻景，对促进经济没有实际作用。北卡罗来纳州参议员爱德华兹称，政府正在利用摆脱衰退的机会把钱转移到富人口袋里，而对普通人来说没有一点帮助。参议院民主党领袖达施勒更是将其称为选错时机帮

错人。他说，政府在经济萧条时期只帮助富人，却忽视了广大的中产阶级家庭。达施勒表示，将尽全力推出为中产阶级减税的方案，以真正促进经济发展，其中包括暂停扣除社会保险工资税和增加一次性退税额。[11]

小布什力主推行的减税法案，从根本上扭转了"提高政府调控能力"、"增大政府提供公共产品的责任"的传统思路。

减税减少了政府的财政收入，而小布什政府必须促进房地产的快速发展，以此增加就业机会，加快美国经济复苏的步伐。

事实也正是如此。住宅的繁荣给政府带来就业和税收的稳定增长。以2001年为例，新建住宅市场在全美范围内带来大约350万个就业岗位和1660亿美元的收入。同时，每修100套单家庭住宅就可以支撑250个人的全日就业。除此之外，住宅修建好后还会继续为当地政府提供财政和税收的支持，大约每年每100套单家庭住宅就可以达到50万美元。

小布什的减税方案，把财富交给了民间、交给了市场，以期获得比政府更高的配置效率。问题是，加快住房建设的资金从哪里来？离开了资金，一切都只能是纸上谈兵。

房地产是资金密集型行业，没有足够的建房资金根本无法实施提高家庭住房拥有率的计划。

值得注意的是，小布什任职期间，美国的公共住房投入是大幅削减的。以"希望六号计划"为例，美国议会于1993年启动了"希望六号计划"，意在摧毁并重建衰落的公共住房。"希望六号计划"每年的可用资金为3亿～5亿美元，成为改造公共住房的中坚力量。

而小布什从2003年起，就试图取消对希望六号项目的资助，但是，其提交的议案遭到议会的否决。不过，希望六号项目的噩运也由此展开——希望六号预算从2004年前的每年超过5.5亿美元下降到了2005财政年的1.43亿美元，可谓一落千丈。[12]

那么，在财政趋紧的情况下，小布什政府该如何实现提高家庭住房拥有率的梦想？能否找到一种方式，既能解决住房问题，又能通过房地产业的繁荣带动经济发展，并且，不需要政府承担太多公共责任？这种看来异想天开的事情，在小布什任期内，变成了现实：鼓励穷人按揭买房，同时鼓励资产证券化，在按揭贷款的基础上，创造出庞大的金融衍生品，出售给全世界的投资者。简而言之，就是穷人及无信用记录或信用度较低的人，从银行取得贷款，而银行则把发放出去的住房抵押贷款以债券或其他有价证券的形式发售。

资产证券化并非始于小布什时期。1970年，美国政府抵押协会（GNMA）发行首只公开交易的抵押担保证券，开创资产证券化的先河。在研究美国住房政策变化的过程中，笔者惊讶地发现，也正是从这时起，美国公共住房建设在住房政策中的核心地位被淡化！

资产证券化在小布什任期内发展到了极致。

美国正是借助资产证券化的羽翼，推动了房地产业的快速发展。亚特兰大联邦银行在2007年9月发布的一项研究结果显示，过去10年间，美国家庭住房拥有总量的增长有70%应归功于包括第二按揭在内的各种新的按揭产品的推出。

从小布什当选美国总统起，美国住房建设就步入快速发展轨道。不仅房屋建造数量快速增长，房屋也变得越来越大，越来越豪华。自有住房的面积从1973～2004年逐年增加，从约142平方米上升到约204平方米。在新建的独户住宅中，中央空调的拥有率从1973年的49%上升到2003年的88%。新建房中两个及以上浴室的拥有率也从1973年的60%上升到2003年的95%。[13]

小布什任期期间是美国公共住房建设支出最少的一个时期，却是家庭住房拥有率最高的时期。

小布什是美国历史上首位拥有MBA学历的总统，他以自己的管理能力而骄傲，他在1999年的自传中表示："我对我的班子予以充分的信任，我的任务就是确定议题、基调和框架，列出我们将要做出决策的原则，然后将其他工作交给我的下属。"

尽管小布什的行事风格在美国至今仍受质疑，但是，他在团队建设、解决住房问题上的"独辟蹊径"，都令人感叹。所谓大智若愚，这个成语用在小布什身上，再贴切不过了。当然，还有一种可能，是小布什被他服务的既得利益集团（主要是华尔街的利益集团）利用。

次贷危机并非阴谋的结果，因为很多过程都是公开的，可以说它是一个阳谋，通过这个阳谋，美国解决了一个最令它头痛的问题。当然，由于"动作"太大，在金融衍生品方面走得太远，它也不得不面对风险被急剧放大所导致的一系列后果。

次贷危机是这样铸就的

美国次贷危机，具体说就是美国房地产市场的次级按揭贷款危机。次级按揭贷款是相对于资信条件较好的按揭贷款而言的。所谓的次级抵押贷款是指向低收入、少数族群、受教育水平低、金融知识匮乏的家庭和个人发放的住房抵押贷款。由于按揭贷款人没有（或缺乏足够的）收入、还款能力证明或者其他负债较重，他们的资信条件较"次"，这类房地产的按揭贷款，就因此被称为次级按揭贷款。

让我们看看这个过程是怎么完成的吧。

第一步：按揭

并不是每个人都能买得起房，但是，在按揭贷款的帮助下，许多人就能实现住房梦了。

按揭是英文"mortgage"（抵押）的音译，是指按揭人将房产的产权转让给按揭受益人（通常是指提供贷款的银行），按揭人在还清贷款后，按揭受益人立即将所涉及的房产产权转让给按揭人的行为。

通俗一点的叙述就是：购房者看中了房子，手中的钱不够，就向银行申请按揭贷款，银行把钱付给开发商，开发商把房子交给购房者。购房者与银行签下抵押贷款合同，把房屋抵押给银行，并支付首付款，这时，购房者虽然住进了住房，但在贷款还完以前，还不是这栋房子的真正意义上的主人，银行才是。银行为了避免自己上当受骗，一般会对购房者的信用等情况进行详细的核实，以避免骗贷现象发生。

第二步：给贷款打包

购房者在从银行取得按揭贷款以后，按期向银行还款和支付利息，银行自有资金有限，一般通过储户的存款借钱给购房者，但是，储户的存款以短期为主，而银行向购房人提供的贷款以长期为主，如果银行的房贷业务发展过快，流动性风险就会加大。而且，美国人是一个不喜欢存款的国家，一方面是习惯使然，大手大脚花钱惯了；另一方面，也与美国资本市场发达、投资资本市场可以获得比存款利息更多的收益有关。

对于银行来说，只有发放更多的贷款，才能赚取更多的利润，因此，银行本身就有扩展业务的强烈冲动。

这是一对矛盾。

于是，银行便把有关贷款资产未来的还本付息的所有收益，打包成按揭证券，向市场出售。对银行而言，在售出了住房贷款证券以后，可以拿回现金重新补充贷款资金，再向市场发放住房贷款。以后该已出售的贷款池中，如因不供款而造成损失，也只会跟按揭证券持有者有关，而银行不需要承担任何损失。因此，商业银行可以无限制地做住房按揭贷款，而不需要担心自有资本和存款够不够。而对按揭证券持有者来说，由于证券的收益是靠按揭贷款的偿还来支持，而且还有该物业作为抵押品，因此，视其为很安全和带来稳定收益的长期投资工具。

由此，住房抵押贷款证券化便水到渠成。所谓住房抵押贷款证券化，就是金融机构发放的住房抵押贷款转化为抵押贷款证券（主要是债券），然后，通过在资本市场上出售这些证券给投资者，以融通资金，并使住房贷款风险分散由众多投资者承担。从本质上来讲，发行住房抵押贷款证券是发放住房抵押贷款机构的一种债券转让行为，即贷款发放人把对住房贷款借款的所有权利转让给证券投资者。住房抵押贷款证券是一种抵押担保证券（mortgage-backed security，MBS），借款人每月的还款现金流，是该证券的收益来源。[14]

第三步：进一步衍生

早期的抵押担保证券（MBS），按照投资者购买的份额，原封不动地将基础资产产生的现金流直接"转手"给投资者，以支付债券的本金和利息。由于它对应着抵押品，风险被限定在一定范围内。

　　但是，随后，在MBS的基础上，又进一步衍生，根据投资者对期限、风险和收益的不同偏好，对基础资产的现金流加以剥离和重组，将债券设计成不同档级，以体现本息支付和风险承受能力上的区别，既可满足发起人转移风险的需要，又能满足投资者的不同偏好。于是，以MBS为基础资产进一步发行"资产支持证券"（asset-backed security，ABS），其中，又衍生出大量个性化的"担保债务凭证"（collateral debt obligation, CDO）。这一过程还可继续衍生，并产生"CDO平方"、"CDO立方"等产品。[15]

　　值得一提的是，证券化不仅仅是一种金融产品的创新，更是一种融资制度的创新，它不再是以传统意义上的某个企业的整体资产作为支撑，而是将其中的适合证券化的某部分资产抽出来，将其销售给一家载体，由该载体实现证券化。在这种情况下，证券化的范围不仅限于一家企业的资产，还可以将许多不同地域、不同企业的资产组合为一个证券化资产池。

　　由于金融创新的规模呈几何级数膨胀，风险被无限放大，购买它的美国境内与境外的投资者，成为风险的承担者。

　　无节制地创设金融衍生品，产生了令人望而生畏的杠杆效应，一旦房价发生波动，就必然产生一系列连锁和放大反应，从而给持有相关金融创新产品的金融机构及广大投资者造成巨大冲击。

第四步：推销

　　为了让世界购买美国基于次级贷款创设出来的各种证券，美国政府高官直接担当推销重任。比如，美国政府曾派遣住宅和城市发展部部长杰克逊访问北京，为全美抵押协会的证券招揽中国外汇储备这一大客户，同时，与中国的商业银行接触，商谈购买政府支持下的房贷证券事宜。

　　即使在次贷危机爆发以后，在房利美和房地美两大政府资助的房贷机构深陷困境的情况下，小布什政府依然在呼吁中国央行购买更多的美国政府担保的房贷债券。

　　试想，如果我们创造条件让低收入者买房，而把风险极大的贷款做成债券，向美国推销，它们的态度会是什么？

由于衍生品成倍问世，在某种程度上已经具有了类似"造币"的功能，购买者的风险是令人不寒而栗的，只是，由于美国掩盖了风险而夸大了收益，使得购买者忽略了风险，在踊跃购买了这些衍生品后，还以为踏上了寻宝之旅。

在次级贷款基础上发展起来的复杂的衍生品，在出售给世界各国的投资者后，相当于倾全世界之力，推动美国房地产市场的发展。由此，美国政府在小布什的领导下，以最小的代价积攒起来了巨量房产。

例如，2003年，美国政府支持企业房利美不但完成了它的许诺，即花费2万亿美元帮助1800万户家庭变为有房户，还帮助另外的600万户家庭在21世纪的第一个10年里，变成了首次有房户，这中间包括180万户少数种族家庭。

小布什执政期间在住房方面的成就，远远超过了此前的总统，而他付出的成本则是很小的。

被撕毁的信用体系

美国是一个信用社会。不冲破这一点，情况就不会发展到次贷危机这种地步。那么，信用体系又是如何被打开的呢？

美国是世界上最早建立信用档案共享机制的国家之一，有一整套完善的个人信用制度。美国信用评级公司（FICO）将个人信用评级分为五等：优（750～850分）、良（660～749分）、一般（620～659分）、差（350～619分）和不确定（350分以下）。

相应的，在美国房屋抵押贷款过程中，根据借款人不同等级的信用水平，制定不同的贷款条件。按照借款人的信用状况等条件，美国房屋贷款分为三级：（1）优级（prime loan），（2）近似优级（ALT-A），（3）次级（sub-prime loan）。

美国信用评级公司对个人信用评级为次级贷款的借款人的信用评分多在620分以下，除非个人可支付高比例的首付款，否则根本不符合常规抵押贷款的借贷条件。

次级贷款与优级贷款的主要区别在于：在审贷程序上，优级贷款遵循比较统一和严格的贷款标准，这些标准由美国联邦政府支持的企业掌握，贷款利率在不同贷款者之间围绕平均利率波动，差别不大。而次级贷款发放机构则根据各自制定的"保险矩阵"来决定借款人的贷款利率，此矩阵包含风险评级、信用得分、贷款价值比、申请文件的完整性、收入等主要指标，借款人在这些方面的差别会使得借款利率相差甚远。另外，在产品结构上，抵押贷款被划分为浮动利率贷款和固定利率贷款，其中，次级贷款以浮动利率贷款为主。2006年，被用于证券化的次级贷款中，浮动利率贷款占40%，与浮动利率贷款相关的产品达到74%。而在浮动利率贷款中，"2/28"型的混合浮动利率贷款（即最初2年采用固定利率、2年后在6个月期Libor的基础上加上一定溢价定期调整利率）占到83%。[16]

信用等级在一般以下的人，在美国要承受更高的利率和更苛刻的条件才能获得贷款资格，这意味着次级贷款者承受着更大的风险和更高的成本。

如果能够让这些信用等级在一般以下的人购买自己的住房，会滋生出几个既得利益者：

（1）政府，它将因此减少对公共住房的投入。

（2）华尔街的金融机构，它们可以获得更多的贷款利息，并通过对金融衍生品的创造而获利。在2000年的总统竞选中，为小布什和共和党捐款最多的是华尔街的利益集团，赞助金额高达2220多万美元。小布什上台后，对大选中给自己慷慨解囊的利益集团给予了非常丰厚的回报。[17]

（3）军火商和石油商，这两大集团怎么会是欺骗低收入者购房的受益者呢？它们的受益是间接的。军火商和石油商鼓励政府打仗，打仗可以卖更多军火，可以控制更多的石油资源，推动油价上涨。而打仗需要钱，低收入者自己买房就减轻了政府的负担，也为在财力上说服公众支持政府开战创造了条件。

因此，次贷危机其实是多方利益主体过度攫取利益的结果。就实体经济而言，这一结果给美国所造成的损失是暂时的。比如，许多穷人重新把住房交出来，回到政府住房保障体系下，而这些住房在次贷危机过后，又会重新进入上涨轨道而升值，这些显然都是美国的财富。

事实上，在次贷危机爆发至今的过程中，美国民众的生活受次贷危机的影响程度，相对其他国家而言倒是非常小的，这与美国在救市过程中小心呵护其实体经济有关。

把穷人引入陷阱

世界的埋单者与美国的穷人是次贷危机的最直接受害者。一些美国人欠的债比他们住房的价值还要高。根据RealtyTrac的统计，在2008年上半年，343 159个美国人失掉住房，而2007年同期这一数字是145 696。让穷人买房并不是一件容易的事情，由于穷人的信用等级不够资格贷款，更不够资格享受贷款优惠政策，它需要各个环节和多种条件的配合，而这一切都不是市场自发就能做到的，更像是被一双无形的手操纵着。

让穷人买房的过程中，充满了贪婪和欺诈，而在这种无序的表象之下，其实一切都在按部就班地有序进行着。

为了能够创造条件让民众买房，美国的金融政策给予了极大的支持——无论有意还是无意，客观上都造成了同样的效果。

美国房地产起起落落的背后有五个关键的驱动因素，分别是利率、税收、人口变化、金融杠杆和居民生活方式。其中，利率、税收和金融杠杆是政府能够直接主导的因素。

联邦政府通过利率和税收影响房屋的供需。所谓利率低，则地产兴。低利率是鼓励穷人买房的一个重要因素，在这方面，格林斯潘做得可以说是前无古人。

2000年年底，美国科技股泡沫破裂后，格林斯潘通过催热房地产市场进行疗伤，把利率从2000年年底的6.5%一直下调到2003年中旬的1%，并且，从2003年6月~2004年6月，联邦基金利率一直维持在1%的低位。

1990~2002年的数据显示，抵押贷款利率不断降低的同时，美国新开工住宅套数不断升高，推动着房地产市场的繁荣。

别小看了利率，它可以在很大程度上影响买房者的负担。例如，一幢20万美元的房屋，以20%首付、30年还清来计算，若贷款利率是5%，月供为858美元；但若贷款利率为10%，月供则变为1404美元。

约瑟夫·斯蒂格利茨公开指责道："由于低利率促进了房地产业的持续繁荣，美国人对自己不断增长的债务负担一直不在意。为了让更多人借到更多的钱，美国还不断放宽放贷标准，次级贷款发放额不断上升，一些新的信贷品种允许个人贷款的数额越来越大，还出现了一些非固定利率的贷款品种。"[18]

联邦政府还通过税收来鼓励购房。每年房屋贷款的利息是可以抵税的。再以上述一幢20万美元的房屋、贷款利率是5%、月供为858美元、年供约1万美元为例。在起先几年，年供中绝大部分是用来偿还利息的，大概会是8000多美元，而这部分可以抵税。[19]

宽松的货币政策降低了贷款成本，催生了过多的贷款，导致了房产泡沫，加之金融监管的失职，为现在的次贷危机埋下了无穷隐患。

索罗斯指责美联储放任金融革新，长时间使利率保持在过低水平；与此同时美国监管部门给了市场活动家过多的自由，任由一个极度铺张的信贷市场发展。这是导致目前金融危机的主要原因。他批评美联储和美国财政部对使美国和欧洲陷入经济衰退的"超级气泡"的形成负有责任。[20]

美国次级抵押贷款市场通常采用固定利率和浮动利率相结合的还款方式，即购房者在购房后头几年以固定利率偿还贷款，其后以浮动利率偿还贷款。通常，固定利率借款者的平均信用评分高于浮动利率借款者。

美联储的低利率政策改变了房贷的结构。

弗吉尼亚州的住房金融顾问托马斯·劳勒指出，美联储的低利率政策帮助次级抵押贷款和可调息按揭贷款侵蚀了原本属于固定利率抵押贷款的市场份额。劳勒称，可调息按揭贷款在2001年所发放贷款中仅占10%，到了2004年这一比例就飙升至近1/3了。

并且，放贷机构间竞争的加剧催生了多种多样的高风险次级抵押贷款产品。如只付利息抵押贷款，它与传统的固定利率抵押贷款不同，允许借款人在借款的前几年中只付利息不付本金，借款人的还贷负担远低于固定利率贷款，这使得一些中低收入者纷纷入市购房。但在几年之后，借款人的每月还款负担不断加重，从而埋下了借款人日后可能无力还款的隐患。

一些贷款机构甚至推出了"零首付"、"零文件"的贷款方式，即借款人可以在没有资金的情况下购房，且仅需申报其收入情况而无需提供任何有关偿还能力的证明，如工资条、完税证明等。弗吉尼亚州的一家咨询机构——住房抵押贷款资产研究所于2006年4月对100笔此类"零文件"贷款进行了一项跟踪调研，调研者将贷款人在申请贷款时申报的收入同其提交给国内税务署（IRS）的税务申报进行了比较，发现90%的贷款人高报个人收入5%或以上，其中60%借款人虚报收入超过实际收入一半以上。德意志银行的一份报告称，在2006年发放的全部次级房贷中，此类"骗子贷款"占到40%，而2001年的比例为21%。

这些新产品风靡一时，究其原因，一方面是住房市场的持续繁荣使借款者低估了潜在风险；另一方面是贷款机构风险控制不到位，竞争的加剧使贷款机构只顾极力推广这些产品，而有意忽视向借款人说明风险和确认借款人还款能力的环节。美联储数据显示，次级贷款占全部住房抵押贷款的比例从5%上升到2006年的20%。[21]

在美国抵押贷款行业内干了14年的理查德·比特纳，在其著作《贪婪、欺诈和无知——美国次贷危机真相》一书中，通过一个案例总结道："这笔贷款有多方面的原因：经纪商、借款人、卖家全都假报信息，如贷款申请欺诈、虚假评估、伪造就业证明等。"

这是冰山一角，也是一个有代表性的例子。

但是，理查德·比特纳所下的结论具有很大的局限性。他认为："经纪商是次级贷款的主要操纵力量。"他在书中指出：为了获得最大的利益，贪婪的经纪商们通过篡改信用记录、隐瞒债务数据等各种欺诈手段，不负责任地帮助更多没有还款能力的人贷到款、买了房，而那些无知的贷款人，背负着高额的还款利率，高兴地陷入了这场金钱骗局。一旦他们的生活发生一点变故，没有钱还月供，就面临被收回房产、无家可归的困境。

房产经纪商是整个美国房地产抵押贷款行业的重要推动者之一。他们在贷款买房者和贷款机构之间起着桥梁作用。与中国情况不同，美国的买房人和贷款机构之间并没有直接的联系，他们必须通过房产经纪商来办理贷款事宜。经纪商不仅认识多家贷款机构，还了解上百种贷款产品，信用不好的借款人甚至能通过经纪商得到更多的贷款。

至2003年，经纪商只完成25%的优质级贷款，但却制造了超过50%的次级贷款。2003年，市场里有100多家次级贷款公司，信用不好的借款人通过一家经纪商比通过一家贷款公司可以获得更多的贷款选择。另外，因为从次级抵押贷款业务中得到的收入可能更多，所以经纪商很愿意把次贷产品推荐给高风险的借款人，即使这些人有资格获得更好的贷款。[22]

评级机构是另一个弄虚作假、欺骗购房者的环节。为了便于投资者了解购买这些抵押证券的风险，华尔街的证券评级机构要在抵押贷款证券化的过程给这些产品打分、评级。然而，这些评级机构的酬劳却是由投资机构提供的，它们之间的利益相关性自然导致了评级过程中的欺诈行为——不良的贷款被评为AAA级投资产品。

小布什执政期间，在极力减少对公共住房投资的同时，通过各种措施鼓励民众买房，掀起了一场轰轰烈烈的自有住房运动。在这其中，金融衍生品的作用巨大。

按揭及金融衍生产品的过度运用，推动了美国家庭住房拥有率的提高。在这一过程中，甚至连正常的监管都"退位"了，正因此也种下了次贷危机的种子。

注　释

1. 这里举出的法律只是美国住房类法律体系中很少的一部分。美国是世界上出台住房相关法律最多的国家之一，相关法律不断被修订和完善，加总起来近40部左右。

2. 时寒冰. 应对房地产开发商模式进行全面反思. 上海证券报. 2007年3月29日。

3. 关于所有者社会，小布什在第二次就职演说中做出如下诠释：在美国自由的信念里，公民享有尊严和经济上的独立，而不是生活在潦倒的边缘，这是更广义的自由，它促生了《房屋法案》、《社会安全法案》和《人权法案》。现在，我们将改革形成伟大的制度来服务于我们的时代，并扩展这一定义。每个美国人将分享国家的承诺和未来。我们将用最高的标准来要求我们的学校，建立一个有产者的社会。我们要让更多的人拥有自己的住房和事业，拥有自己的退休基金和医疗保险。让我们的人民对自由社会未来的挑战做好准备，让每个公民做他自己命运的主人。我们将把美国人民从匮乏和担忧中解脱，并把我们的社会建成更为富强、公正和平等的社会。

　　须要强调的是，在第二次演说之前，布什即谈及所有者社会，其核心是公民个人有能力控制自己的生命和财富，而不是依赖于政府。

4. 房地产经济学. 同济大学出版社，2004。

5. 在美国，两类住房政策往往是混合的，笔者只是以住房政策的倾向性进行划分。

6. 阿列克斯·施瓦兹的作品《美国住房政策》的第12章。

7. 在小布什刚刚就任美国总统时，本土出生的美国人的家庭住房拥有率才勉强达到70%，而其他所有外国出生的人口的家庭住房拥有率仅为49%。数据源于2002年美国人口普查局发布的报告。

8. 阿列克斯·施瓦兹的作品《美国住房政策》的第1章。

9. 新华社华盛顿2008年10月7日电。

10. 里根的减税在8年中所造成的财政赤字高达1.3万亿多美元，超过此前历届总统累积赤字之和。

11. 经济提振方案招来骂 布什减税"济富"惹众怒. 国际金融报（第3版），2003年1月6日。

12. 阿列克斯·施瓦兹的作品《美国住房政策》的第13章。

13. 美国人口普查局2005年发布的报告。

14. 吴福明，陈焱华. 房地产证券化. 企业管理出版社，2005。

15. 中国社会科学院经济学部赴美考察团. 美国次贷危机考察报告。

16. 中国社会科学院经济学部赴美考察团. 美国次贷危机考察报告。Libor即London Interbank Offered Rate的简称，它的中文翻译是，"伦敦银行同业拆放利率"。此处的Libor是指几家指定的参考银行在规定的时间报价的平均利率。

17. 李正信. 布什三把火能否烧热美国经济. 经济日报，2001年1月10日。

18. 韩波，张静. 次贷危机一周年：清算格林斯潘. 新民周刊，2008年4月10日。最早出处是2007年8月23日约瑟夫·斯蒂格利茨在法国《回声报》上发表的文章。

19. 典型市场经济国家的住房政策一览. 资本市场，2005年9月12日。

20. 索罗斯指责美联储放任金融革新导致金融危机. 法国《世界报》，9月20日；《上海证券报》，9月22日。

21. 美国次级房贷危局探悉. 宁雯，韩羽，朱力，韩松，编译. 当代金融家，2007年5月31日。

22. 理查德·比特纳. 贪婪、欺诈和无知——美国次贷危机真相. 覃扬眉，丁颖颖，译. 中信出版社，2008。

- 当次贷危机以一种难以遏制的杀伤力导致数万亿美元财富灰飞烟灭时，人们不仅要问，谁是这场危机的始作俑者？他们扮演了怎样的角色？

- 接近格林斯潘、保尔森等人物的企业，为何在次贷危机中奇迹般地存活甚至获取暴利？

- 在美国这样一个监管严厉的市场上，诱使大量穷人购房的大规模的欺诈行为持续几年没有监管者问津，这种现象本身说明了什么？

- 格林斯潘是一个城府非常深、甚至可以说贪婪而血腥的会作秀、会包装自己的政客，而不是什么经济学家，他制造的两次大泡沫，哪一次不是让普通投资者（包括美国的普通投资者）感受到深切的痛苦，而让华尔街的相关利益集团深深受益？而他对次级债券及相关衍生品过度扩展的纵容和长期对监管的失职，最终完成了住房建设成本向全世界投资者的转嫁过程。

谁是次贷危机的幕后黑手

格林斯潘神话的终结

　　格林斯潘曾经被人称为传奇或者神话，他当了19年美联储主席，辅佐过4位美国总统。因其位高权重且又在任期间屡创经济奇迹，美国《时代》周刊曾将他评为"全球最有影响力的当代伟人"，一些媒体称他为"经济学家中的经济学家"。有意思的是，1996年和2000年两届美国大选，媒体公然宣称："谁当总统都无所谓，只要让格林斯潘当美联储主席就行了。"更有意思的是，2000年大选，两位总统候选人竟然争先恐后比谁更会夸格林斯潘，一位说："格林斯潘是我的偶像，我觉得他成就非凡，无人可及。"另一位则说："格林斯潘是美国货币政策的掌舵人，功绩卓著，制服通货膨胀的最佳办法就是让这位识途老马连任美联储主席。"[1]

　　格林斯潘在人们的崇拜声中成神。在2006年1月退休时，格林斯潘的威信达到了登峰造极的地步。有人甚至建议将印在美元纸币上的"我们信仰上帝"

这句话，改为"我们信仰上帝和格林斯潘"。格林斯潘曾被称为一个神话，然而，如今神话终于到了终结篇。[2]

在中国，格林斯潘的崇拜者也多如牛毛。在格林斯潘道歉后，国内一位著名经济学家立即激动地撰文赞美格林斯潘的道歉是伟大的道歉。

成神的格林斯潘自然已经是完人，而且是无以复加的完人。人们不加辨别地给他赞美，在赞美声中，格林斯潘自己也把自己当成了神。

2007年9月，格林斯潘出版了他的新书《动荡的年代：新世界的历险》。早在2006年3月，格林斯潘就将这本新书的版权以高达800多万美元的价格卖给了企鹅出版社。这笔交易额跻身于美国出版史上顶级版权交易之列。该书回顾了他在美联储18年半的岁月，并对全球经济的未来发表展望，按照格林斯潘自己的说法："本书一定会给读者带来惊喜。"

美国西雅图弗莱肯施泰因资本管理公司总裁、专栏作家威廉·弗莱肯施泰因则给出了如下评论：事实上，从1987年8月11日就任美联储主席到2006年1月31日卸任为止，格林斯潘的绝大多数决策都没有给这个国家带来益处，完全不像他在《动荡的年代》一书中标榜的那样。在现实生活中，越来越多的美国人会发现，由于格林斯潘，他们在未来的日子会越来越差。有些人也许会问："他可是美联储主席啊，他怎么会错呢？"我的回答是："格林斯潘错就错在始终选择极低的利率，并且在面对由此产生的乱局时，仍然用极低的利率来解决问题。结果是，在其任职期间，美国先后经历了股市和房地产泡沫。这两个硕大的泡沫各自存在了10年。在格林斯潘执政美联储之前，除了1979年末至1980年初出现短暂的对商品和贵金属的狂热之外，美国已经有50多年不曾出现泡沫了。[3]

这种评论尽管会令格老的崇拜者感到不舒服，但却与事实相吻合。

威廉·弗莱肯施泰因和弗雷德里克·希恩合著的《格林斯潘的泡沫》中，还对格林斯潘的历史进行了研究，举出了大量的例子，论证格林斯潘泡沫而不是神话的存在。

他们写道：如果审视格林斯潘作为一名经济预言家的档案，我们会发现，

他远没有人们想象中的那样光芒四射。1973年1月,在美国自"大萧条"以来最严重的经济衰退即将出现之际,格林斯潘在《纽约时报》上做了一个大胆预测:"形势从未像现在这样令人乐观过。"事实上,他大错特错了。4天之后,道琼斯指数达到1051点的峰值,但伴随着美国"大萧条"后最严重的经济衰退,在随后的2年里它下跌了46%。在担任林肯储蓄贷款公司带薪顾问期间,他大力支持对储蓄贷款业解除管制。储贷业在危机爆发后给纳税人造成1000亿美元的损失,格林斯潘怎能对这样的风险视而不见呢?要知道,这仅仅是他一系列错误的开始。[4]

威廉·弗莱肯施泰因和弗雷德里克·希恩列举出的发生在格林斯潘身上的一系列的错误,令人扼腕。事实上,直到2007年9月16日,格林斯潘还在延续他的"误判"。他表示:房市和信贷危机不大可能导致更广经济面走软。他指出,截至目前,此次危机并未发展至足以拖累更深层次的程度。在较短时间内,还不能对房市和次级债危机最终是否会伤害经济的更广泛层面做出判断。

作为一位被光环围绕的美联储主席,在经济走势方面,格林斯潘的分析经常非常离谱。

作为一名经济问题的研究者，笔者从不喜欢把研究的重点放在某个人身上，但是，格林斯潘在这个时代，他所代表的已经不再是他个人，而是一个被供奉的符号。如果人类不能从盲目崇拜的状态中走出来，就很难用理性的眼光去洞悉这个世界。

事实上，当我们对格林斯潘有足够的了解，就会发现，他也不过是利益集团的代言人，他所推行的低利率政策，正是让那些人从中深深受益。美国经济学家迈克尔·赫德森的评价非常贴切，格林斯潘"把自己看成是他们（华尔街客户）的仆人，帮助他们牵羊入虎口（即把穷人引入贷款买房行列）"。赫德森同时评论称，格林斯潘存在"智力上和观念的缺陷"。

笔者不同意认为格林斯潘毫无远见和预测能力的评论，格林斯潘其实是一个城府非常深，甚至可以说贪婪而血腥的会作秀、会包装自己的政客，而不是什么经济学家。他制造的两次大泡沫，哪一次不是让普通投资者（包括美国的普通投资者）感受到深切的痛苦，而让华尔街的相关利益集团深深受益？而他对次级债券及相关衍生品过度扩展的纵容和长期对监管的失职，最终完成了住房建设成本向全世界投资者的转嫁过程。拥有那些衍生品的投资者并不能拿他们手中的债券要求美国兑现房屋，因为那些债券本身对应的并非真正意义上的完整的房屋资产。

格林斯潘真正的高明之处正在这里。

如果承认金融战争的存在，那么，格林斯潘实际上是最冷酷而缜密的可怕对手！他是帮助美国的既得利益集团洗劫全世界（包括中国，同时也包括美国的穷人）财富的总策划和实践者之一。

《纸变钱的游戏：美国债务真相》[⊖]一书曾经透露过这样一个细节：美国国会议员罗恩·保罗博士曾多次与格林斯潘论辩。在一次这样的辩论中，保罗博士告诉我们："我抱怨储蓄率为负这一问题，而格林斯潘却说：'是的，不过房价在上涨，因此人们就会有储蓄了。'我告诉他，他混淆了储蓄与通

⊖　此书中文版已由机械工业出版社出版。

货膨胀，因为作为通货膨胀的结果之一，名义房价是在上涨，但是它真的不是储蓄，因为像这类价格能上涨的商品，其价格也会下跌。"

如果罗恩·保罗博士看过格林斯潘在1966年写的《黄金与经济自由》一书，就会理解，一个把通货膨胀描述为"将财富秘密充公的计划"的人，为何将"房价在上涨"当成"有储蓄"了。

由于个人身上被蒙上了层层光环，人们对格林斯潘模棱两可、含糊其辞的表述进行解读，最终人们总是把应验的那种解释挂在格林斯潘身上，给他脸上贴金并把他包装成神。

如果说格林斯潘放纵泡沫，那么盲从则使人们放纵了格林斯潘，放纵了格林斯潘主导的美联储，并因此放松了对美联储所存在的问题的监督和质疑，以至于对格林斯潘在任期间的两次巨大泡沫的生成和破灭（互联网泡沫和房地产泡沫）视而不见。**其实，正是格林斯潘一味通过降息纵容泡沫成长的做法，才为金融危机的爆发埋下了巨大隐患，才导致了今天全球性的大劫难。**

格林斯潘走下神坛后，盲目崇拜者也应该清醒过来。对于美国民众而言，人们需要的不是格林斯潘，也不是一个比格林斯潘更高明或更高尚的人，而是需要从盲从中走出来，给予足够的质疑和监督，进一步完善现有的监管制度。至于中国那些崇拜格林斯潘的人，真的应该花点心思对格林斯潘进行多一些的了解。

隐藏的利益勾结

在次级抵押贷款及相关衍生品的制造过程中，充满谎言和欺骗，而在对金融系统监管细致而严格的美国，欺骗却在长达数年时间里顺利地进行。持续上涨的房价掩盖了已存在多年的重重危机。

我们不仅要问：**在美国这样一个监管严厉的市场上，诱使大量穷人购房的大规模的欺诈行为持续几年没有监管者问津，这种现象本身说明了什么？**

2007年3月22日，美国国会参议院银行委员会"房贷市场危机：原因与后果"听证会上，委员会主席多德对美国金融监管部门，特别是美联储的不作为做了声色俱厉的指责："我们的金融监管部门本来应该是枕戈待旦的卫士，保护勤劳的美国人免遭不负责任的金融机构的伤害。但遗憾的是，长期以来它们一直袖手旁观。"如果不是有格林斯潘这样的位高权重人士的阻挠，这种监督的悬空又怎么可能发生？

格林斯潘任职后期，美联储一边持续加息，另一边却继续鼓励贷款机构开发并销售可调整利率房贷。2005年5月，经济学家开始对新增房贷的风险发出警告。2005年6月，格林斯潘称他本人也担心新型房贷产品的泛滥。但直到2005年12月，金融监管部门才开始拟议推出监管指引，旨在遏制不负责任的放贷行为。直到2006年9月，这份姗姗来迟的指引才最终定稿。

监管的低效率已经达到了近乎荒唐的地步。如果这种低效率是美联储及相关监管机构一向的行事风格，也可以理解（美国民众当然不答应），问题是，在很多时候美联储及相关监管部门是非常高效的。比如，1987年美国遭遇黑色星期一，格林斯潘出席一个重要会议，当下飞机时听说道琼斯指数暴跌500点，当即就返航并上电视台发表稳定市场的谈话。效率可谓奇高。为什么在长达六七年的时间里，格林斯潘却在监管问题上装聋作哑？

不仅如此，格林斯潘还对那些主张加强监管、提高透明度的声音进行叱责。

格林斯潘的降息政策和对监管的不作为，为次贷危机埋下了无穷隐患。格林斯潘此举，仅仅是出于他对金融衍生品的过分偏爱吗？

其实，在这个经济社会，利益无处不在。

2007年，格林斯潘以顾问身份加盟的太平洋投资管理公司（PIMCO）在次贷危机中大赚一笔。太平洋投资管理公司的首席执行官比尔·格罗斯被晨星公司授予"2007年度最佳基金管理人"称号。2年前，格罗斯就预测美国房价将逐渐下跌，经济衰退也会随之而来。于是，格罗斯开始撤离很多高风险工具，转而投向美国国库券等安全工具，而受美联储降息的影响，美国国库券的收益率也随之上扬。

2008年1月，格林斯潘出任美国对冲基金保尔森基金（Paulson＆Co）顾问一职，即经济事务和货币政策的顾问。保尔森基金主席约翰·保尔森对媒体表示，他将和公司团队分享格林斯潘对经济走向的预测，并评估经济衰退未来可能达到何种程度。

而2007年，保尔森基金从次贷危机中大幅获利。它通过买入信贷违约掉期（CDS），然后抛空房地产抵押贷款债务，在次按相关资产大跌中，陆续获利150亿美元。因此，格林斯潘加入从危机中得利的保尔森基金，也招致业内人士的争议。[5]

在次贷危机中，能够缩小亏损者已经是凤毛麟角，更何况盈利者呢？这两家聘请格林斯潘做顾问的企业，是否在更早一些的时候就与格林斯潘有较为密切的交往？是否此前的获利就是格林斯潘相助的结果？

而2004年6月到2006年6月，美联储17次调高利率，将联邦基金利率从

1%提升到5.25%，此举加重了购房者的还贷负担，并导致泡沫破裂，次贷危机全面爆发。

须要补充的是，不仅格林斯潘，美国财长保尔森亦受到强烈质疑。

次贷危机发生后，券商是美国政府救市的主要

获益者，而制定该计划的财长保尔森和其手下又都是来自华尔街的券商"精英"，这种关系很不正常，美国的一位实业界人士指出，这是严重的"乱伦关系"。

《南方周末》的一篇评论尖锐地指出：救市由保尔森来指挥，实在是滑天下之大稽。次贷创新产品出笼，高盛是主要黑手，高盛是领军券商，而保尔森当时又是高盛的领军人物。对于今日美国的金融危机，保尔森罪责难逃，用"罪恶滔天"一词来形容并不过分。现在各方已有共识，金融机构负债率过高是这次金融危机的主要原因之一。2004年4月28日，在以高盛为首的五大券商主导的压力之下，美国证交会取消了对券商买卖证券业务负债的限制，而当时高盛主持工作的一把手恰恰就是保尔森。[6]

巴菲特曾经说过，金融衍生品是"大规模杀伤性武器"。这种"大规模杀伤性武器"在摧毁了许多金融机构的资产负债表的同时，也成就了另外一些机构。

2007年12月2日，《纽约时报》刊发一篇专栏文章质疑美国财长保尔森和高盛集团在次贷危机中所扮演的角色，民主党资深参议员最近表示对此"极为关注"，并敦促保尔森公开回答这些质疑。

纽约时报的专栏文章是由经济学家、演员和前电视节目主持人斯特恩撰写的。斯特恩在文章中呼吁高盛集团解释："在把按揭市场的混乱引进美国经济体系时，华尔街和高盛集团为了赚钱到底都做了些什么？"

美联社的报道指出，2007年以来给华尔街造成震撼的次贷危机已让数家投资银行出现巨额亏损，但高盛集团一直能够避免这些，其部分原因是它押赌房屋贷款价值将会下降，也被称为走空仓。华尔街公司通常购买按揭证券并把它们出售给投资者，可以采取空仓以规避违约。

民主党议员多德据此对财长保尔森发出呼吁，要求他立即公开解释他自己和高盛集团在次贷危机中所扮演的角色。多德在声明说："（如果保尔森）未能这样做，那么或许会导致更正式的调查。"

与格林斯潘一样，接近权力的企业成为次贷危机的幸存者，这仅仅是巧

合吗？

格林斯潘犯下的错误使金融衍生品迅速膨胀，绑架了全世界。鉴于金融衍生品的巨大好处，他的继任者伯南克自然不愿意放弃这个魔棒。2008年10月31日，美联储主席伯南克表示，无论政府资助房利美和房地美最终以何种方式重组，政府或许都有必要提供一定的担保以确保抵押贷款证券化的顺利进行。伯南克还建议创立一家政府债券保险机构为抵押贷款融资提供担保，以此作为政府支持企业改革的一种备选方案。

抵押贷款证券化及其在全球范围内的销售，意味着美国将继续向世界转嫁住房建设成本，同时稀释自己的债务。试想，如果中国通过这种方式让穷人买房，再把贷款做成各种产品卖给美国人，他们愿意买吗？回答完这个问题，然后再决定今后是否购买美国的次级债券吧。

真假格林斯潘

对于一个以监管严厉著称的国家而言，监管缺位问题在长达数年的时间里无人问津，是非常反常的。

《泡沫先生》一书的作者彼得·恰契认为，艾伦·格林斯潘推动了历史上规模最大的投机热之一——20世纪90年代的美国股票市场泡沫，然而却在泡沫破灭后走开了。楼市泡沫何尝不是如此？

在次贷危机全面爆发之后，卸任后的格林斯潘在美国CBS电视台的访谈节目中曾经承认，在任期间他已经发现次级抵押贷款市场存在问题，那些选择浮动利率贷款的借款人很有可能因为利率上调而面临还贷困难。但是，他当时并没有认识到问题的严重性。格林斯潘说："我当时也了解到了一些次级抵押贷款的问题，但我确实没有意识到这种融资行为的严重后果。大约到了2005年末或2006年初，我才意识到这个问题的严重性，更没想到它会引发如此大范围的市场震荡。"他同时也承认，自己在任期间没有为解决这一问题采取什么合适的措施。[7]

其实，在次贷危机之前，格林斯潘并非没有认识到风险的存在，他所做的是一直在刻意对指出风险隐患的人进行冷酷的打压。

越来越多的人认识到,格林斯潘对金融衍生工具的放任自流,使得那些被"股神"巴菲特称为"大规模金融杀伤性武器"的金融衍生品最终引爆了金融危机。

正是格林斯潘对金融衍生品的过分推崇导致了金融衍生品的过度膨胀。金融衍生品在2002年规模达到106万亿美元,一直发展到现阶段的531万亿美元(中国社科院金融研究所的估算为400万亿美元)。

格林斯潘在对金融衍生品的袒护方面已经达到了近乎偏执的程度,任何加强监管的意见都会引发他的反感和抵触情绪,以至于华尔街贪婪的投机者让金融衍生品市场越滚越大,最终把美国乃至世界卷入其中。

奥巴马在竞选总统的论辩中指出:"4年来,白宫对华尔街没有采取有效的监管,因为政治家和政治说客们一致认为这些最常用的市场管制是没必要的。"

事实正如此。早在1997年,时任美国商品期货交易委员会主席的博恩女士就认为,金融衍生品这些不透明的交易工具可能损害市场,要求交易商披露更多细节。格林斯潘和时任美国财政部长鲁宾表示强烈反对,格林斯潘甚至告诫博恩,她的所作所为会"引起一场金融危机"。

要求提高透明度,怎么会"引起一场金融危机"?

咄咄逼人的格林斯潘,已经到了蛮不讲理的地步,他对任何试图强化监管的建议者进行打击。这难道仅仅是出于对金融衍生品的钟爱而没有利益因素深埋其中吗?

1998年,对冲基金"长期资本管理"因衍生品投资而陷入破产境地,引起一场金融风暴。但在格林斯潘施压下,美国国会仍然宣布冻结商品期货交易委员会6个月监管权力。1999年,博恩走人,国会永久性废除商品期货交易委员会对金融衍生品的监管权。

由此,许多经济学家认为,如果格林斯潘在任美联储主席时采取不同政策,也许眼下这场金融危机可以避免,至少不会如此严重。

遗憾的是，当美国房地产市场泡沫迹象变得明显时，格林斯潘仍无视隐藏的巨大风险。他在2004年说，华尔街在利用金融衍生品与其他机构"摊薄"风险。不久，随着房地产危机加剧、不良抵押贷款激增，规模惊人的衍生品市场急剧放大了这场格林斯潘口中"百年一遇"的危机。

即便如此，格林斯潘对衍生品的"信仰"并没动摇，他不承认监管不力，而是把危机归咎于投资者的贪婪。[8]

如果把这仅仅理解为格林斯潘的固执，那么，还不如称其为傻瓜的好。事实上，格林斯潘并不傻，他是在捍卫一种利益。事实上，也只有利益才是合理的注解。

此后的大量信息表明，格林斯潘是这场次贷危机的直接"缔造者"。多年来，格林斯潘一直主张放任市场力量推进衍生性交易。2003年，他告诉联邦参议院银行委员会，"衍生性商品是一种非常有用的工具，可让风险从不应承担风险的人身上转移给愿意并有能力承担风险的人身上"，至于有人主张加强管制，"我们认为这将会是个错误"。加州圣地亚哥大学研究金融监理问题的帕特诺伊教授指出："很显然，衍生性商品是这场危机的罪魁祸首，而格林斯潘是倡议放宽管制衍生性商品的急先锋。"[9]

格林斯潘剥掉自己的皮

2008年10月23日，格林斯潘在美国众议院监管委员会召开的听证会上，接受了历时4个小时的质问。

格林斯潘承认，自己当年曾错误地认为银行有能力评估其所面临的风险，而它们出于自身利益的考虑也会避免滥放贷款。但格林斯潘同时表示，没人能够预见到房市繁荣的戛然而止以及紧随其后的金融灾难。但议员们并不相信他这番解释。众议院监管委员会主席、加州民主党人亨利·魏克斯曼对格林斯潘说，你当时有权防止导致次贷危机的不负责任的放贷行为的发生，许多人都曾建议你这么做，而现在整个美国经济都在为此付出代价。议员们还复述了格林斯潘近年来一些讲话的片断，比如格林斯潘曾说"没有证据"显示房价将会暴跌，"最坏的时候可能已经过去"。

格林斯潘对房价刚性的信心成了关键的预判错误，当时业内大多数人士都这么认为。这种信心带来了更多的按揭承销交易，因为贷款机构认为，如果捉襟见肘的借贷人陷入困境，总可以获得再融资或者卖房子获利。然而随着房价的不断下跌，有数十万贷款购房者面临止赎。全美房价已经较2006年的峰值回落了将近20%，许多经济学家预计2009年房价还会再跌10%甚至更多。

真正值得细细品味的是下面这句话：格林斯潘还表示，自己在执掌美联储的多年时间里经常遵从"国会的意愿"，做了"自己被认为该做的事，而不是自己想做的事"。[10]

正是这些话，人们惊讶地看到格林斯潘剥掉了自己的皮！

美联储是非常独立的。按照美联储自己的说法，它是一个政府部门内部的独立实体。美联储服从于包括《信息自由法》和《隐私法》在内的覆盖联邦机构而不是私营公司的法律。国会给予美联储自治的权利以保证其独立于政治压力之外行使职责。美联储的三个部分中的每一个——联邦储备理事会、联邦储备银行和联邦公开市场委员会——都独立于联邦政府之外运作以行使其核心职能。一旦一个委员会成员被委任，他或她就可以像一个最高法院大法官一样独立，虽然任期短些。

安迪森·维金指出："美联储的中央银行体系权力巨大，对货币和信贷拥有垄断控制权。美联储主席甚至比美国总统权力还大，因为他对经济的控制力更强。"

在这种情况下，格林斯潘却声称自己在执掌美联储的多年时间里经常遵从"国会的意愿"，这本身还不够值得玩味吗？比较合理的答案就是，在借助金融衍生品解决住房这一问题上，格林斯潘与国会保持了一致，或者说，格林斯潘承认自己是被当做了工具，只是，这次利用他的是国会而不是此前谈及的华尔街的利益集团。格林斯潘所说的"衍生性商品是一种非常有用的工具，可让风险从不应承担风险的人身上转移给愿意并有能力承担风险的人身上"，就是最好的注脚。

不久前，笔者看到了一篇对格林斯潘进行深度分析的评论。

2008年11月，由中央编译局出版的《国外理论动态》刊发了2008年8月11日麦克·惠特尼对美国经济学家迈克尔·赫德森的专访，非常耐人寻味。

惠特尼：从2000年到2006年，美国住房的零售总值翻番了，在仅仅6年的时间里，从11万亿美元左右增加到22万亿美元。在过去的200年里，住房的价格增长几乎并没有与通货膨胀保持同步，通常每年只有2%～3%。美联储的低利率是这场前所未有的住房泡沫的主要原因，然而，美联储的前主席格林斯潘仍然不愿对《经济学家》杂志所称的"史上最大的泡沫"承担任何责任。格林斯潘了解他"宽松"的货币政策所造成的问题吗？或者，他的行为有某种不可告人的目的？

赫德森：他根本不关心这个问题。他把他的工作看成做那些能快速致富的人的啦啦队长。这些人一直是他在华尔街的那些岁月里的主要客户，他把自己看成是他们的仆人，帮助他们牵羊入虎口。

格林斯潘对"财富创造"的理解就是走最容易的那条路并膨胀资产的价格。他觉得要促成经济承担起债务成本就是要膨胀资产的价格，这样债务人就能以抵押市场价格不断上涨的担保品（房地产、股票和债券）而借入到期应付的利息。从他的这种爱茵·兰德[11]式的世界观看来，一种赚钱的方式与任何其他赚钱方式同样是合算的，而且，具有同样的社会效益。对于他而言，购买房产并等待其价格膨胀与投资于新的生产方式有着同样的效益。

自从他与他人共同创办全美商业经济学协会（NABE）以来，格林斯潘长期认为只有国民生产总值和国民资产负债表才是经济指标，它们"不具任何的价值色彩"。这是他在智力和观念上的缺陷。他想为精明的投资者提供致富的捷径，而最容易的致富之路是被动地等着天上掉下馅饼来。他的意识形态导致他相信"自由市场"，即金融部门会自我监督并因此而诚实经商，但他打开了金融欺诈的大闸。他的那一套指标对于美国国家金融服务公司（Countrywide Financial）的致富、安然公司的致富与通用汽车公司或从事实业的企业扩大生产之间不加区别。因而，这导致了经济的空心化，但这在他高居美联储主席宝座之上所看到的指标上并没有反映出来。

因此，当记者和大众传媒惊呼每一次市场下跌都"令人震惊"和"出乎意料"时，他却毫无头绪，径直冲向悬崖，这是自由市场派人士的内在本能。

赫德森对格林斯潘"在智力和观念上的缺陷"的表述，与我对其近乎偏执的表述非常接近。

不管人们对格林斯潘还残留多少好感，都不能阻止危机的到来。不久，收官的阶段终于到来。

缺少稳定收入为基础的购房热，终归是难以持久的。泡沫终有一天要破灭。于是，美国在鼓励提高家庭住房拥有率的过程中，强化了两件事情：

第一，暗暗默认金融衍生品的发展，通过次级债等方式，把风险与成本转嫁给全世界。等金融危机过后，人们会发现全世界对次级债等金融衍生品的购买，不仅帮助美国打造了公共住房体系，而且帮助美国挤压了房地产中的泡沫，还承担了挤压泡沫的绝大部分成本和风险。

第二，次贷危机变得难以抑制之时，美国迅速通过金融改革法案等路径，建立起了有史以来最强大的金融防火墙，避免次贷危机爆发后美国实体经济领域遭到外来力量的收购，维护美国的经济安全。

次贷危机，是一场真正意义上的人祸，而且当我们回过头来分析每一个细节时，它们传递出一个清晰的信息：一切似乎都在按部就班地进行。

这不像是一个偶然事件，更像是一场精心谋划的骗局。如果是巧合，那只能说是上帝的失误了。

注 释

1. 石川人. 格林斯潘给我们上了一课. 人民日报海外版，2008年11月3日。
2. 周峰. 格林斯潘的神话与泡沫. 解放军报，2008年11月3日。

3. 威廉·弗莱肯施泰因，弗雷德里克·希恩. 格林斯潘的泡沫. 单波，译. 中国人民大学出版社，2008。

4. 同第3条。

5. 曹咏. 格林斯潘加盟次按最牛对冲基金. 21世纪经济报道，2008年1月17日。

6. 朱伟一. 救市前敌总指挥保尔森. 南方周末，2008年10月9日。

7. 哈契. 泡沫先生：艾伦·格林斯潘与消失的七万亿美元. 范立夫，孙冰洁，孙越，译. 东北财经大学出版社，2008年。

8. 放任自流引爆金融危机 格林斯潘政策遗产遭清算. 新民晚报，2008年10月10日。

9. 格林斯潘因美国金融危机广遭炮轰. 环球财经，2008年10月31日。

10. 格林斯潘承认曾错估金融形势. 华尔街日报，2008年10月24日。

11. 艾茵·兰德，原名艾丽丝·日诺维耶夫娜·罗森包姆，生于1905年2月2日，1982年3月6日去世，俄裔美国哲学家、小说家。她的哲学理论和小说开创了客观主义哲学运动，她同时也写下了《阿特拉斯摆脱重负》、《源头》等数本畅销的小说。她的哲学和小说里强调个人主义的概念、理性的利己主义（理性的私利）以及彻底自由放任的资本主义。她相信人们必须理性地选择他们的价值观和行动；个人有绝对权利只为自己的利益而活，无须为他人而牺牲自己的利益，也不可强迫他人替自己牺牲；没有任何人有权利通过暴力或诈骗夺取他人的财产或是通过暴力把自己的价值观强加给他人。她的政治理念可以被形容为小政府主义和自由意志主义。兰德的小说要展示的是她理想中的英雄：一个因为其能力和独立性格而与社会产生冲突的人，但却依然坚持不懈地朝他的理想迈进。

- 美国有足够的资源去拯救雷曼兄弟，但是为何不去救它呢？答案是：根本就没有打算救，不救雷曼兄弟更符合美国的利益！

- 救市是一个悲壮的过程，在这个过程中，美国的态度是诡谲的，美国采取了一种与其他国家不同的救市方式：力保不让实体经济受到伤害，这是次贷危机下的美国，除金融业之外，没有掀起大波澜的根本原因之一。这时，救市者才发现，真正需要拯救的其实是自己！

- 一旦投资者意识到美国正处于万分危险之中，不仅救市或者抄底的资金不会涌入美国，美国还将面临着严峻的资金抽逃的巨大风险。因此，美国需要稳住自己的市场，而强调其他市场的泡沫。理解了这一点，就不难理解格林斯潘为何在美国次贷危机即将步入新一轮恶化之际，明确强调中国股市的泡沫了。他及他背后的利益集团，需要资金从中国这样的国家回流到美国。

- 对于1929～1933年的经济危机，美国通过把美元贬值70%来化解危机。这次，美元又要贬值多少？

- 美国出政策，其他国家出钱，而美国出的政策会保障出钱的国家满载而归吗？笔者认为，什么时候，美国切切实实地亮出真刀实枪，什么时候次贷危机才有真正见底的可能性。如果不能确定美国能够真正抄到大底，次贷危机就不会真正见底。

救市：另一个大陷阱

区别救市背后隐藏着什么？

次贷危机发生后，美国政府在救市问题上针对不同的公司表现出截然不同的态度：对贝尔斯登、两房、AIG厚爱有加，而对雷曼兄弟则听任其走向死亡。

原因何在？

美国的说法是政府并不拥有无止境的资源。真的如此吗？2008年11月10日，美联储和美国财政部联合对外宣布对AIG的最新救助方案，以保证该公司的整体实力，同时增强其完成重构的能力。按照新方案，美国政府对AIG的救助将由之前的1230亿美元增至1500亿美元。1500亿美元的政府救助共包括600亿美元的贷款、400亿美元的优先股投资以及500亿美元的注资。

显然，美国有足够的资源去拯救雷曼兄弟，但是为何不去救它呢？答案是：根本就没有打算救，不救雷曼兄弟更符合美国的利益！

2008年9月16日，英国《金融时报》的一篇文章揭示了一个值得玩味的细节："雷曼与贝尔斯登之间的重要区别是：贝尔斯登是突然失败的，而雷曼兄弟挣扎了好几个月。"

细心的作者发现了这个重要的细节，但是此文推导出的结论则是缺乏逻辑性的："那些本来会因为雷曼破产而陷入困境的机构，已经有时间对冲自己的风险，清理自己的交易，因此尽管金融体系处于动荡中，但它也许能够有序处理雷曼金融合约的解体。若如此，美国财政部长保尔森的决策，将被视为投资者和银行家终于要对自己的各种冒险决定承担责任的转折点。"

真正的原因恰恰在"雷曼兄弟挣扎了好几个月"上面，在挣扎的这好几个月中，雷曼兄弟做了什么？答案是：拼命借钱！

雷曼兄弟在2008年夏就已经捉襟见肘，但它没有向美联储拆入资金，而是向欧洲央行拆借资金，当其破产的时候，欠欧洲央行的资金高达80亿～90亿欧元。

除了欧洲央行，中国香港投资者持有雷曼的迷你债券金额高达16.2亿美元；中国台湾以个人名义持有雷曼结构性投资产品的金额高达10亿美元；新加坡金管局早前亦透露当地散户持有的雷曼债券金融达5亿新加坡元；截至2007年底，以石油收入盈余作投资的挪威政府退休基金，持有雷曼的股票及债券金额高达 8亿美元。

雷曼破产以前还不忘拉债权人垫背，美国不救它正是美国利益最大化的必然选择。

因此，美国的救市过程其实在继续延续人祸。

2008年1月19日，英国《经济学家》杂志封面做了一个惊人的隐喻：大批吊着金砖的救援直升机，铺天盖地地飞来，头架直升机机身上印着鲜艳的五星红旗。美联储主席伯南克曾有一句名言："如有必要，央行必须用直升机撒钱。"

从表面上来看，撒钱与救市是两个概念，但结果却是一样的，那就是转嫁危机。

历史是一面镜子，在美国历史上，曾有几次大的救市行动。透过在这几次危机中美国的救市策略选择，我们可以清晰地提炼出危机的根源及美国救市的大致思路：

第一次，1933年美国"新政"，是以构建完善的制度和法律体系为核心。

1929年10月，美国爆发股灾，这场持续时间长达4年之久的股灾，最终演变成西方资本主义世界的经济大危机。这次股灾彻底打击了投资者的信心，直至1954年，道琼斯指数才重新回到1929年的高点。

这次股灾爆发后，美国参议院即对股市进行调查，发现有严重的操纵、欺诈和内幕交易行为。从1933年开始，罗斯福政府对证券监管体制进行了根本性的改革，建立起了一个严格而有效的金融监管体系。在1933年3月9日至6月16日，也就是被称为"百日新政"的期间内，罗斯福力推制订了《紧急银行法》等15项重要立法，其中有关金融的法律占1/3。

这次股灾还有一个被忽略的因素，即证券的扩张——1921年美国资本市场新发行的证券是1822种，到1929年达到了6417种。也因此，1929年美国股灾，首先受冲击的就是金融市场。美国破产倒闭的银行，从1929年的659家增至1931年的2294家。

事实上，任何一次危机都伴随着与金融有关的相关产品的过度扩张和泡沫的急速膨胀，就如同这次次贷危机中，金融衍生品的过度发展和扩张一样。

第二次，针对1987年股灾，美联储购买国债，大企业回购股票，以此恢复信心。

1987年10月19日，黑色星期一，道琼斯指数一天之内重挫了508.32点，跌幅达22.6%，创下自1941年以来单日跌幅最高纪录。一天之内，纽约股指损失5000亿美元，其价值相当于美国全年国民生产总值的1/8。这次股市暴跌震惊了整个金融世界，并在全世界股票市场产生"多米诺骨牌"效应，全球股市哀鸿遍地。

这次股灾，同样是资本市场过度膨胀，远远超出实体经济而步入严重泡沫化阶段的必然结果。

股灾发生后，正在按原定计划飞抵达拉斯市参加美国银行家协会年会的格林斯潘闻此消息，立即取消演讲，搭乘美国军用飞机返回华盛顿商讨对策。第二天开盘前一个小时，美联储发表声明：认真履行自己的一切职责，提供流动资金以支撑经济和金融体系。与此同时，当时的美国总统里根亦发表"经济基础依然良好"的声明，并迅速推出了包括大幅削减预算开支等一揽子计划，重新恢复了市场信心。同时，纽交所大约650家上市公司公开宣布在市场上回购自己公司的股票，使市场得以迅速恢复。

这次急救措施，恢复了市场信心，但也留下了无穷隐患——在政府救市帮助投资者重塑信心的同时，使得投资者过于相信甚至依赖政府干预的神奇效果，而忽略了泡沫膨胀的危险性。当然，还有一种可能，格林斯潘及他背后的既得利益集团需要这样的效果。

在研究美国历史的救市过程中，笔者不得不遗憾地得出一个结论：政府救市弱化了人们对泡沫与风险的警惕，这也正是纳斯达克泡沫最终惨烈破灭的根本原因。

格林斯潘在市场恐慌时及时出手干预，而在市场过热时无动于衷，最终降低了风险溢价，扭曲了资本分配，导致了经济系统的不平衡。格林斯潘并非拯救者，而是毁灭者。

第三次，纳斯达克泡沫破裂后，美国以泡沫术治疗泡沫病，最终为这次次贷危机埋下了隐患。

2000年3月，美国纳斯达克市场一泻千里，在随后的1年多时间里，80%的股票跌幅超过80%，近40%的股票被迫或自愿退市。股灾发生后，美联储采取了持续的扩张性政策，稳定了股市，但也导致了消费和借贷过快增长，从而造成了房地产市场泡沫。

可以说，从1987年的股灾起，美联储就开始走上一条不归路——以泡沫术治疗泡沫病。格林斯潘对泡沫的自然破灭有种天然的崇敬和固执心态，他不能容忍在外力的干预下捅破泡沫，哪怕这种泡沫本身就与他果断的干预市场息息相关。因此，彼得·哈契说："格林斯潘是一个杰出的人，但缺乏一些领导能力和勇气，这使他没能成为一个伟大的人。"彼得·哈契没有看到问题的另一面：如果格林斯潘及其代表的既得利益集团本身就需要通过泡沫牟取财富呢？

第四次就是这次的次贷危机。

危机发生后，美国政府一方面减税，竭力保护实体经济免遭冲击；另一方面向银行投入大量紧急资金援助增加信贷市场的流动性，防止次贷危机进一步恶化。而美联储则通过降息和帮助摩根大通收购贝尔斯登等方式来稳定市场。

如果说次贷危机是泡沫催生出来的结果，那么，格林斯潘难辞其咎。

格林斯潘货币政策的失误绝不是偶然的，而是他代表的利益集团的利益要求，以及他对自由市场资本主义经济制度过于迷信的必然结果。他的市场原教旨主义倾向更反映在对金融监管的态度上。他认为金融衍生品的最佳监管者是市场参与者们自己，而不是政府机构和法规，但1998年的金融危机却是最好的反例。他为银行业松绑，逐步允许混业经营，最终促使美国国会在1999年正式取消了分离商业银行和投资银行的格拉斯－斯蒂格尔法案。但首先被允许进行混业经营的"花旗集团"，1年之内就因为两种银行业务之间必然的利益冲突，而介入了世界通信和安然的各种欺诈活动。

美国空时对冲基金总裁李可可撰文指出：格林斯潘对所谓"新经济"的推崇显示出市场原教旨主义者的无知。在他个人神话的顶峰时期，格林斯潘完全被股市和经济的空前繁荣迷惑，认为美国经济进入了新的阶段，生产力增长将保持在3%，连传统的经济周期现象都会减弱。2000年，格林斯潘说华尔街股票分析师最有资格判断市场价值，分析师对企业未来的乐观估计说明市场是理性的。事实证明，美国20世纪90年代的生产力增长还不如历史平均水平，"新经济"根本不存在，而股票分析师的利益是过高估计企业未来利润的原因。

格林斯潘帮助制造的不仅是历史上最壮观的金融泡沫，也是资本主义自由市场教条观念的泡沫。[1]

不过, 在这次的次贷危机中, 受损最大的不是美国, 而是购买美国次级债券及相关衍生品的世界各国的投资者。

蹊跷的救市

在次贷危机发生后, 有一个非常值得关注的现象, 那就是, 在次贷危机伊始, 美国政要多次遮掩次贷危机的真相。许多人被这些乐观的论调鼓舞, 以为危机会很快过去, 而这也正是导致许多资金 (包括主权财富基金[2]) 蜂拥进入美国 "抄底" 的根本原因——当然, 这些资金最终抄到的底, 其实都处于此前历史的顶部。

试想, 如果伴随着美国高官对次贷危机悲观前景的展望, 还会有那么多资金前赴后继去华尔街抄底吗?

次贷危机全面爆发后, 乐观的言论在白宫绝对是主流, 这种主流的观点欺骗了全世界, 相关报道俯首皆是, 比如:

2007年8月16日, 白宫发言人约翰德罗对记者表示: "正如总统布什所言, 美国经济基本面稳固, 因此我们预期经济将继续增长。"

2007年9月16日, 美国财长保尔森在接受芝加哥CNBC采访时重申, 美国经济现状良好, 将度过目前信贷危机。保尔森指出, 美国经济实体十分健康, 因此, 他对美国经济能够摆脱市场负面影响信心十足, 在多元而良好的经济势头下, 市场最终也会走出颓势。

保尔森认为, 尽管度过次贷危机尚需时日, 也确实会有一些企业面临破产, 但考虑到美国良好的经济基本面和世界经济的蓬勃发展, 美国最终能化险为夷。

布什更是在多次讲话中强调, 美国经济基础仍非常稳固和健康, 他相信美国股市最终会实现 "软着陆"。

2007年12月29日, 美国总统布什发表讲话承诺, 白宫将与国会合作, 确保美国经济2009年继续保持增长。布什在当天向公众发表的每周广播讲话中说: "我决心在新的一年与国会合作, 确保经济增长, 保持低税收负担, 以及确保你们上交给政府的钱得到合理使用。"

2008年2月11日，布什在签署的年度《总统经济报告》中认为，2008年美国经济将继续增长，不会陷入衰退。布什对新闻界说："报告显示，从长期看，美国经济结构比较稳健，目前所面临的只是一些短期的不确定因素。"布什认为，美国经济增长速度到下半年将有所加快。

不仅相关研究者和美国政府如此，次贷危机的相关主体也在拼命遮掩风险。比如，2007年9月，美国第二大按揭融资公司房地美强调，楼市下滑不会导致美国经济衰退。该公司甚至认为市场的调整将可以为投资者带来机遇。房地美财务主管蒂莫西·比茨伯格称，美国房市的动荡仍大体上限于次优抵押贷款领域。次优抵押贷款领域的违约情况大体聚集在少数几个地区。由于多数债务由大型机构持有，投资者能够消化一些亏损，而且其影响可能有限。蒂莫西·比茨伯格表示，房地美已做好准备，趁着信贷危机恶化而获取利益，该公司已趁物业资产大跌价之际而大手入货。我们知道，不久之后房地美就被"国有化"了。

正因为这种看似胸有成竹的自信，才使得海外的投资者确信，美国的实体经济是健康的、基础是稳固的、金融领域出现的问题只是暂时的。更重要的是，这种胸有成竹的自信告诉海外的投资者：现在抄底正当时，否则，就会失去这一千载难逢的机会。于是，大批资金涌入美国。

一个致命的问题在于：**美国强调其实体经济是健康的，并不代表其虚拟经济也是健康的。那些前仆后继冲到美国抄底的资金进入的恰是美国的虚拟经济领域。这种牺牲实在过于凄怆。但对美国而言，资金的流入则可以延缓虚拟经济泡沫破灭的时间，为其实体经济抗御金融危机争取更多时间。**

截至2007年年底，仅欧洲各国为挽救次贷危机，就注入1万多亿美元（就连一向谨慎的新加坡，其政府投资公司GIC等主权财富基金以高姿态巨额注资给深陷次贷危机中的投资银行，总额超过了300亿新元）。其中，仅2007年8月9日和10日两天，世界各地央行就注资超3262亿美元救市。而在这个过程中，美国自己拿出的真金白银少得可怜。

美国是金融博弈的鼻祖，它会老老实实地留下一个底让人们去抄吗？不，如果次贷危机很快就见底，真正能够抄到底的一定是美国自己。深谙金融重要性的美国，绝对不会把抄底的机会拱手相让。

在次贷危机之初，欧洲、日本和澳大利亚的救市措施，基本上都是真金白银，而美国出台的救市措施，主要是政策性救市。**美国出政策，其他国家出钱，而美国出的政策会保障出钱的国家满载而归吗？笔者认为，什么时候美国切切实实地亮出真刀实枪，什么时候次贷危机才有真正见底的可能性。如果不能确定美国能够真正抄到大底，次贷危机就不会真正见底。**

次贷危机不可能在短期内结束。因为，美国一直在用新的泡沫去遮掩旧的泡沫。这一做法在小布什执政期间尤为突出。彼得·希夫和约翰·唐斯在其合著的《美元大崩溃》一书中指出：在2000年互联网泡沫破灭和2001年世贸中心遭恐怖袭击后，新上任的布什政府和共和党控制的国会又做出了一个错误的选择。在经济调整期，白宫不但没有下决心解决问题，相反，它还把问题掩藏起来，以期获取最大的政治利益。

布什政府先是出台了1.35亿美元的减税方案，然后，美联储大刀阔斧地降息，降低的抵押贷款利率进一步刺激了抵押贷款再融资业务的开展。由于利率较低，人们发现买房比租房更为实惠，"租不如买"成为投资者的共识。在美国，居住满2年的住房在出售时，房款中有50万美元无须纳税，导致房地产成为一个有利可图的投资工具。受房价高企的影响，再加上投机的泛滥，住房需求开始呈现增长趋势。这样一来，经济衰退虽然被延迟了，但股市泡沫却为更大的房地产泡沫所取代。

在这一过程中，美国房地产泡沫又为债券泡沫所取代。一个泡沫接一个泡沫不断出现。

这种状况即使在救市的过程中也在延续，那么美国这样做的好处是什么？

随着次贷危机的恶化，全球流动性紧缩加剧，资金急切地从高估值、泡沫比较严重的资产中撤离。一旦投资者意识到美国正处于万分危险之中，不仅救市或者抄底的资金不会涌入美国，美国还将面临严峻的资金抽逃的巨大风险。美国需要稳住自己的市场，而强调其他市场的泡沫。理解了这一点，就不难理解格林斯潘为何在美国次贷危机即将步入新一轮恶化之际，明确强调中国股市的泡沫了。他及他背后的利益集团，需要资金从中国这样的国家回流到美国。中国股市随后的深幅下跌，基本上使其如愿以偿。

诚如《美元大崩溃》一书所言：如果外国央行突然意识到抵押贷款证券投资的危险性，从而抛售美国债券或者将储备美元投入美国消费市场，那么恶性通货膨胀将无可避免，并最终导致美国经济的全面崩盘。

因此，在美国政要一味遮掩危机真相的背后，存在着巨大的国家利益的考虑。事实证明，美国的这种做法是非常成功的，它不仅稳住了国外的投资者，而且成功吸引了数以万亿美元计算的庞大资金流入美国。这些资金涌入美国，也就意味着投资者（包括外国央行）越陷越深，以至于难以自拔。这实际上相当于起到了绑架的作用。

对于美国庞大债券的持有人而言，无论帮美国救市还是不帮其救市都是无可奈何的。不救市意味着眼睁睁地看着自己的财富缩水，而救市同样得眼睁睁地看着自己的财富缩水。

美国为了转嫁次贷危机，唯一的选择是施行弱势美元政策，加剧美元的贬值。

而救市恰好是促使美元贬值的天然借口。美国挽救次贷危机，有两个选择，一是加印美钞，二是发行国债，而这两种方式都意味着美元和美元资产的贬值。美国通过这两种方式，悄然将债权国家的债券稀释。

2008年10月13日，美国《华尔街日报》网站的一篇文章称，中国应该带头向国际货币基金组织"发难"，不能再让发达国家在这场危机中通过乱印钞票来损害发展中国家的利益。

文章称，国际货币基金组织称"不让任何一家发达国家的金融机构倒闭"，但它却没有拿出什么具体的建议，这"显然就是默许发达国家敞开口子印钞票，最终让全世界来埋单"。文章还说，那些有"印钞权"的发达国家最终是相互埋单，不赔不赚，而发展中国家特别是手握大量"硬通货"的中国，在这场零和游戏中则只有做贡献的份了。

据报道，2008年10月11日，中国央行副行长易纲在国际货币基金组织年会上发言时表示，主要发达经济体有必要进行合作，迅速实施救助计划，以防范通货紧缩并推动全球经济复苏。但他同时告诫称，这些紧急向市场注入的资金可能成为中长期内引发通货膨胀的潜在源头。

对于易纲的这番话，《华尔街日报》的文章解读为"委婉的担忧"，文章说："这个声音太弱了，作为最大的潜在受害国，中国必须大声提醒国际货币基金，你是世界180多个国库的守财神，不是发达国家的看门狗。"[3]

以救市的名义编织掠夺网

在当下，任何庞大的救市计划都必然通过货币贬值的方式来实现，这是一个绕不过去的门槛。

2008年9月和10月，美国出台7000亿美元的救市计划，举世瞩目，但这一过程可谓一波三折。

2008年9月29日，美国众议院在首轮投票中以228票对205票否决了财政部7000亿美元的救市计划。

由于美国民众担心救市计划会导致持有的美元和美元资产缩水，他们向议员施压，最终，7000亿美元救市计划夭折。但是，试图达到目的的利益集团是不可能罢休的。

在7000亿美元救市计划遭到否决后，华尔街的财团做空美国股市，道琼斯指数大幅下跌564点，跌幅达5%，而美国大部分家庭都持有股票，股市的暴跌让反对救市计划的民众也心痛不已。这个教训为7000亿美元救市计划最终获得通过创造了条件。华尔街的利益集团不惜以"苦肉计"达到自己的目的。

2008年10月10日，美国国会众议院对小布什政府修改后的救市方案进行投票表决，结果，以263:171顺利获得通过。

在8500亿美元救市方案通过后，基于美国财政体系压力的考虑，美国国

债信用违约掉期（CDS）市场认为，美国国债的违约几率超过了麦当劳快餐连锁店的同期债券。

美国10年期国债CDS在2008年1月时保费是7.5个基点，但到8500亿美元救市方案通过后，该保费上升到了37个基点。也就是说，1亿美元的美国国债，在2008年1月时年保费是7.5万美元，在8500亿美元救市方案通过后，已经涨到了37万美元，这意味着市场正日益担忧美国国债的违约。而同期麦当劳公司10年期债券的CDS年保费是33个基点。

在2008年9月17日的CDS市场，德国10年期债券的年保费是14个基点。数据表明CDS市场认为美国国债的违约几率超过德国、日本、法国、荷兰、北欧等国家。

这一切都意味着人们对美国国债违约的担忧在增加。

由于债务迅速膨胀，美国实际上已经还不起。按照谢国忠的说法，美国政府在技术上已经破产。当然，美国国债永远不会违约，美国可以通过印刷更多的美钞来偿付国债，避免联邦政府的破产。

累计来看，在8500亿美元救市政策出台前，美联储已经投入6000亿美元的救市资金用于退税计划、贝尔斯登、AIG、两房和货币市场救援。美国政府已经累计投入了1.45万亿美元。美国政府还连续提高了国债发行限额，在8500亿美元救市计划通过后已经提高到了11.3万亿美元。

《美元大崩溃》一书指出：国债只是政府债务中的一小部分，如果将所有负债计算在内，美国的债务规模将超过53万亿美元——基本相当于2007年全球GDP总量54万亿美元。这类负债包括社保、医疗、退伍军人福利，以及政府资助机构担保的债务等。[4]

在美国通过8500亿美元救市计划后，有报道称，中国将购买2000亿美元的美国国债。8500亿美元救市计划，中国要不要参与？就此问题，社科院金融研究所中国经济评价中心主任刘煜辉撰文指出：

如果要参与，那么就会有几个现实的问题摆在中国面前。

其一，这个7000亿美元救市计划（注：此文是按美国原定的7000亿美元救市计划所写）效果到底怎么样？能否为金融市场止住血？没有人相信。小布什、保尔森都说起不到立竿见影的效果。如果止不住，那就怕会变成一个没完没了的事情，过不了多久，又会出一个3000亿、5000亿的，中国是不是有陷进去的风险？

中国要掏这个救市的钱，这个钱从哪里出？正常年份美国一年要新增6000亿美元国债，其中70%以上是国际投资者购买，2009年加上这个新出来的7000亿美元，那就是规模空前的13 000亿美元。中国首先要有不断购买美国救市债的能力，这意味着我们过去几年1700亿、1800亿美元的高顺差经济模式必须持续，而这个模式给今天的中国经济造成了极大的麻烦，中国经济不得不转型。如果中国经济真的重新回到2005年以前那种一年300亿美元顺差的状态，那这个救市的钱中国还掏得出来吗？

而且，中国参与了救市、承担了成本之后，未来是否能取得应有的收益补偿？好处在哪里？是否能就此突破极其严重的美国保护主义的投资和贸易壁垒？倘若能真正帮助中国企业走出去，去获得收购美国实体经济的一些权力，包括物流、技术、品牌、销售网络等，实现产业转型和升级，提升整个中国经济的竞争力，这也值。问题是，被美元高度胁迫着的中国经济，有这个谈判的本钱吗？

参与是可以，中国必须是有条件地参与，通过参与中国必须取得有利于未来经济彻底转型的最大好处。不参与也不怕，你不答应我的条件，不保障我的利益，美国你就自己吃下借贷消费的苦果，中国可以为自己过去的错误认赔了，但是我们不能再为同样的错误继续埋单。[5]

事实上，花费庞大外汇储备购买美国债券的国家，并没有很好的选择。从某种程度上来说，他们的选择权已经被美国剥夺——如果不买，美国大量印刷钞票，美元储备将大幅贬值；如果购买，就是穷国补助富国，美国国债的市场价值可能继续缩水，而且金融市场稳定之后美元可能大幅贬值，继续增持国债意味着未来可能出现更大损失。

因此，美国国债问题，事实上已经成为中国最为重要的金融安全问题了。

富国热衷于举债的秘密

负债对美国来说是一本万利的好事——通过打欠条就可以换取真金白银。

于是，它充分利用这种优势。美国政府的债务在2008年9月超过了10万亿美元，它也超过了美国"国债钟"可以显示的范围。架设在纽约曼哈顿的"国债钟"是一座高科技数字钟，可以显示出国家的债务总额。"国债钟"每不到一秒跳一次，累加国债数字，告知世人，以示公开公正。钟的跳速目前是每秒2万美元，每天是17亿美元。

2000年9月，因为国债数字下降，"国债钟"曾关闭。小布什上台后，赤字节节高升，2002年大钟只好重新开启，而且由于越跳越快，以秒作单位已不够反应，现在不得不换成更快的计数系统。"国债钟"原本设计最高可以列出10万亿美元上限，但美国政府债务在2008年9月就已经超过10万亿，使得钟面已经无法正确显示出国债的金额。"国债钟"的负责人表示，将修改数字钟的软件，再增加两位数，让显示数据可以达到千万亿。

My God！如果美国的财务增加到千万亿美元，那些购买美国国债的国家的财富，还不被稀释殆尽？

"国债钟"是个象征，是个标志。当通过高科技手段对这个钟进行调整的时候，预示着美国的财务也可以永远增加下去。

美国已经学会用债务解决一切问题。

2008年3月，2001年诺贝尔经济学奖得主约瑟夫·斯蒂格利茨和哈佛大学教授琳达·比尔米斯重新核算了伊拉克战争的开销，比美国政府公布的7000亿美元多出3倍，惊爆出3万亿的巨额数字。他们出版的《3万亿美元的战争》一书向世人揭开了伊拉克战争与次贷危机间的神秘关联，这就是大部分战争军费并不是公开的政府拨款，而是靠银行借贷，从而造成了巨大的财政预算赤字。伊拉克战争将克林顿政府的扭亏为盈拉下马，使美国坠入负债9万亿美元、人均负债3万美元的深渊。

伊拉克战事成了美国银行最大的坏账，也因此，伊朗总统内贾德在纽约参加联合国首脑大会时说伊拉克战争是美国次贷危机的罪魁祸首。

自第一次世界大战以来，美国的经济发展得益于军事工业这个领头羊，当20世纪60年代欧洲、日本接连发生经济危机时，美国靠加大越战投入拉动军火生产，进而带动工业消费品生产，减缓了美国的通胀，而当越战结束美国军工产业失去动力时，美国便陷入迟到的经济危机之中。所以，美国国内不乏有人提出把钱砸到伊拉克、阿富汗战场，或新开战局，继续靠战争拉动军工产业，进而带动美国经济走出次贷危机的衰退境地。[6]

借债可以解决住房问题，可以稀释自身债务，甚至可以靠举债来打仗，而通过战争抢占的石油资源又换取了更多真实的财富，还有什么比这更具有诱惑力的事情呢？

2004年11月，世界银行和国际货币基金组织共同倡议各成员国定期公布外债总额，以评估世界外债规模，便于各国进入国际资金市场。结果，在已经公布的全球33.5万亿美元外债中，富国所占比例高达93%，美国位居负债国榜首（7.625万亿美元），其次是英国（6.145万亿美元），德国（3万多亿美元）居第三，其后依次为法国（2万多亿美元）、意大利、日本、荷兰（均超过1万亿美元）。

富国举债是因为货币贬值的过程就是债务被合法"减免"的过程。从某种意义上来说，这是对债权国的一种掠夺。凡是具有强势货币的国家或地区都有举债的习惯，因为它们自己就可以印刷钞票，通过给纸张加上代表财富的符号换取他国真正意义上的财富。这样，发展中国家用血汗积攒的财富往往被转换成印上了美丽图案的纸张。这种不平等，是财富向富国集中、全球贫富差距日益拉大的根本原因之一。

因此，中国的贸易顺差情结、赚取外汇情结，真的应该调整一下了。

经济学家王福重撰文指出：顺差并不表明就占了别人的便宜，得到了什么好处，也许它的危害更大一些；而逆差也与吃亏无关，或许还占了别人的便宜呢。以中美两国为例：中国一方是顺差，美国是逆差，就相当于中国净拿了美元，而没有拿到美国的产品；美国则是净拿了中国的产品，而没有拿到人民币。商品可以立即被消费，满足人们的愿望；美元说到底只是一些纸片，它不能被消费。美国人用纸片就换到了自己需要的东西，用老百姓的说法，这是空手套白狼。

美国因为可以用自己发行的货币交换到需要的商品，就不必再自己生产这些产品，比如美国早就不再生产电视、计算器、牛仔裤，要知道这些东西都是美国人发明的，是美国的民族产品啊。正是因为美国不再生产这些东西，它就把资源投入到自己最拿手、最具有比较优势的产业上去，这些产业就会做大做强，比如微软、辉瑞制药、波音飞机等。美国的经济强大，不能不说有贸易逆差的功劳。美国人不但没有因为贸易逆差吃亏，还得到了某些好处。[7]

笔者非常同意这则评论："就美国长期财政状况（以3～5年为期）而言，美国此次救市不仅不会造成损失，反而会像当年香港特区政府的救市那样，在市场和经济转趋稳定之后获得非常丰厚的投资收益，从而大幅降低其政府赤字占GDP的比重。"[8]

注　释

1. 李可可. 格林斯潘的泡沫. 证券市场周刊，2003年7月14日。

2. 主权财富基金：随着一国宏观经济、贸易条件和财政状况的改善，以及政府长期预算规划与财政支出限制政策的实施，国家财政盈余与外汇储备不断积累，针对过多的财政盈余与外汇储备盈余，一些国家成立了专门的投资机构来进行管理运作，这类机构一般被称为主权财富基金。主权财富基金来源包括三类：第一类是外汇储备盈余，主要以亚洲地区新加坡、马来西亚、韩国等国家和中国台湾、中国香港地区为代表；第二类是自然资源出口的外汇盈余，包括石油、天然气、铜和钻石等自然资源的外贸盈余，主要以中东、拉美地区16个国家为代表；第三类是依靠国际援助基金，以乌干达的贫困援助基金为代表。

3. 发达国家乱印钞票中国成最大潜在受害国. 环球时报，2008年10月14日。

4. 希夫，唐斯. 美元大崩溃. 陈召强，译. 中信出版社，2008。

5. 刘煜辉. 中国该不该参与美国救市. 每日经济新闻，2008年10月8日。

6. 林东. 美国次贷危机正在改变美军攻守态势. 中国青年报，2008年10月17日。

7. 王福重. 中国的顺差情结应该结束了. 上海证券报，2008年1月18日。

8. 柴青山. 美国式成本转嫁：石油、美元风云逆变. 21世纪经济报道，2008年11月3日。

美元霸权：公开的陷阱

■ 美国有句名言："你借银行1万元，你是银行的孙子；你借银行1000万元，银行是你的孙子。"

■ 面对次贷危机，美国做出了非常慷慨的救市决定，但是，这动辄几千亿美元的救市资金从哪里来？两个途径，加印钞票和发行国债，这意味着美国向世界征收铸币税，意味着美国所欠债务被稀释，意味着债权国的财富在缩水……

■ 美元脱离黄金的过程，就是美国人为了实现自身利益最大化进行缜密运作、精心布局的过程。在目睹英镑叱咤风云为英帝国的建立带来的巨大利益后，美国人不动声色地实现了自己的梦想，逐渐确立了以摆脱黄金制约的美元为核心的货币体系。

■ 当时的美国财政部长约翰·康纳利说了一句非常经典的话："美元也许是我们的货币，但是，是你们的问题。"这一预言在今天得到了应验。

■ "我欠你的"成了一个公开的陷阱，而许多国家却不得不一次次地跳进去。

■ "布雷顿森林体系"解体之后，美国再也不必担心外贸逆差，因为这种逆差正是美国用廉价纸币换取其他国家辛苦制造的劳动产品的结果；美国也不再害怕赤字，多印钞票就可以维持国民经济的平衡，将通货膨胀转嫁给其他国家。

铸币税让美国站着捡钱

美元——世界的"储备"货币，正在不断疲软、萎缩、衰落……美元价值从此走上了贬值的不归路……整个形势还在以令人震惊的速度不断恶化。[1]

次贷危机爆发后，美国又取得了一个冠冕堂皇的通过美元贬值"减免"自身债务的天然借口。

那么，是谁给了美国这项权力？

回答这个问题，我们不能不熟悉一个概念：铸币税。

所谓铸币税（Seigniorage），也被称为"货币税"，是指发行货币的组织或国家，在发行货币并吸纳等值黄金等财富后，货币贬值，使持币方财富减少、发行方财富增加的经济现象。

这个解释对于一般读者可能有些拗口，而另外的解释就容易理解得多：

通货的币面价值超出生产成本的部分，即铸币成本与其在流通中的币值之差被称作铸币税，现在通常指中央银行通过发行货币而得到的收入。

当不存在通货膨胀时，铸币税来自于随经济增长而来的对货币需求的增加；当存在通货膨胀时，铸币税也被称为通货膨胀税。

举个简单的例子，今天印刷100美元（注：至1969年，所有面额在100美元以上的大面额纸币全部退出流通）的成本（材料费和人工费）只需0.03美元，却能买到价值100美元的商品，那么，一旦发行出去，美国就得到了99.97美元的铸币税。几年前，曾经有人估算，美国因此每年得到大约250亿美元的巨额铸币税收益。

在国际货币体系中，名义货币的使用给中心货币局（比如美元与港币，就是货币局制）带来了铸币收益税，可被中心政府挪用作为收入来源。如凯恩斯所说："在别无他法时，一个政府可以通过这种方式生存下去。"

2006年7月22日，在"中国经济五十人论坛"上，中国社科院世界经济与政治研究所所长、央行货币政策委员会委员余永定说，世界人均收入排名第128位的中国正在每年给美国提供数百亿美元的补贴。

余永定此言是针对时下国际收支表中中国资本项目和经常项目呈现"双顺差"状况而发。一般而言，在每一笔资本项目的流入下都应该有一笔流出，形成经常项目的逆差，否则就谈不上对外资的利用。也就是说中国引入外资后，为将资本转化为经常项目的逆差，应该购买外国的设备和其他产品。

但是目前中国在资本项目下是顺差，在经常项目下更是顺差，这说明引入的外资根本没有购买外国的设备和产品，"外汇被卖给央行，而央行只好用外汇去购买美国国库券"。这意味着，外资转了一圈又流出去了，这中间发生的变化就是国内股权与国外债权之间的置换，也就是说中国在赞助美国的建设。而且对发展中国家而言，在经常项目下的顺差还将导致国民福利的减少。[2]

中国补贴美国建设的状况，在2006年后，进入了一个更为明显和直接的阶段。

美国的做法，属于"无泪赤字"。世界需要美国通过贸易逆差以输出美元来提供交易手段或清偿能力。美国可以拿着源源不断的用印刷机印出来的美元到世界各地进行采购，扩大国内的预算赤字和贸易赤字。对于其他顺差国而言，这相当于福利外流。例如，日本学者吉元川忠（2000）曾经对20世纪80年代前半期日美贸易关系进行了研究，他认为，日本是将自己贸易顺差所产生的剩余资金注入到美国，美国则利用这些资金维持市场繁荣和日本商品的进口，这又反过来刺激了日本贸易顺差的膨胀。说得极端一些的话，日本用自己的钱买自己的产品，并把这种现象当成了贸易顺差。到2005年1月，中国也购买了多达1945亿美元的美国债券，克鲁格曼亦强调这是美国支持其贸易赤字的主要方式之一。到2005年6月底，大陆外汇储备多达7110亿美元，约3/4为美元储备，从某种意义上说，中国也差不多在重复当年日本一样的故事。[3] 而这一数字在2008年10月份已经接近2万亿美元。

除此之外，美国还可以通过过度发行美元向全世界征收通货膨胀税。由于美国政府可以不断印刷出美元到世界各地采购，势必造成美元的贬值。但是美元贬值并不会对美元的霸权地位带来太大的冲击，因为其垄断地位源于其作为交易媒介而不是价值储藏。这带来了一种奇特的现象：**美国通过美元的贬值，既可以减少其债务，又可以促进其出口。只要美元的霸权地位不改变，不出现货币替代的现象，即投资者选择更稳定的货币做为价值储藏手段，美国政府便会有一种不受限制的冲动超额发行美元。这正是美元霸权的霸道之处：即使美元贬值，大家仍然要持有美元。**[4]

据统计，美国所发行的所有美钞的2/3在美国境外流通，大约3/4新增发的美钞被外国人持有。美国只要能够维持住全世界对美元的需求，就能源源不断地将铸币税装入口袋。

面对次贷危机，美国做出了非常慷慨的救市决定，但是，这动辄几千亿美元的救市资金从哪里来？两个途径，加印钞票和发行国债。2008年11月份，美国财政部一位官员指出，2009年美国国债的发行额度可能会达到近乎天量的1.8万亿美元。由于奥巴马对减税计划、医保改革等措施的承诺，使得下届美国政府的财政压力将会非常大，1.8万亿美元的国债几乎不可能让国内投资者来承担。而当前美国国债存量中的1.5万亿美元已经由国外投资者持有，在这个基础上再吃下1.8万亿美元的大块头并不现实。因此，美国必然主要通过加印钞票的办法来解决现实问题。而这意味着美国向世界征收铸币税，意味着美国所欠债务被稀释，意味着债权国的财富在缩水——这同样是美元强势地位获得的巨大好处。

美元由于其无可匹敌的强势地位已经成为一种以货币为载体的美元霸权，美国通过这种强势地位即可以合法地攫取财富。

人类货币体系的演变遵从"大国理论"或"帝国理论"。该理论的基本命题和推论是：一、强权国家拥有强权货币，霸权国家必定支配霸权货币体系；二、霸权国家必定最大限度地利用其"货币特权"攫取铸币税收入，并以此掠夺其他国家的资源，可以采取的手段包括：无限制地发行货币以降低货币真实价值、掌控货币体系以控制他国产业发展和税收制度、掌控货币体系以推行霸权国家的政治经济游戏规则；三、霸权国家的货币，必定是全球最主要的储备货币、支付手段、结算工具、价值储藏手段、计价单位、资本市场交易工具、外汇市场干预货币及信息发布的主要媒介。

迄今为止，符合上述事实的货币本位制，只有美元本位制。它起始于1913年美联储的创立，经过1936年美、英、法"三国货币协定"和1944年的布雷顿森林协议，完成于1971年的"尼克松新政"和1976年的IMF章程第八条款第二修正案。一个完全没有外部约束的法定货币本位制——美元本位制，终于登峰造极，人类迎来完全的霸权货币体系。[5]

美元的前世今生

要更清楚地理解相关问题，我们有必要了解美元的前世今生。

人们通常所说的铸币，就是具有一定形状、成色、重量和面值的金属货币，系由货币充当流通手段的职能而产生。自然形态的金属货币在流通中需要秤算重量、鉴定成色，很不方便。为了适应交换发展的需要，将金块、银块按照货币计算名称所规定的金银重量，铸造成具有一定成色、花纹和形状的金片和银片，这就形成了铸币。

铸币最初的实际金属含量与名义金属含量是相等的。但是，铸币进入流通过程会受到磨损，它的实际金属含量与名义金属含量会发生分离。这种不足值的铸币依然能够按照原来的面值进行流通，这样，铸币就或多或少地有了其法定金属含量的象征性味道。铸币已经隐藏着用纯粹货币符号代替金属货币来执行流通手段的可能性。

美元就是这样一种纯粹的货币符号。美元曾经是硬通货，所以，美元又被称作美金。美元是美国的官方货币，它始于1792年美国通过铸币法案。当时，美元采用金银复本位制，按照当年颁布的铸币法案，1美元折合371.25格令（24.057克）纯银或24.75格令（1.6038克）纯金。

但是，金银复本位制有一个明显的弊端：金和银都被确定为货币金属，金币和银币同时流通，而货币具有天然的独占性和排他性，一种商品不可能具有两种不同的价格，但在金银复本位制下，由于金币和银币两种货币同时存在，就出现了这种现象。同时，由于金、银之间的价格对比经常发生变化，导致商品流通和货币制度本身产生混乱。这注定金银复本位制要向单一的金本位制过渡。

1863年，美国国会通过财政部长提出的《国民货币法》，第一次以法律形式规定在全国范围内实行法定存款准备金制度，并发行类似于中世纪金匠黄金收据的金币券，该券票面上印有"持有人可凭此兑取金币"的字样，它是由美国财政部发行的、以百分之百黄金为储备的货币。金币券一直流通到1934年，因为当年出台的《黄金储备法》明令禁止私人持有黄金（珠宝、首饰、特殊收藏品、工业用或专用黄金除外）。从1879年开始，美国正式实行金本位制。[6]

金本位制的特点是：黄金和货币间可以自由兑换，黄金可以自由在国家间输入和输出，货币储备全部是黄金，并以黄金进行国际结算。

随着资本主义向帝国主义过渡，侵略战争不断上演，帝国主义国家不仅从国外抢夺也从国内搜刮黄金，使得黄金日益集中在少数国家手中，并且这些国家纷纷限制黄金流出。更重要的是，帝国主义为了应对不断膨胀的财政支出，不断增加纸币的发行，动摇了金本位制的基础。

1929～1933年，资本主义国家发生了严重的经济危机，并引起了深刻的货币信用危机。奥地利、德国、英国发生银行挤兑潮，大批银行破产倒闭。1931年7月，德国政府宣布停止偿付外债，实行严格的外汇管制，禁止黄金交易和黄金输出，这标志着德国的金汇兑本位制（又称虚金本位制，该国货币一般与另一个实行金本位制或金块本位制国家的货币保持固定的比价，并在后者存放外汇或黄金作为平准基金，从而间接实行了金本位制。实际上，它是一种带有附属性质的货币制度。）从此结束。欧洲大陆国家的银行大批倒闭，使各国在短短2个月内就从伦敦提走了将近半数的存款，英国的黄金大量外流，在这种情况下，1931年9月英国不得不宣布英镑贬值，并被迫最终放弃了金本位制。一些以英镑为基础实行金汇兑本位制的国家，如印度、埃及、马来西亚等，也随之放弃了金汇兑本位制。其后，爱尔兰、挪威、瑞典、丹麦、芬兰、加拿大等国实行的各种金本位制都被放弃。1933年春，严重的货币信用危机席卷美国，挤兑使银行大批破产。联邦储备银行的黄金储备1个月内减少了20%。美国政府被迫于3月6日宣布停止银行券兑现，4月19日又完全禁止银行和私人贮存黄金和输出黄金，5月政府将美元贬值41%，并授权联邦储备银行可以用国家债券担保发行通货。这样，美国实行金本位制的历史也到此结束。最后放弃金本位制的是法国、瑞士、意大利、荷兰、比利时等一些欧洲国家，它们直到1936年8～9月才先后宣布放弃金本位制。至此，金本位制终于成为资本主义货币制度的历史陈迹。[7]

金本位制的终结，为各国随意发行纸币、实行通货膨胀政策解除了一个最重要的限制，从此，潘多拉的魔盒被打开，世界饱受通货膨胀之苦。

废除金本位制蓄谋已久

在阅读有关货币的历史时，相关事实告诉我们，美国废除金本位制的梦想由来已久。

1913年，美国国会通过《联邦储备法》，即欧文－格拉斯法案，建立了政治上独立的联邦储备系统，由此迈出了完全放弃金银支撑体系的第一步。而新建立的联邦储备系统的主要职责包括监管银行系统、通过购买和出售政府证券管理货币供应（即货币政策），并充当整个银行系统资金转移的票据交换所。

建立美联储的一个主要原因是为了提供一种"优先货币"，这是一种由私有的国家银行发行的货币，可取代资质不一的个体私营银行以票据形式发行的所有纸钞。联邦储备银行的新举措之一便是引入了一种名为联邦储备券的新货币。按照规定，持有联邦储备券的人可以在任何一家联邦储备银行兑换黄金或其他任何法定货币。这些法定货币包括国库券、金币或银币以及银币券等。

最初发行的联邦储备券虽然仍将美元和黄金挂钩，但却引入了其他形式的合法货币，如银币和以金银为支撑的国库券等，这就削弱了美元与黄金之间的联系，也为后来两者之间的完全脱钩做了铺垫。

1934年的《黄金储备法》将黄金从联邦储备券票面上剔除，回购条款标注为"本券是对一切公私债务的法定支付手段，可在美国财政部或任何一家联邦储备银行兑换法定货币。"

虽然只是措辞上的变动，但现在来看，这绝不是一个好的征兆。不过，由于当时政府操作微妙，并未引起人们的普遍关注。[8]

世界各国曾经为恢复金本位制而努力，但是，由于美国的强烈反对，金本位制早已经走上不归之路。

由于汇率的不稳定给国际贸易和国际投资带来许多困难，各国力求重建金本位制。1932年6月召开了洛桑会议。接着又在1933年召开了伦敦会议。在伦敦会议上许多国家特别是法国、意大利极力要求恢复金本位制。然而罗斯福总统为维护美国自身利益，明确反对恢复金本位制的主张。他宣称美国在金融问题上拒绝接受对美国自由行动的任何限制。

罗斯福之所以反对恢复金本位，是想采取一种通过降低美元对黄金的比价的办法提高国内工农产品价格，以帮助美国经济早日复苏。为此，美国于1932年10月22日宣布每盎司黄金价格由同年3月的 20.67 美元上升到10月21日的29.01美元。10月25日复兴金融公司[9]按照每盎司31.36美元的价格收购新开采出来的国内黄金，10月29日又按此价格收购国外黄金。到12月18日，金价上升到每盎司34.06美元。为了把美元比价保持在这种人为的低水平上，必须把上市的黄金全部买下来。12月28日，联邦储备委员会接到命令，把它们从3月份银行危机以来得到的全部黄金储备交给财政部，按照20.67美元的老价格换取钞票。这样，财政部就可以用所得到的利润抵销按照新价格购买国内外黄金所增加的成本。

这种把美元强制贬值到只相当于以前含金量60%的做法使国际金融贸易市场动荡不安。投机家买进黄金卖给复兴金融公司牟取暴利。外国认为美国犯了对他们的通货和贸易实行经济侵略的罪过。法国尤其不满，认为复兴金融公司的做法将使世界黄金枯竭并迫使法国退出金本位制。欧洲的制造商认为美国商品在国外市场的降价使美国出口获得有利条件，这种做法是不公正的。

在美国政府看来，美元贬值有利于美国经济复苏，因而是正当的。美国无疑在外贸方面取得了很大利益，从而防止了在维持美元与黄金比价的情况下可能发生的挤兑黄金风潮。[10]

美元脱离黄金的过程，就是美国人为了实现自身利益最大化进行缜密运作、精心布局的过程。在目睹英镑叱咤风云为英帝国的建立带来的巨大利益后，美国人不动声色地实现了自己的梦想，逐渐确立了以摆脱黄金制约的美元为核心的货币体系。

1963年11月2日，美元票面上的回购条款被完全消除。这样一来，所有的美国货币也就失去其原本固有的实际价值。也正是从那一天起，美国由宪法确立的以金银为基础的货币体系转化成为由政府授权的货币体系。

尽管联邦储备券的票面上仍保留有"本券是对一切公私债务的法定支付手段"的字样，但这一切都已经不重要了，因为从根本上讲，它已经分文不值了。

就这样，联邦储备券从先前以金银为支撑的合法票据转化成为仅限于在持有者之间自由流通的、不名一文的纸币，而发行方却不需要承担任何责任。

这也就是说，如果美元还有什么价值的话，那将完全取决于它的购买力，而它的购买力则取决于美国经济的发展和美元供给的规范。经过政府的一系列运作，美元虽然在国内失去了黄金的支持，但在国际市场上，基于1944年7月在美国新罕布什尔州的布雷顿森林镇召开的联合国货币金融会议所确立的布雷顿森林体系，美元仍被视作是"黄金"的代名词。[11] 但是，此黄金已非彼黄金。

须要说明的是，这段论述或许有过激之处，因为现在各国货币都是以政府信誉为担保的、强制流通本身没有价值的东西，所不同的是美元是世界货币，它这一弊端更彻底地暴露出来，其他国家的民众对其负面影响更刻骨铭心而已。

"布雷顿"倒下 美元站起来

在20世纪50年代之后，关贸总协定（及其继承者世贸组织）和世界银行、国际货币基金组织被认为是支撑世界经贸和金融格局的三大支柱。这三大支柱都与布雷顿森林体系息息相关。也是从此开始，美国拥有了坐享其成的地位。

布雷顿森林体系之所以重要，是因为它是对第二次世界大战后世界新秩序的安排，布雷顿森林体系（即以外汇自由化、资本自由化和贸易自由化为主要内容的多边经济制度）构成了当时西方集团经济体系的核心内容，这个体系是按照美国制定的原则来实现美国经济霸权的体制。

让我们回顾一下那段历史吧。

1944年7月，第二次世界大战中的44个同盟国在美国和英国的组织下，在美国新罕布什尔州的布雷顿森林镇一家旅馆召开了由730人参加的"联合和联盟国家国际货币金融会议"，通过了以美国财长助理怀特提出的"怀特

计划"为基础的《国际货币基金协定》和《国际复兴开发银行协定》，总称布雷顿森林协议，从此开始了布雷顿森林体系。

布雷顿森林体系的主要内容是以作为国际协议的《国际货币基金协定》的法律形式固定下来的。它确认了美国政府在第二次世界大战前规定的美元对黄金的官价，即1盎司黄金等于35美元。美国政府承担其他国家政府或中央银行用美元外汇随时向美国按官价兑换黄金的义务（当时，美国的黄金储备为21 770吨，约占世界黄金储备的60%）。这样的规定等于规定了美元直接同黄金挂钩，美元是最主要的国际储备货币。

但是，把美元与黄金挂钩只能是一种空想，美国人早有自己的思路。

布雷顿森林体系只维系了25年，因为它的基本前提就存在着致命缺陷。它把国际货币的价值固定在每盎司黄金35美元的标准上，按照这一标准，货币价值当然无法反映1934年以来黄金价值本身的变化。第二次世界大战之后，美元购买力已经受到了巨大的削弱，随着欧洲经济重整旗鼓，日渐干涸的美元储备迟早会让《布雷顿森林协议》作为一个永久性货币系统的使命告终。

谈到这个问题，前纽联储的一位高级副总裁说：从一开始，黄金就成为布雷顿森林体系中最薄弱的一个环节。在当时的极端情况下，通过布雷顿森林协议让美国政府承担起兑换黄金的角色，显然是可以理解的。到战争结束的时候，美国拥有的黄金储备已经达到200亿美元（以当时的金价计算），相当于全世界官方黄金储备的60%（当时的占比）。到1957年，美国的黄金储备已经超过其他国家中央银行黄金储备总和的3倍。美元如同巨人一般在外汇市场上独占鳌头。1971年，面对黄金储备不断加速的流失，美国政府终于决定取消金本位制的货币制度，布雷顿森林体系也就此成为历史。[12]

当时的美国财政部长约翰·康纳利说了一句非常经典的话："美元也许是我们的货币，但是，是你们的问题。"

布雷顿森林体系的重要意义在于它确立了美元在国际货币体系中的霸主地位，美国从此不再惧怕举债，甚至喜欢上了举债，因为举债可以用加印美钞的方式来稀释债务、刺激出口。诚如安迪森·维金所言："偿还国家债务的概念似乎早已经被人们淡忘。即使是消除联邦债务也成了天方夜谭，其他国家甚至也接受了这样的思维。"

美国从此不必担心外贸逆差，因为这种逆差正是美国用廉价纸币换取其他国家辛苦制造的劳动产品的结果。美国也不再害怕赤字，多印钞票就可以维持国民经济的平衡，将通货膨胀转嫁给其他国家。

布雷顿森林体系给美国带来了巨大利益，但是，它还需要更大的利益和更小的风险。

1971年8月15日，美国尼克松总统宣布实行"新经济政策"，对内冻结物价和工资，削减政府开支，对外采取了两大措施：第一，停止美元兑换黄金，不再以每盎司黄金等于35美元的官价兑换黄金；第二，征收10%的进口附加税。

对于尼克松的这项影响世界的决定，有一个流传较广的说法：尼克松看到年轻经济学家迈克尔·赫德森的著作后认为，美元彻底脱离黄金，从短期来看，可以加强美国在国际财政金融的领导地位，但是从长期来看，不断扩大的财政赤字却可能是弊大于利，会损害美国在自由世界的领导地位。尼克松拍案叫绝，遂做出决定。

实际上，这只能算是一个故事。因为在迈克尔·赫德森公布相关成果（1972年）的前一年，尼克松就已经宣布美元与黄金脱钩，结束了第二次世界大战以来美元与黄金挂钩的布雷顿森林体系。

当然，从美元偏离黄金的历史轨迹来看，尼克松不过是按部就班地在摆脱黄金限制的道路上再行一步而已。

1971年8月，在尼克松宣布新经济政策后，美国迫使其他国家接受新的、固定的由美国做主的汇率，宣布关闭黄金窗口，这样它就把世界各国的货币置于美元本位之上。为了达到这一目的，美国对进口商品征收10%的附加税，并把取消附加税作为谈判中达到美国满意的新汇率的条件。在紧张的谈判中，欧洲和日本做出了让步，但它们试图让美国承诺经过一段时间以后重新开放黄金窗口，然而在这个问题上美国坚决不让步。美国铁了心要使美元摆脱黄金的羁绊。最终，美国人胜利。尼克松宣布这件事是"世界历史上最重大的金融成就"。

根据新规则，美国可以不受黄金限制发行美元纸币，这样美国国内消费和对外投资可以完全不用顾忌可能产生的国际收支赤字和债务成本，同时各国实行浮动汇率制度，推行黄金非货币化的措施，使得黄金逐渐退出国际货币结算。20世纪70年代，在越战失利、苏联全球攻势和美国全面战略退缩的寒冬中，美国义无反顾地走向了"债务促进美国经济繁荣"的道路，这是一条高风险的不归路。[13]

《美元大崩溃》对1971年尼克松总统关闭"黄金窗口"、宣布中止美元与黄金之间固定兑换比率一事做出了如下评价："对美国政府所实施的这一政策绝不可等闲视之，因为从某种意义上讲，这相当于宣布一个国家破产。"

而安迪森·维金所著的《美元的坠落》认为：1971年，美国对世界造成的影响不容忽视。金本位的放弃破坏了自布雷顿森林体系确立以来所一贯执行的经济政策，而通货膨胀、失业和货币动荡则由此成为经济循环中的重要组成部分。20世纪70年代早期，动荡时代的序幕正式拉开，经济上是如此，政治上亦是如此。事后来看，这显然都是由于美国政府放弃金本位制而酿成的。当时，它虽然没有直接导致资本主义的衰亡，但在30多年后的今天，它却把我们带到了崩溃的边缘，美国的经济或许就此走上一条漫长的衰退之路。

当然，安迪森·维金是站在一个更长远的角度做出如此评价的，事实上，就截至目前的发展进程而言，正是放弃金本位制，使美国从美元膨胀中获取了极为丰厚的利益。

从此开始，美国走上了债务富国、债务扩张之路。

安迪森·维金指出：放弃以金本位制作为国际通货基础的直接结果，便是伟大的美元本位时代。严重超量发行的通货必然会削弱美元价值，同时由于很多外国货币采取盯住美元的货币制度，连锁反应又会进一步损害这些国家货币的价值。简而言之，源于虚无之处的法定货币，本身就是毫无价值的。即使以后再兑现这些特殊债务的承诺，从以往的经验看，也不可能长久地支撑其价值，而今天的美国早已身陷过度信用扩张的怪圈，能否兑现所有真实债务，显然都是个问题。如果我们考虑到政府在医疗和社会保险方面承担的义务，按照美国审计总署（GAO）前总审计长、彼得·皮特森基金会总裁兼CEO大卫·沃克的估计，美国的真实负债已接近已公布国债数字的6倍：

截至2007年的财政年度，当局（国债管理局）管理的联邦债务已高达9万亿美元。但即便是这个数字，还不包括很多项目，比如说欠缴的社会保险和医疗补贴、退伍军人的医疗福利以及联邦政府承诺的各项补贴和或有债务。如果考虑到这些债务的话，按目前的美元价值计算，全部债务负担估计达到53万亿美元左右。换种说法，每个美国人承担的总债务负担约为17.5万美元，而且这个数字还在与日俱增。[14]

"我欠你的"成了一个公开的陷阱，而许多国家却不得不一次次地跳进去。

注 释

1. 安迪森·维金. 美元的坠落. 刘寅龙, 译. 广东经济出版社, 2006。

2. 余永定称中国每年补贴美国数百亿美元. 北京现代商报, 2006年7月24日。

3. 刘建江, 袁冬梅, 王国杰. 美国巨额贸易逆差与经济增长并存: 争议与解析. 湘潭大学学报: 哲学社会科学版, 2005, 29 (6)。

4. 何帆. 美元霸权对世界经济的影响. 中国宏观经济信息网, 2004年12月1日。

5. 向松祚. 美元发行泛滥: 全球流动性过剩根源. 第一财经日报, 2007年6月22日。

6. 彼得 D. 希夫, 约翰·唐斯. 美元大崩溃. 陈召强, 译. 中信出版社, 2008。

7. 互动百科:《金本位制的崩溃》http://www.hudong.com/wiki/%E9%87%91%E6%9C%AC%E4%BD%8D%E5%88%B6%E7%9A%84%E5%B4%A9%E6%BA%83

8. 同第6条。

9. 即reconstruction finance corporation (RFC), 1932年1月22日美国国会通过创设的政府机构。其目的是对铁路、金融机构和商业公司提供财务援助。1933年3月, 罗斯福颁布新政, 其中一条重要举措就是由复兴金融公司向银行发放30亿美元贷款, 以提高银行信用。

10. 陈宝森. 论战后国际货币制度和美国的国际金融政策. 美国研究, 1995 (2)。

11. 同第6条。

12. 同第1条。

13. 刘涛. 债务帝国, 虚拟经济和美国霸权软着陆。

14. 同第1条。

- 这次下跌只是为下一次更严重的通货膨胀做准备——酝酿期越长，未来的全球通货膨胀越可怕，道理再简单不过：各国数额惊人的救市资金所带来的货币的贬值效应早晚会释放出来，这些"廉价资金"早晚会让世界付出代价。

- 如果借钱对于欠债者来说是一种奖赏，没有谁不愿意举债，这正是美国人甚至不惜举债消费的根本原因。

- 美国无论如何是不可能还起目前庞大的债务的，但它可以通过印钞票、发国债来填补旧债，这样做的结果必然是加剧全球通货膨胀。

- 在美元贬值过程中，西方发达国家到发展中国家抢占资源，以印上图案的纸张换取实实在在的财富。一旦次贷危机结束，资产价格上涨，美国又获得了一大笔财富。

- 在加印的美元被换成我们宝贵的资源后，美元可以继续印刷，而宝贵资源的丧失又能够从哪里得到补偿呢？觉醒吧，中国，在美元持续贬值并且从长远来看还将继续贬值的大背景下，应该视我们有限的资源为生命，给予最大限度的保护。

- 世界上许多国家的困境正在于本国货币大都在国内流通，而非像美元那样可以把通货膨胀压力向他国输送，因此，在美元霸权之下，世界上大多数国家往往遭受着比美国更严重的通货膨胀压力。

全球性通货膨胀要来了！

通货膨胀前的可怕寂静

截至2008年11月中旬，油价已经从每桶147美元跌到50美元以下，短短几个月时间，恍如隔世。

但是，笔者要说的是，这并不意味着全球通货膨胀就此结束了。现在只是下一轮全球性通货膨胀前的可怕寂静。比如，油价的这次快速下跌，既是次贷危机后石油消费下降的结果，也是美国借机洗劫盘踞在油价中的投机资金和挫伤俄罗斯、中东产油国的需要——迫使这些国家的资源及国际游资流向美国。

这次下跌只是为下一次更严重的通货膨胀做准备——酝酿期越长，未来的全球通货膨胀越可怕，道理再简单不过：各国数额惊人的救市资金所带来的货币的贬值效应早晚会释放出来，这些"廉价资金"早晚会让世界付出代价。

2008年11月26日，德国总理默克尔指责美国和其他国家政府将"廉价资金"作为经济管理的主要工具，从而埋下了在5年后爆发类似危机的种子，

这种观点非常具有前瞻性。美国、欧洲庞大的救市计划本身就意味着货币发行的加速和相关债券发行的快速增长。流动性的注入一次次地为未来的通货膨胀埋下了巨大隐患。

一旦美元步入贬值轨道，各国货币争相贬值的阀门就可能被打开。作为世界性通货膨胀的源头，美国掌握着"潘多拉魔盒"。

事实上，不管是20世纪90年代格林斯潘任内的美联储，还是现在由伯南克执掌的美联储，都采取了货币扩张的政策。美联储所实行的货币扩张政策于20世纪60年代末期在美国引发通货膨胀，受其影响，其他国家也被迫增加货币供给，以维持先前所达成的本国货币与美元之间的固定比率。结果，其他国家也纷纷遭遇通货膨胀。

在20世纪90年代和21世纪初的几年里，美国一直奉行扩张的货币政策，并创造了经常性通货膨胀，以减轻政府所承受的压力。因为新增货币刺激消费支出的增加，拉动GDP的增长，这也就制造了美国经济健康发展的假象。通过削弱美元价值，它便轻松地减少了社会公共项目的成本、庞大的国债和预算赤字以及巨额的经常项目赤字。然而，这一通货膨胀并没有反映在官方的数字之中，比如说消费价格指数，而是主要反映在资产泡沫之中，比如说股票、债券和房地产等，而这些资产泡沫则被成功地"出口"到了欧洲和亚洲。但不管怎么说，通货膨胀还是通货膨胀，美元购买力下降已是不争的事实。

这是《美元大崩溃》一书中所描述的景象，而对于这一景象，人们早已习以为常。

最近几年，通货膨胀成为全球性大难题，2007年人们的感触尤其明显。这一年，粮价、油价、铁矿石……放眼望去，许多产品价格都创出了新高。直到次贷危机以不可遏止的速度恶化，全球性物价上涨的势头才止住脚步。

粮食：2008年3月27日，联合国亚洲及太平洋经济社会委员会（ESCAP）发布的报告显示，亚太地区各国面临的食品价格大幅上涨将是未来几年内的最大挑战。报告称，2007年农作物产品的价格涨幅达到30年来的最高点，如大豆价格达34年最高，玉米价格达到11年来最高点，小麦和油菜籽的价格也创历史新高。报告认为，亚太地区许多国家都面临着食品短缺的威胁，并且"食品价格膨胀"比"油价高涨"具有更大的危险性。

就在报告发布的当天，泰国大米报价从每吨580美元涨到了每吨760美元，涨幅超过30%，达到20年来的最高点。

石油：2003年12月国际原油价格是32.52美元/桶，到2007年7月11日创下147.27美元/桶的历史最高点，涨了3.5倍。

铁矿石：以中国进口铁矿石的价格来看，年年都在上涨。2005年上涨了71.5%，2006年上涨了19%，2007年上涨了9.5%，2008年又创下了几年来的最大涨幅，力拓的PB粉矿、杨迪粉矿、PB块矿在2007年基础上分别上涨79.88%、79.88%、96.5%。

……

在国际大宗商品价格暴涨的同时，美元在同步下跌，或者说，大宗商品价格的上涨就是美元贬值的结果，因为国际大宗商品价格基本都是以美元计价的。

以欧元兑美元的走势来看：2000年10月26日，1欧元兑换0.8225美元。2008年7月15日，1欧元兑换1.6037美元。近8年间，美元的贬值速度之快，令人震惊。

如果对比美元的走势和石油、铁矿石等世界主要大宗商品的价格走势就会发现，大宗商品价格单边上扬的走势恰好与美元单边下跌的走势相对应。美元贬值导致国际大宗商品价格上涨的结论，得到了许多人的认可。

英国《经济学家》杂志评论说，美国政府之所以放任美元贬值，一方面是希望通过弱势美元促进出口，带动经济增长；另一方面更是为了减轻美国的巨额债务，由于美国的外债绝大部分是以美元计价的，美元的贬值实际上即意味着债务负担的减轻。

麦肯锡研究院最近一份报告甚至假设，如果美元比2007年1月的水平贬值30%，则美国的经常项目到2012年可完全实现平衡。[1]

全球通货膨胀，美国是重要根源之一，而通货膨胀正是劫掠财富的重要手段之一。

经济学家莫瑞·罗斯巴德对此有过系统的论述，在世界经济一体化的今天，拥有国际货币发行权的国家和政府本质上都是通货膨胀主义者，它们利用各国政府和世界中央银行操纵的某种世界通用纸币以同样的比率在各地膨胀。

在物物交换的经济中，政府官员只能靠"夺取财物"来征收所需要的资源，他们发现在货币经济中夺取货币资产更容易些，可以用夺来的钱为政府取得所需的物品和劳务，要不就拿来补贴自己愿意补贴的团体。然而，课税制度往往不受欢迎，而且经常在乱世中导致革命。但若政府能设计从事伪造货币（膨胀货币），也就是无中生有地创造出新货币，就可以快速生产属于自己的货币，而又不必费事出售服务或开采黄金。这时，政府可以暗中分配资源，又不会像课税那样引起敌意。事实上，伪造货币会在受害者身上制造充满喜悦的假象——好像一片繁荣。

而伪造货币显然是通货膨胀的另一种说法。通货膨胀是政府取得公共资源有力而且微妙的手段，也是无痛但远比课税危险的方法。[2]

通货膨胀是指因纸币发行量超过商品流通中的实际需要的货币量而引起的纸币贬值、物价上涨现象。[⊖]通货膨胀最常见的一种表现是货币的市值或购买力不断下降。一旦纸币发行量超过它所代表的财富，纸币就要贬值，物价就要上涨，从而出现通货膨胀。从金银货币体系被架空的那一天起，通货膨胀就如影随形，因为只有在纸币体系下才会出现通货膨胀，而在金银货币体系下则不会发生通货膨胀。在目前纸币一统天下的情况下，通货膨胀是无法消除的。尤其是在知识经济时代，由于政府具有货币发行的垄断权，而顾客的议价能力近乎消失，通货膨胀变得越发难以抑制。同时，由于政府权力的扩张（包括这次次贷危机后，美国等国向大政府转型导致的政府权力扩张），

⊖　此为政治经济学中的定义，通货膨胀的严格定义是一般价格水平的上涨。当然，多发纸币肯定是一个必然的环节。—笔者注

使得政府通过制造通货膨胀敛财的欲望更加强烈。

因此，最近2年，无论是处于经济周期由高及低的发达国家，还是在经济周期持续上扬的新兴市场国家；无论是美国，还是欧盟、日本、中国，通货膨胀随处可见。

亚洲国家和地区的通货膨胀都达到近年的最高水平。中亚地区2007年通胀水平已经接近9%，南亚的通胀水平达到6%，东南亚是5%左右。2007年11月美国CPI环比上升0.8%，同比上升4.3%，创下2005年9月以来的最高升幅；而2007年11月PPI更是上升3.2%，单月升幅达到1973年8月以来的最高水平，2008年1月份又上涨1%，大大超过市场预期的0.4%。欧元的升值和石油价格上涨，也使欧洲的物价水平上涨，频频突破2%的警戒线。中国的PPI涨幅也是连创新高。2008年1月至8月，PPI涨幅连续8个月加速增长，8月份更是创下1996年以来的最大涨幅10.1%。

但从历史上来看，美国的通胀水平一直较低，原因在于：一是美国增发的钞票被其他经济体尤其是包括中国在内的新兴经济体吸收；二是中国低廉的产品，客观上拉低了全球商品的价格，对物价起到了抑制作用。倘若不是因为这两点，美国滥发钞票和国债所导致的通货膨胀，不知道已经到了何等恐怖的地步！

美国举债消费

莫瑞·罗斯巴德指出：通货膨胀惩罚节俭并鼓励举债，因为无论借多少钱，还款时的货币一定比当初借来时的购买力更低，因此，诱导大家先借钱后还款，而不是省下来钱借给别人。通货膨胀在创造"繁荣"的闪亮氛围中，降低了人民的生活水平。

如果借钱对于欠债者来说是一种奖赏，没有谁不愿意举债。安迪森·维金形象地概括了这一现象："在美国，奉献和创建更美好未来的观念已不再受人欢迎，取而代之的是今朝有酒今朝醉、轻松易得的信贷和消费导向的社会。"

这正是美国人甚至不惜举债消费的根本原因（1987年，美国的个人储蓄率还有3.7%，到2000年8月就一度出现负值，而现在美国的储蓄率仍然在1%左右）。

莫瑞·罗斯巴德的论述主要还是站在一国的立场上讲的，如果从全球的视野来看，那么美元的霸权地位实际上在满足本国无限膨胀的消费欲望的同时，降低了世界其他国家人民的生活水平。

在全球化大背景下，在世界范围内广泛流通、具有霸权地位的货币，便为掌控它的主人掠夺世界人民的财富提供了便利。简言之，拥有霸权货币支配地位的国家，通过加印纸币就可以合法地换取其他国家人民辛苦创造的财富。

美国官员声称，世界上的美元泛滥已成为推动国际经济发展的"引擎"。他们问道，没有美国的进口需求，哪会有欧洲和亚洲的今天？难道美元购物没有帮助其他国家劳工就业吗？这类看似有理的质问没有点出要害：美国在进口外国货物，而并未提供任何相应补偿物，只是向世界经济注入了大量美元而已。[3]

美元只是印上了美丽图案的纸，本质上它就是纸，只是由于美国政府以信誉作为担保，赋予了它代表财富的功能。与金银不同，纸多的是，印刷术也发达得很。对于美国而言，以纸张和印刷的低廉成本，换取世界的财富，实在是太划算了，这也是美国安享贸易逆差好处的根源。

美国喜欢贸易逆差：它一方面在贸易逆差中享尽好处，一方面又对那些造成美国贸易逆差的国家（包括中国）进行施压，提出新的要求。

运用古典的经济理论来分析，当一国对另外一国出现贸易逆差的时候，也就是进口多于出口，一国就产生了经常项目赤字，通常在这样的情况下，一个国家要么减少进口，要么改善生产条件，提高生产力，或是考虑到出口终端市场的消费需求，力求逐步改变收支情况，实现贸易均衡，进而可能实现贸易顺差。但是美国却改变了人类有史以来的普遍思维和常规，由于美元得到美国超级大国地位的支撑，因此美元成为国际商务结算的主要货币。不仅仅是国际贸易中，而且在国际期货市场、能源市场和原材料市场也普遍使用美元结算，因此美国可以采取单方面增量印刷美元的方式，改变自己的国际收支状况。这样，美元特殊的地位不仅体现了美国独一无二的霸权，而且美元本身也是美国霸权的重要支撑。当然，印刷美元会引起通货膨胀，但是考虑到我们生活在一个全球市场的环境之中，考虑到一个全球经济系统的存在，美元的通货膨胀和贬值问题就可能外溢到世界各个国家和地区，从而使得美国行动单边化，但是行动成本却日益国际化和多边化。

为了平衡美国经常项目的逆差，美国利用了美元的世界货币地位和美国的世界信用，通过发行国债和国库券的形式，鼓励外国资本来购买美国的国家资产，并提高回报利率，力求吸引其他国家贸易中盈余的美元再次投入到美国的国家债券中，以此利用外国美元资本回流到美国资本市场来平衡美国的贸易逆差和国际收支不平衡。为了达到这样的目的，美联储就必须调高利率并保持强势美元，这样才可能让外国投资者看到投资于美国的资本市场有利可图。事实上美国正是这样做的，曾经掌管美联储的大老板格林斯潘的一个重要政策就是不断提高基础利率，并保持强势美元的政策，这样欧洲的美元储备和东亚的净储蓄源源不断地流进了美国的资本市场。资本市场的兴旺掩盖了美国对外贸易节节升高的逆差，资本项目的盈余正好平衡了经常项目的赤字，不断流入美国的外国美元资本又转化为美国经济增长的重要动力，于是美国人放开胆量进行消费，因为银行可以源源不断地提供借贷。事实上，这样的模式从一开始就蕴藏着巨大的"解组"风险，因为从本质上来说，无论是通过资本项目流入的外国资本平衡经常项目赤字还是通过借债来还债，其实都等于美国政府向世界各重要经济体打了白条，欠下了新的巨额债务。[4]

美国利用阶段性强势美元政策吸引资金，而利用弱势美元鼓励民众消费。从2001年到2004年5月，美国联邦基金利率从5.50%逐渐下降至1.00%。

连续降息刺激了消费，但由于实际利率过低，导致美国国内信贷尤其是房地产贷款急剧膨胀，进一步增加了美元的供给，加速了美元的贬值步伐，并且低利率导致的美元贬值为全球流动性泛滥埋下隐患。

正是在此期间，美国消费需求快速膨胀，以房价为代表的资产价格持续上涨。为了应对美元低利率的压力，欧元区利率也从2001年的4.75%降至2005年11月的2%，日本也维持低利率状态，一直延续到2006年6月。

主要经济体的低利率政策加大了通货膨胀压力，而我国经济对欧盟、美国和日本的依存度最高，因此，我国成为上述三个经济体低利率政策的主要受害者。

尤其值得一提的是，美国为了应对次贷危机，继续实行宽松的货币政策，从2007年9月起下调利率，从5.25%大幅下调至2008年10月份的1.5%，并有可能继续下调，甚至可能突破2004年时1%的低点。同时，美国还联合各国央行为市场注入流动性，美元急剧贬值，货币数量的快速增长为未来发生更严重的通货膨胀埋下了伏笔。

低利率有利于刺激美国消费，促使实体经济的发展。事实上，美国在次贷危机爆发后，一直在做的一件事情就是竭力避免实体经济遭受损伤，最大限度地使实体经济在次贷危机中超然于外。

美国向世界输出通货膨胀

我们知道，通货膨胀有多种类型，其中有一种类型叫输入型通货膨胀，而美国是全球通货膨胀的主要输出国。

所谓输入型通货膨胀是指，在开放的经济社会中，由于本国与国际市场关系紧密，当国外商品或生产要素价格上涨时，就会通过本国与国际市场的传导途径传播到国内，从而引起国内物价普遍、持续上涨的现象。我国经济对外尤其对美欧国家的依存度非常高，因而，国外市场价格能够比较快地传导到国内，引起国内价格的变动。

当国际市场出现通货膨胀或价格上涨时，各个国家输入商品、劳务和资本时，都将被迫接受通货膨胀的输入，没有谁能够逃脱输入型通货膨胀之苦。

　　在全球大宗商品价格飙升的过程中，美元持续、快速地贬值。美国施行的弱势美元政策，在客观上造成了向世界各国输送流动性的后果，从而，在大范围内造成了输入型通货膨胀的泛滥，导致一些国家所采取的应对通胀的措施无法产生预期效果。

　　美国通过不断发行货币换取其他国家辛辛苦苦生产出来的劳动成果——这也是美国敢于成为世界上最大债务国的原因，它通过发行美元就可以"稀释"自己的债务。美元作为全球金融体系和贸易体系的计价单位、支付和储备手段，使得美国具有了天然的向世界输出通货膨胀的便利。

　　美元持续大幅贬值是引发全球通货膨胀的根源。 在这一过程中，大宗商品价格飙升，生产成本大幅上升，而美国早已经把污染严重的制造业转移到发展中国家，它既摆脱了环境污染之苦，又避免了原材料成本上升带来的利润损耗。在货币霸权之下，美国左右逢源，如鱼得水。

　　在2008年3月召开的中国发展高层论坛2008年会上，诺贝尔奖得主斯蒂格利茨演讲时称："中国目前的通胀属于输入型通胀，主要是由能源和食品价格的上涨推动的。"

　　这一说法得到了数据的证实。从2007年初到2008年初，我国食品和资源类价格与美国同期的食品和能源价格的走势极为接近，我国的通货膨胀呈现出鲜明的输入型特征。

　　输入型通货膨胀有一个极为明显的特点，即越是那些经济对外依存度高、粗放型生产模式明显的国家，受到国际通货膨胀的影响就越大，国际通货膨胀向国内输入的速度也越快。现在，我国经济的对外依存度已经高达60%，高度的经济外向性使得我国经济越来越受到国际市场的影响。

　　发展中国家受输入型通货膨胀的影响是双重性的。通货膨胀更高的国家，其货币会贬值，这有利于其出口，减少进口。

　　在全球通货膨胀严重时，一方面，会加大对发展中国家相关产品的需求，使出口扩大；另一方面，进口商品价格上涨，国内的消费者会减少对进口商品的消费转而变为对国内商品的消费，从而推动国内商品价格的上涨。

对美国而言，这种通货膨胀对它带来的好处则是多重的。

美国经济学家迈克尔·赫德森在《美元霸权与美国对外战争融资》一文中指出："美国财政部债券的国际金融标准使美国能够获得历史上前所未有的免费午餐。美国已颠覆了整个国际金融体系。从前他国中央银行的储备以黄金为支撑，而现是以发行数量不受限的美国政府借条的形式持有。实际上，美国已用纸币信用即美国财政部借条收购欧洲、亚洲和其他地区，并告知世界它根本就没想过要清偿这些借条。"

通货膨胀中有一个新钱效应。当新的美元开始发行时，其他国家的人并不知道。这有一个过程，而在这个过程中，按照莫瑞·罗斯巴德的说法，"最先获得新钱的将获得最大利益，被牺牲的则是那些最后才获得新钱的人。"因此，通货膨胀以"对先来者有利"的方式对财富重新分配，而牺牲了这场赛跑中的落后者。事实上，通货膨胀好比赛跑，看谁最先获得新钱。惨遭损失的后知后觉者通常比其他人晚获得新钱。[5]

结果就变得一目了然：哪个国家能够比美国——美元的印制者更能最早获得新钱？！没有。显然，在获得新钱的赛跑中，美国永远是冠军，相应的，其他国家永远是受害者，而美国则能独善其身。事实上，在美国把高耗能、高污染的制造业转移到中国等发展中国家以后，它就已经可以堂而皇之地在其他国家饱受输入型通货膨胀之苦时坦然地作壁上观。

政府喜欢通货膨胀，因为它们把钱从你的口袋里拿走了，而你却丝毫没有察觉。为什么政府会把你的钱秘密充公？当美联储扩大货币供给，并制造通货膨胀以削弱美元购买力时，你的钱就被它们私下里偷走了。你知道笔者为什么选择"秘密"和"充公"这两个词吗？因为这正是前美联储主席格林斯潘在1966年撰写的《黄金与经济自由》一文中所用的两个词。文中，他就把通货膨胀描述为一个"将财富秘密充公的计划"。[6]

以后的事实证明，格林斯潘在任内将其这种敛财手段发挥到了极致。

在无声中掠夺财富

输入型通货膨胀对于发展中国家的影响并不仅限于以上几点。美国等发达国家，在人为地加大货币供应量的同时，还扩大对发展中国家资源的进口，导致发展中国家宝贵资源的丧失。

在加印的美元被换成我们宝贵的资源后，美元可以继续印刷，而宝贵资源的丧失又能够从哪里得到补偿呢？觉醒吧，中国，在美元持续贬值并且从长远来看还将继续贬值的大背景下，应该视我们有限的资源为生命，给予最大限度的保护。

以煤炭为例。2008年6月，中国煤炭出口较2007年同期飙升83.5%，至699万吨，达到2005年3月份以来的最高水平。在国内煤炭供应整体趋紧，并且全球煤炭资源日益减少的情况下，这种宝贵的资源被供应量急剧上升的美元换取，是一件令人担忧的事情。

在美元贬值过程中，西方发达国家到发展中国家抢占资源，以印上图案的纸张换取实实在在的财富。一旦次贷危机结束，资产价格上涨，美国又获得了一大笔财富。

因此，中国等发展中国家应时时警惕宝贵资源尤其是矿产资源的快速流失。

2008年5月9日，中央电视台《经济半小时》节目，播出了一个令人震惊的深度报道：《云南贵州上百吨世界级金矿流失 外资廉价圈占》。

报道指出：位于贵州省，被称为亚洲最大的烂泥沟金矿，目前已经探明的金矿储量为130吨，远景储量在150吨以上，是一个世界级的特大型金矿，却被澳大利亚澳华黄金有限公司"几乎没花什么钱就拿到了"。国家极其宝贵的黄金资源，竟然是按照矿权跟前期的勘探投入的费用来分配股份，中方仅占15%，澳华公司占85%，而这一过程竟然是通过"行政划拨"完成的。当地由于"急于引进资金和技术，所以矿权几乎是拱手相送给了澳华公司"。

$$150 \times 10^6 \times 200 = 30 \times 10^9 = 300 \text{亿!} \ RMB$$

这样的怪事不仅发生在贵州，云南的另一个特大型金矿也是以很低的价钱落到了境外资本手中，它们的办法都是一个：先搞风险勘探，然后逐步掌握金矿资源的控制权。再来看看云南播卡金矿的命运。在云南省昆明市东川区，也有一个世界级的大型金矿，这个金矿现在位于金沙江边的拖布卡小镇，但是在乡镇撤并之前，这个金矿所在的矿区大部分位于原来的播卡乡境内，因此这个金矿又被称为"播卡金矿"。

但是，这座金矿的探矿权却被转让给了来自加拿大的西南资源公司，西南公司投入310万美元，占有60%的股份，后来由于勘探需要不断增加投资，加拿大西南公司的股份也从60%增加到90%。一座金矿的价值，动辄以百亿元计算，外方却以区区几百万美元就据为己有。

加拿大金山公司在2005年6月对外发布评估报告称，播卡金矿的探明储量为150吨，品位达到2～5克/吨，可年产黄金7～12吨，能够持续开采10～15年，这是外资控股的又一个超大型金矿。

贵州、云南两个世界级大型金矿，都被境外资本轻易拿走了控制权，无独有偶，辽宁营口市远景储量达300吨的猫岭金矿，目前也同样被加拿大的曼德罗矿业公司控股，控股比例为79%。

令人痛心的是，根据贵州省的"免三减二"政策（比如贵州省人民政府2003年发布的《关于西部大开发若干政策措施的实施意见》）的规定，外资企业在西部地区可以享受前三年免交企业所得税，第四、第五年减半征收企业所得税的优惠政策。这就意味着外资企业开矿唯一交纳的所得税在前5年也被减免。

按照贵州省的这份文件，外商从事非油气矿产资源勘探开发，还享受探矿权和采矿权使用费的减免政策，而且如果外商从事《外商投资产业指导目录》中鼓励类非油气矿产资源开采的，5年内免缴矿产资源补偿费。

外资在开采金矿的过程中，给当地环境造成了严重的破坏，使当地的生活环境急剧恶化。黄金开采是一个重污染的产业，在开采过程中，不仅要占用当地村民的土地，对当地的植被造成破坏，而且最重要的是，冶炼黄金之后剩下的尾矿会对当地的地下水和土壤造成污染。黄金尾矿中的砷是一种剧毒物质，很难被清除，尽管黄金生产企业采用围坝深埋的办法处理，但是并不能彻底消除环境污染隐患，一旦遇到山洪、地震、滑坡等自然灾害，就有可能造成灾难性的环保事故。

矿产资源是不可再生资源。纸币可以无休止地发行、无限扩张，而矿产资源则是越来越稀缺的。倘若不保护好有限的资源，将来发展中国家将付出惨痛的代价。

通胀之害谁也逃不了

海明威有句名言："管理不善的国家的第一剂万能良药就是通货膨胀，第二个就是战争。二者都会带来短暂的繁荣，都会造成永久的伤害，但是二者都是政治和经济机会主义者的避难所。"

海明威说对了一半，**善于管理的国家（比如美国）比管理不善的国家更善于使用通货膨胀和战争的武器。**

美元供给增加所形成的通货膨胀，在全球化的今天，在美元霸权地位依旧的今天，是任何国家都难以逃避的。

从1945年到20世纪60年代早期，基于布雷顿森林协议，相对稳定的货币体系的确给自由资本主义世界带来了很多好处，而美国则经历了战后经济的快速增长与繁荣。这一期间，大量美元流散世界各地。[7]

正由于美元的无处不在，因美国滥发钞票所导致的通货膨胀令人无所遁形。

当美元贬值时，国际市场通货膨胀变得严重起来，包括中国在内的发展中国家对美欧等发达国家的贸易顺差就会增大，同时，国际收支的资本项目也失衡，表现为资本顺差过大。这样，进出口出现的贸易顺差与资本项目出现的资本顺差就构成了国际收支的双顺差。

双顺差在我国尤其典型。双顺差必然迫使央行基础货币用于收购流入中国的外汇，使得基础货币多发，从而导致整个社会货币供应量的增加，造成流动性过剩，冲击经济，造成经济过热和资产泡沫，引发通货膨胀。

我国外汇储备全球第一。中国人民银行最新公布的数据显示，截至2008年9月末，国家外汇储备余额为19 056亿美元，同比增长接近33%。

近几年来，我国外汇储备一直保持较快增长速度。2000年末，我国外汇储备余额仅为1656亿美元，但之后几年外汇储备增长迅速。2006年2月底，我国国家外汇储备超过日本，跃居世界第一。到2006年底，我国外汇储备首次突破1万亿美元，达到10 663亿美元，并于2008年上半年突破1.8万亿美元。

也就是说，与2000年相比，我国外汇储备增加了17 400亿美元，如果以期间的平均汇率折算成人民币，并按照货币乘数为5来估算，经济中增加的货币量高达60多万亿元人民币，而根据人民银行2008年10月14日公布的数据，截至2008年9月底，广义货币供应量（M2）余额为45.29万亿元。流动性明显过剩。

中国所面临的这一困境，也是其他许多国家尤其发展中国家共同面临的困境。

彼得 D. 希夫与约翰·唐斯合著的《美元大崩溃》一书提到："……大量美元流散世界各地。如果这些美元都在国内流通，那么必将导致严重的通货膨胀。"

世界上许多国家的困境正在于，本国货币大都在国内流通，而非像美元那样可以把通货膨胀压力向世界输送，因此，在美元霸权之下世界上大多数国家往往遭受着比美国更严重的通货膨胀压力。

外汇储备过大引发了我国财产缩水，例如美元储备在美元贬值的条件下会缩水，即使买了美国的债券，也会使我们受损失，尤其是有些债券风险甚大，例如我们到2007年已持有美国房利美和房地美这两家房地产公司的债券达3760亿美元，尽管这两家公司的债券有美国政府的担保，但这两家公司的巨大危机仍然会使我国资产深陷缩水的困境。我国持有美国政府国债的数额已经很大，以政府信用为基础的美国政府国债，同样也会在美元贬值条件下蚕食我国的资产。外汇储备难以用于我们需要的购买，例如我们需要购买新技术和资源，但这些都恰恰是国际卖家不想给中国的，实际上我国对外购买力难以实现。我们可以通过设立国有公司进行海外投资，但谁能保证投资不会出现巨亏？历史经验和实践证明，巨亏的风险是很大的。总之，国际收支失衡所引发的人民币外汇占款太大和外汇储备太大，都不是好事。[8]

除了货币供给因素，由于美元贬值导致的国际市场上石油、铁矿石等大宗商品价格的上涨，抬高了我国进口这些基础产品的价格，从而引起国内市场价格上涨，并最终引发成本推动型通货膨胀。[9]

输入型通货膨胀压力主要集中在原材料和上游产品领域。由于我国产品大都属于低附加值产品，在国际分工中处于较低位置，不得不承担更多的全球性的通货膨胀成本。并且，在我国由于上游产业大都由垄断企业经营，进一步扭曲了分配关系，使得企业利润过于向上游集中。这种状况同样给中国企业的竞争环境带来了不利因素。

美元贬值下的全球性通货膨胀，美国（确切地说，应为美国的强势既得利益集团）几乎是唯一的受益者，而相关国家则苦不堪言。欧元国家由于欧元地位的上升，可以通过拥有的铸币税权力，化解部分国际通货膨胀压力，而更多的国家则只能无奈地承受。

注　释

1. 美元贬值 中国受累 专家建议谨慎平衡人民币汇率. 经济参考报，2008年4月28日。
2. 莫瑞·罗斯巴德. 为什么我们的钱变薄了？陈正芬，何正云，译. 中信出版社，2008。
3. 迈克尔·赫德森. 美元霸权与美国对外战争融资. 国外理论动态，2005（8）。
4. 刘涛. 债务帝国，虚拟经济和美国霸权软着陆。
5. 同第2条。

6. 彼得 D. 希夫，约翰·唐斯. 美元大崩溃. 陈召强，译. 中信出版社，2008。

7. 同第6条。

8. 魏杰. 此次通货膨胀主要是由什么原因形成的. 中国经济时报，2008年9月10日。

9. 成本推进型通货膨胀，就是在总需求不变的情况下，由于工资和原材料的产品的价格上涨而引起的生产成本提高，从而推动物价上涨，物价上涨之后，又要求增加工资，再使成本提高，这又要提高价格，从而引起通货膨胀。

次贷危机下的经济暗杀战

■过度发展金融业尤其是过度发展金融衍生品，犹如玩火，这只有两个结局：一是玩火自焚，二是玩火烧别人。冰岛属于前者，美国属于后者。

■伊拉克战争，让美国获取了石油资源，但是也让美国付出了巨大代价。战争必然伤亡，必然付出惨痛代价。但是，有一种战争却可以让一些国家走向资不抵债、经济近乎破产的境地，而又不必付出巨大的牺牲和财政成本，那就是经济战争⋯⋯

■随着经济濒临破产状态的国家增多，国际经济格局将发生微妙变化，一些失去经济自主权的国家可能沦为经济上的附庸。

■回顾俄罗斯的历史我们就会发现，俄罗斯的趁火打劫水平是超一流的。问题是，在冰岛债务12倍于其GDP的情况下，俄罗斯要想在经济上得到好处并不容易，那么俄罗斯还怎么会有动力去救助冰岛呢？

■冰岛经济濒临破产边缘给我们的教训是，即使在知识经济和金融衍生品日益发达的今天，传统的实体经济依然应该作为国家的经济支柱，否则，这个国家的经济的稳定性和可持续性就容易受到威胁。

冰岛撞上冰山

冰岛与美国一样也存在着过度信贷的问题，所不同的是，美国把精心包装的衍生品出售给了全世界，而冰岛不具有美国那样的强势地位，只能把所有问题都独自扛。

过度发展金融业尤其是过度发展金融衍生品，犹如玩火，这只有两个结局：一是玩火自焚，二是玩火烧别人。冰岛属于前者，美国属于后者。

冰岛是一个人口仅有30万的北欧岛国，但富裕程度和文明程度位居世界前列。冰岛贸易委员会、投资署和外交部联合出版的《2007年冰岛成就与形象》中的数据显示：2006年冰岛国内生产总值（GDP）为11 417亿克朗（181亿美元），GDP年增长2.6%，人均GDP突破6万美元，达到60 370美元。

根据宪法，冰岛不设立军队。1949年冰岛加入北大西洋公约组织，1951年同美国签订防务协定，由美国负责其防务。

冰岛长期跻身"世界最幸福国家"之列，多次被联合国评为"最宜居国家"。联合国发布的2007/2008人类发展指数显示，以人均水平为标准，冰岛是全球第五大富国。这个国家在世人看来，简直如天堂一般：免费医疗、免费教育、高额失业救济等高福利政策……都散发着诱人的魅力。

冰岛的经济结构包括两个方面：

（1）渔业。渔业是冰岛国民经济的支柱产业，主要鱼种有毛鳞鱼、鳕鱼和青鱼，绝大部分渔产品出口，渔产品出口占商品出口总额的近70%。冰岛的渔船队装备精良，鱼类加工技术在世界上占领先地位。

（2）旅游业。主要旅游点有大冰川、火山地貌、地热喷泉和瀑布等，空气与水源的清新纯净在世界上堪称第一。冰岛三个国家公园：议会旧址国家公园、瓦特纳冰川国家公园、冰川峡谷河国家公园都远近闻名，这使得冰岛对旅游者具有得天独厚的吸引力。

从扬长避短的角度来看，冰岛应该大力发展渔业和旅游业，将其发展为实体经济的两大支柱产业。但是，这个30万人的小国，却大玩金融，使得金融服务业的产值占国内生产总值的比例逐渐提高，并最终成为冰岛的支柱产业。

然而，虚拟经济很难承担得了支柱之重。

从20世纪90年代初期开始，冰岛效仿英美等国的金融体系，制定了高利率与低管制的开放金融政策，大量吸引海外资金，从国际资金市场借入大量低利息短期债，转而投资高利润高风险资产，从而获得巨额的利差，使得冰岛迅速积累起财富。

截至2008年6月30日，冰岛三大银行Kaupthing、Landsbanki和Glitnir的资产规模总计达到14.4万亿克朗（约合1280亿美元）。与之相比，2007年冰岛的国内生产总值仅为1.3万亿克朗（约合193.7亿美元）。

有数据显示，冰岛的银行业占据了该国股票交易市场的主要部分，而且其中80%的股份由外国所持有。2008年9月，冰岛银行业的资产总值高达该国GDP总值的8倍。换句话说，冰岛的发展已经不再主要依靠本国实体经济，反而更为依赖其他国家的经济发展。这种做法一度让冰岛尝到甜头，它2005年收获7%的经济增长率。这一发展策略也使冰岛成为全球人均国民收入最高的国家之一。

但是，当虚拟经济完全脱离实体经济极度膨胀时，就会形成经济泡沫，最终引发金融危机。如果把实体经济比作岩石，覆盖于其上的雪层就是虚拟经济，积雪过厚导致雪崩——如果虚拟经济与实体经济的比例超过一定的度，必然导致危机产生。

冰岛就面临着这样的问题，该国银行业发展与实体经济发展不协调，投资也过多集中于高风险领域。自2004年以来，冰岛最大的3家银行资产扩大4倍，但多数增长由借贷融资推动。有资料显示，冰岛家庭平均承担的债务达到可支配收入的213%，比美国140%的比例高得多。因此，冰岛金融市场极容易受到国际金融市场动荡的波及。

随着次贷危机爆发，全球银行业借贷利率上升、资本流动性骤减，冰岛首当其冲，银行业顿时陷入困境。银行破产，冰岛政府便面临着一个两难选择：如果任凭破产的银行自生自灭，则国民财产将全部化为乌有；可是，如果收归国有，债务又如何偿还？

美国彭博新闻社提供的数据显示，截至2008年10月9日，冰岛三大银行所欠债务共计610亿美元，是冰岛经济总量的12倍。以冰岛大约32万人口计算，这大致相当于包括儿童在内的每名冰岛公民身负20万美元债务。

在冰岛政府接管三大银行后，2008年10月9日，冰岛金融危机升级，政府宣布该国股市交易全部暂停，并放弃支撑冰岛克朗汇率。这导致冰岛克朗兑欧元汇率一周内下跌了80%。10月14日，该国股市恢复交易之后，当天狂跌76.2%。

冰岛已无法自救。

于是，处于风雨飘摇之中的冰岛弥漫着悲观的气息。

有冰岛政府官员对媒体表示，国家可能要重新回到"渔业时代"，"不排除过段时间脱下西服，穿上捕鱼装的可能"，冰岛首相在向国民发表讲话时说，冰岛银行业神话已经破灭，必须回头向土地和大海要资源。

冰岛大学经济研究协会负责人居纳尔·哈拉尔德松也说，冰岛捕鱼90%面向出口，且完全不依靠政府补贴。因此，冰岛想要重振经济，最好把赌注压在渔业和旅游业上。

倘若真的能够这样，或许并非一个坏的结局。但是，既然西装已经穿上，哪有那么容易就脱掉啊！虚拟经济的杠杆效应所留下的缺口哪里是那么容易就弥补得了的？冰岛现在的渔民数量仅占冰岛人口的3%，渔业资源也在缩减，真是"屋漏偏逢连夜雨"。

庞大的债务，已经很难让冰岛人回到打渔时代。

冰岛经济濒临破产边缘给我们的教训是，**即使在知识经济和金融衍生品日益发达的今天，传统的实体经济依然应该作为国家的经济支柱，否则，这个国家的经济的稳定性和可持续性就容易受到威胁。**

冰岛破产真相

冰岛破产成为全球许多媒体热炒的焦点，但是，须要指出的是，媒体热炒的所谓国家破产与我们通常所说的破产并非一个概念，如果不了解其中的区别，就会造成误解。

破产是指债务人不能清偿到期债务时，为了维护所有债权人的利益，将债务人的全部财产按一定顺序和比例公平地偿还给债权人。

这里的破产概念并不涵盖国家，也就是说，国家破产的概念与企业或个人破产的概念是完全不一样的。国家破产是一个比喻，是对于一个国家经济状况的一种描述，而企业和个人破产才是实实在在的、真正意义上的破产。

人们所称的国家破产是一个新的概念，当一个国家出现大量的双赤字（对外贸易赤字和财政赤字），拖欠大量外债且没有偿还能力，也不能通过治理改善这种状况给债权人一个预期，那么这个国家就可能处于破产状态。

其实，从技术上来看，美国比冰岛还更接近破产的状态。两者的区别在于美国凭借强大的军事实力和庞大的金融体系，可以给债权人制造一个相对稳定的预期，它不是让国家破产而是绑架更多的债权人！

值得强调的是，国家主权是神圣不可侵犯的，即便是处于破产边缘的国家或者已经可以宣告经济上破产的国家，其主权也不能被债权人（包括债权国）收回，否则，通过制造债务陷阱，一些国家就可以合法地侵吞另外一些国家了。如此以来，世界上那些非常贫穷的国家，岂不是都失去主权了吗？

国家主权是不可以作为抵押物的。根据国际法的定义，国家主权是国家的重要属性，是国家独立自主地处理自己的内外事务、管理国家的权力。国家主权是神圣不可侵犯的，是不可分割、不可让与的。主权是国家最重要的属性，它随国家的产生而产生，随国家消亡而消亡，没有主权，就不成其为国家，也就没有国际法的基本主体。

因此，国家破产说，只是一个形象的比喻，而非国家真的破产、沦为殖民地了。

1997年亚洲金融危机表明，随着经济全球化的加快，一国金融体制的崩溃导致一个地区或全球金融危机的可能性大大增加。20世纪80年代末以来，墨西哥、泰国、印度尼西亚、韩国、俄罗斯、巴西、土耳其、阿根廷等国都出现了不同程度的金融危机，与濒临破产的企业一样，这些国家亟须帮助，尤其需要一种机制来保护它们，使其在一定期限内避开与债权国的法律纠纷，而通过谈判实现债务重组。

于是，国家破产机制应运而生。

2001年12月初，国际货币基金组织第一副执行总裁安妮·库鲁依格在华盛顿发表演讲，详细阐述了所谓的国家破产方案：建立一种"破产保护"的国际金融机制，让那些负债累累的国家得以申请"破产保护"，并使债务国能够尽快走出危机。

国家破产的构想基于许多美好的设想，比如防止金融危机蔓延。1997年，泰国的金融体制出现问题，许多投资者和债权人开始大批撤出外汇，并很快波及东南亚其他国家，最终导致了整个地区的金融危机。按照"破产保护机制"方案，债务国一旦申请了"破产保护"，就必须迅速实施严格的外汇管理，防止"热钱"流出，并通过几个月时间的谈判来重组债务，这样就可以隔断金融危机的传染。

同时，按照构想，国家破产机制可以防止债务国为了照顾某些债权国的利益，而牺牲其他债权国的利益。它也可以避免债权国不惜一切代价追索债务，并通过法律手段来占取债务国的资产，引起国家之间的冲突，最终使负债国无力进行债务重组。多年前，秘鲁就曾遇到过这样的麻烦。秘鲁的主要贷款来自一些国际债券投资机构。当秘鲁因债务负担过重、宣布减少偿还利息和贷款时，这些机构便把秘鲁告到了美国法院。法院最后要求秘鲁按契约偿还贷款和利息，否则将扣押秘鲁在美国的财产。债务纠纷演化成国与国之间的争端。

而国家破产机制为债务缠身的国家提供了一个可以宣布破产的机制。按照安妮·库鲁依格的说法，国家破产计划将根据以下四个原则实施：第一，债权人不能向本国法院起诉，要求债务国偿还债务，以此来搅乱双方正在进行中的谈判；第二，债务国与债权人之间的谈判必须坚持公平的原则，不能偏袒任何一方，而要做到这一点事实上需要那些国家拥有健全的经济政策；第三，鼓励债务国继续向原来的债权国借贷；第四，解决债务的协议只需要由绝大多数债权国一致通过而不是全体通过。

IMF推出这一国家破产计划的意图在于，使国家破产机制能够鼓励那些贫穷落后的债务国和债权国自己协商解决问题。

但是，国家破产机制也强化了IMF的权力。根据规定，申请破产的国家要走下列程序：1.濒临破产的国家寻求保护，让债权人同意给它们时间解决财政问题；2.保护期仅为几个月，要延期须得到IMF的同意；3.IMF、各大债权国与债务国进行多边谈判，进行主权国家债务重组；4.决定豁免哪一部分以及延期哪一部分，直到外债全部还清。

IMF不仅在决定一个国家在什么时候可以宣布破产这一问题上拥有至高无上的权力，在进行主权国家财务重组方面也占据主导地位。在这种情况下，债务国既是一只被保护的羔羊，同时也是一只被宰割的羔羊。

从这个意义上来说，在发生金融危机时求助于IMF与宣布国家破产几乎是一个含义。

冰岛的遭遇充分说明了这一点。冰岛要接受IMF的金融援助，就必须接受这一组织就恢复财政货币稳定而提出的严格措施，冰岛施行的相关政策也将受到干预。因此，一旦迈出求援这一步，冰岛就已经破产。

事实上，在冰岛向IMF发出援助请求时，冰岛大学教授阿尔萨埃尔·瓦尔费尔斯就说："冰岛已经破产，冰岛克朗已经成为历史，唯一可行方案就是让IMF来救我们。"

IMF还能救谁？

当身陷金融危机之中时，许多国家会主要向IMF寻求援助。但是，IMF还有能力像东南亚危机时那样叱咤风云吗？（IMF的影响力在始于1997年的金融危机中达到顶峰，当时泰国、印度尼西亚、韩国、俄罗斯和巴西都在美国财政部的强烈支持下转向IMF，寻求规模达数百亿美元的救助）。

在东南亚危机最惨烈的时候，IMF展开了救市大行动，也正是在这一过程中的表现让IMF自废武功。

IMF不是一个成功的救世主。

在1997年亚洲金融危机爆发后，IMF犯下了几个致命的错误：

一是错误地判断形势。1997年5月，IMF在其出版的《世界经济评论》中，没有对即将爆发的金融危机做出任何预警，到1997年9月，IMF错误地认为东亚金融危机已接近尾声，忽略了对新一轮危机的预防，导致更大的被动。

二是拯救方案错误。在东南亚危机发生后，IMF不仅没有建议这些国家扩大内需，缓解危机，反而要求实行紧缩政策，增税、货币贬值，导致危机进一步扩大，甚至把那些原本没有大危机的国家拉入了严重危机之中。

三是条件过于苛刻。为解救全球金融危机，IMF和其他国际组织动用大量的"干预"手段，有的甚至达到了向成员国发号施令的程度。IMF以极为苛刻的条件，迫使受援国委曲求全地让出一块块的自主权。

谈判的所有筹码都在IMF一方，并且它往往不给对方足够的时间去达成一致的意见或向本国有关专家咨询。IMF对各国经济状况缺乏客观、广泛的了解，而派出的工作小组往往要在几天至几周内拿出一个完整的改革方案，这种方案往往不符合各国实际情况。[1]

韩国是一个明显的例子。

2008年10月28日，《韩国先驱经济报》的一则报道称，"接受IMF的援助就等同于国家危机"，亚洲金融危机中韩国接受IMF 570亿美元救助[2]，被迫答应了出让韩国国家银行控股权、取消外国产品进口禁令等条款，结果导致市场崩溃。韩国人甚至将达成协议的12月13日称为"国耻日"。[3]

这是韩国人普遍的感受。

那场波及几乎整个亚洲特别是东南亚国家的金融危机，其策源地并不是韩国。从某种分析上来看，韩国本来顶多算是危机波及到的一个国家，而且是较为远端的一个国家，整个经济、金融货币制度和社会日常生活体系，应当不至于受到毁灭性的冲击。危机开始后，就在先行进入危机的国家和地区的金融机构将外汇投资或贷款从韩国转移出去以保证它们自身的支付需要时，韩国人对外汇短缺形势做出了过于严峻的判断，迅速转向IMF求助应急外汇贷款。应当说，如此决策并无多大过错。

然而，IMF依据一份由美国经济学家提供的分析报告，认定韩国经济、财政和金融货币体系的脆弱性，强求IMF的短期贷款与韩国经济体系的重组变革挂钩，在提供短期贷款的同时，韩国必须接受IMF的财政货币政策安排，及经济和金融体制的重组改造设计。结果，没有对于韩国经济和财政金融体系的深刻了解，盲目地使用紧缩的财政政策和货币政策，在危机的初期，让韩国国内的外汇流出更为迅速，韩国的银行被迫进一步收缩贷款，导致韩国企业破产倒闭数量惊人，最终让韩国由危机波及的远端国家变成了危机的中心国家。

此后，韩国的市场化程度越来越高，与国际"接轨"的范围越来越大，但真正属于韩国自己能够控制的东西越来越少，大企业集团和几乎所有重要行业的重要机构，均由外国资本控制，国际经济社会中任何细小的波动，都会对韩国经济产生重大的影响，韩国无可奈何地承受着经济控制权巨大丧失带来的无可度量的经济成本。[4]

几乎所有接受过IMF援助的国家，都经历了一番彻骨的疼痛。1998年，时任印度尼西亚总统苏哈托在IMF的500亿美元救助方案上签名时，时任IMF总裁康德苏站在他后面，双手交叉俯视的情景，至今让印度尼西亚人感到屈辱。当年，印度尼西亚按照IMF的要求，削减公共开支、增税及撤销对生活必需品的财政补贴，致使低收入阶层的生活更加困难；勒令经营不善的国有企业私有化，关闭资金周转不灵的银行，导致失业率骤升，并造成社会动荡；允许包括水利、电信及电力等行业实现私有化，让金融市场大门洞开，使印度尼西亚政府失去了对国家经济命脉的控制。

具讽刺意味的是，东亚金融危机五大受灾国中唯一没有接受IMF援助的马来西亚，2000年经济增长率居然达到了8.5%的骄人比率。2001年，尽管由于上一年欧美经济低迷而导致对马来西亚出口产品的打击，马来西亚的经济增长率仍高达7.1%，超过东南亚其他IMF受援国。

马来西亚成为身体力行拒绝华盛顿共识[5]的第一个国家，当马哈蒂尔公然嘲笑IMF的拯救计划并宣布在马来西亚实行外汇管制时，来自"华盛顿共识区"的最权威的声音都在预测马来西亚经济将在3个月内崩溃，然而，事实是，马来西亚已经成为经济复苏进程中唯一堪与韩国媲美的国家。[6]

马来西亚以自己的实践证明了IMF的无能。

在拯救东南亚金融危机的行动中，IMF犯下了一系列错误，这些措施使得它信誉扫地。

数据显示，IMF的贷款总额一度跌到了20世纪80年代以来的最低点。2007年，IMF的贷款规模从1998年的大约320亿美元（以当前汇率计）下降至20亿美元左右（截至2008年10月，IMF的贷款规模反弹至50亿美元）。

在2002年以后的全球经济繁荣时期，巴西、阿根廷、印度尼西亚和俄罗斯等国政府在偿还IMF债务方面做得相当不错，有时还提前还清了贷款，并发誓以后不再寻求该组织贷款。许多国家都充实了自身的资本储备，令自己不会受到全球资本流动的太大影响，同时也确保自己不必在危机之时再次求助于IMF。[7]

IMF更像是一个富国的机构。2002年，索罗斯在其著作《关于全球化》一书中称："它们（IMF）的运作服务于控制它们的富国利益，而常常不利于穷国……自从亚洲金融危机以来，皇帝无衣可穿：IMF的方案未能给市场留下印象。"在索罗斯看来，IMF拯救计划是自由市场原教旨主义者的道德冒险。

这样看来，IMF更像是一个亟待被救赎的机构，而非拯救者。

冰岛被抛弃内幕

在冰岛危机发生后，许多人惊讶地发现冰岛几乎成为了一个被抛弃的国家。

"没有人来帮我们。"

冰岛人的痛苦，也许只有他们自己感受得最真切。

自1944年独立以来，冰岛一直把自己定位于西方集团的成员。从1949年成为北约创始国之一，到1994年加入欧洲经济区之后成为欧盟内部市场的积极参与者，再到参与欧盟边境管理方案，成为申根协定的正式成员国，它牢固的盟友始终是北欧国家、英国以及其他西欧国家，甚至还有美国。直到两年之前，美国在冰岛还设有一处军事基地。

然而，冰岛却几乎被西方国家孤立。

这首先与冰岛跟西方相关国家的沟通不足有关，沟通不充分引发的误会抵触，给冰岛带来了更大的麻烦和痛苦。

在未和英国、德国等沟通的情况下，2008年10月8日，冰岛政府接管了三大银行。同日，冰岛第二大银行Landsbanki旗下的英国网络分行Icesave银行宣布，其存户无法再领钱或存钱。该银行对于存户存款未来的命运默不作声，让英国存户气愤又无奈。

据统计，英国有30多万人在冰岛银行开户，总存款金额达40亿英镑。原因是冰岛银行提供的利率高于英国银行。在冰岛宣布对其最大的三家银行进行接管后，英国私人储户、公司、市政委员会、警察部门、慈善组织存在冰岛银行的200亿英镑被冻结。根据英国政府的担保，大多数私人储户将能得到赔偿，但是这一规定并不适用于公共机构和慈善组织。

冰岛擅自接管银行，未与英国沟通。2008年10月8日，英国财政大臣阿利斯泰尔·达林称："不管你信不信，冰岛政府昨天告诉我，它们不打算履行自身义务。"布朗称，这一态度"完全是不可以接受的。我与冰岛总理进行了接触，我说，这事实上是非法行为。我们将冻结冰岛公司在英国的资产，我们将采取针对冰岛政府的进一步的必要行动以要回存款"。布朗还根据反恐和安全法案所赋予的权力冻结了冰岛第二大银行Landsbanki在英国的资产。布朗称："我不会就此感到抱歉，这是一个非常特别的情况，一个国家拒绝归还存款。"

　　冰岛接管银行乃是不得已之举。但在缺乏有效沟通的情况下，这一举措不幸成为了一个导火索。英国的激烈反映，在某种程度上而言，也是冰岛尴尬地位的一种反映。

　　冰岛自认为它属于西方，但是它并没有加入欧盟，而且冰岛政府对欧元一直心存戒备。一直到2008年2月，冰岛政府还提出警告表示，冰岛经济体系逐渐欧元化，可能造成经济不稳定。英国虽然也未完全接纳欧元，但它是欧盟成员国，而冰岛不是。也许有人会说，冰岛不是北约成员国吗？在华约解散、俄罗斯国力衰退的情况下，北约的意义已经不再像过去那么大。这是分析政治、经济发展趋势时必须注意的问题。

　　金融危机给冰岛带来灾难性后果。随着本国货币价值趋于崩溃，这个一直抗拒加入欧洲联盟的北欧小国开始考虑引进欧元、加入欧盟，以获得欧盟"大家庭"的庇护。冰岛渔业和农业部长埃纳尔·格维兹芬松此前是"入盟"的坚决反对者。他告诉当地电台："我一直以来反对加入欧盟，这毫无秘密可言。但是，眼下的危机意味着我们必须寻找任何一种可能方案。"

　　2008年10月13日，冰岛女外交部长英伊比约格·索尔伦·吉斯拉多蒂尔在当地报纸撰文说，从短期看，冰岛需要与国际货币基金组织合作；而从长期看，冰岛必须考虑加入欧盟、接受欧元，以得到欧洲央行的支持。

　　在冰岛认识到投靠"组织"的重要性以后，"组织"上似乎并不买它的账，因为这种示好实在太过于功利化，事实上，即使欧盟接纳冰岛，也需要数年时间，冰岛根本等不到那一天。

　　由于次贷危机的恶化趋势已经非常明显，欧盟各国自顾不暇，它们自己抱团过冬还来不及，哪里有心思救助冰岛？德国财长公开表示："我们德国人不想往我们无法掌控、又不知道德国的钱用在何处的一个大罐子里放钱。"

　　西方国家的冷落，让冰岛不得不求助于俄罗斯。2008年10月7日，冰岛政府宣布从俄罗斯寻求40亿欧元紧急贷款。随之，冰岛中央银行宣布，俄罗斯将向该国提供40亿欧元贷款。第二天，俄罗斯《新闻时报》发文称，俄副总理兼财政部长阿列克谢·库德林证实了冰岛请求俄罗斯提供贷款的消息。与此同时，据美国彭博社报道，冰岛央行行长奥德森表示："我们没从西半球的好朋友那里得到多少帮助，我们非常欢迎俄政府的谈判决定。"

冰岛与俄罗斯在危机面前的牵手，引来国际舆论一片哗然，有西方媒体评论说："金融危机是俄罗斯在政治上重新进入北欧的良机。"

但是，冰岛与俄罗斯的牵手一波三折。作为北约的成员国，冰岛更愿意求助于西方。冰岛与俄罗斯的牵手很大程度上是为了以此胁迫西方世界救助它，而不是真的想求助于俄罗斯。冰岛在向俄罗斯求助的同时，其总理哈尔德在接受英国《金融时报》采访时明确表示，冰俄达成的经援方案并不会延伸到两国未来在军事方面的合作，他还否认冰岛有意将美军在该国的一个空军基地转手俄罗斯。

回顾俄罗斯的历史我们就会发现，俄罗斯的趁火打劫水平是超一流的，所谓无利不起早，俄罗斯如果愿意帮助冰岛，一定要考虑自己的收益，毕竟，40亿欧元不是一个小数目。如果俄罗斯得到的回报不数倍于这个数，它就不可能伸出援手。

在冰岛债务12倍于其GDP的情况下，俄罗斯要想在经济上得到好处并不容易。那么，经济之外最具诱惑力的便是军事利益，而冰岛方面明确表示不在军事上展开合作，俄罗斯还怎么会有动力去救助冰岛呢？

因此，一度传出俄罗斯拒绝向冰岛提供援助的消息，但这一消息在2008年10月27日又被阿列克谢·库德林否认，他表示，俄罗斯仍然在就向冰岛提供40亿欧元贷款一事进行谈判。

这一切都是发生在表面的动荡，真正的潮流在暗地里涌动。冰岛金融危机的背后，还隐藏着什么？欧盟为何不敢拯救冰岛而竭尽全力拯救匈牙利？这些问题，在下一章将进行更深入地探讨。

注　释

1. 张琳. 拯救IMF——金融危机的拯救者. 金融教学与研究，2006（6）。

2. 这里的援助主要是指贷款。IMF贷款分为几类：普通贷款、中期贷款、出口波动补偿贷款、缓冲库存贷款、石油贷款、信托基金贷款、补充贷款、结构调整贷款、制度转型贷款。

3. IMF金融危机中偏袒美英令多国不满. 环球时报，2008年11月12日。

4. 陈彩虹. 韩国金融危机是IMF危机? 财经时报，2005年10月22日。

5. 1990年，美国国际经济研究所在华盛顿召开了有关拉美经济调整与改革的研讨会。美国国际经济研究所所长约翰·威廉姆斯认为，与会者在拉美国家经济采用和将要采用的政策上取得了共识，并根据会议精神系统地提出指导拉美经济改革的10条政策主张，即：加强财政纪律，压缩财政赤字，降低通货膨胀；政府开支应重点转向经济效益高和有利于改善收入分配的领域；改革税制，扩大税基；实施利率市场化；采用有竞争力的汇率制度；实施贸易自由化；放松对外资的限制；对国有企业实施私有化；放松政府管制和保护私人财产权等。后来人们将这些观点称之为《华盛顿共识》。鉴于《华盛顿共识》在拉美地区产生的广泛影响及其招致的批评，威廉姆斯于1996年发表文章，对《华盛顿共识》进行修改和补充，从而形成新的10条。

6. IMF：金融危机的拯救者. 三联生活周刊，2002年9月25日。须要说明的是，在亚洲金融危机中，马来西亚受到的冲击也很厉害，林吉特贬值巨大。

7. IMF向冰岛放贷21亿美元 30年来首援发达国家. 中国日报，2008年10月26日。

借次贷危机绞杀欧元

■作为美元最强大的对手，欧元早在问世之前，就受到美国的重重打压。尽管最后美国未能阻挡住欧元的诞生，但是两者的博弈远未终止。在表面的平静下，是你死我活的厮杀……

■次贷危机既是美元劫掠财富的工具，也是扼杀对手的工具和陷阱。

■欧美救市大比拼，可以在某种程度上化解因彼此的庞大救市计划而给自己带来的损害（更确切的说法应该是欧盟化解美元贬值给自己带来的损害），问题是，那些不享有国际铸币税的国家，将因此遭受更大的损失。

■当次贷危机蔓延到欧洲，让冰岛孤立无援、哭天无泪时，既让美元的主导者看到了次级债这个核武器的巨大杀伤力，也让欧元国感受到了恐怖的危险。欧盟必须确保成功抵御这场灾难，唯有此，才能实现欧元的扩张，否则，就可能被逼入绝境。

■现在，匈牙利就成了一个开始，当然，也是一个关键……

欧盟为何不敢救冰岛

对冰岛人来说，任何时候都没有像现在这样孤立无援：主要银行倒下了、货币急剧贬值、股市暂停交易……最关键的是，他们还不知道究竟应该找谁救助。

但是，同样遭到金融危机困扰的匈牙利则要幸运得多。

2004年5月1日，匈牙利和马耳他、塞浦路斯、波兰、捷克、斯洛伐克、斯洛文尼亚、爱沙尼亚、拉脱维亚、立陶宛一起，正式加入欧盟。

作为欧盟的成员，任何一国遭受像冰岛那样的孤立无助，都有可能引发解体危险。如果冰岛是被当作"小白鼠"，那么试图击垮欧盟的力量通过欧盟对冰岛的拯救找出欧盟更大的破绽，就变得轻而易举。但是，欧盟比人们想象的还要脆弱，面对冰岛的求助，欧盟甚至不敢出手相救。

欧盟首先要保全的是自己。

2008年10月12日，在欧盟轮值主席国法国的倡议下，欧元区15国撇开其他欧盟成员国召开欧元区有史以来的首次峰会，这凸显欧元国的危机意识。它们已经清晰地认识到，次贷危机下一步要蚕食的将是欧元！

这显然刺到了欧元国的痛处。

欧元国不能坐以待毙，形势万分危急。事实上，在次贷危机恶化的过程中，一开始，欧洲各国并没有表现出良好的协作精神，而是各自为战，甚至一国出台的救市措施还令其他国家不快。

比如，2008年9月30日，爱尔兰政府紧急做出决定，宣布政府将在今后两年保证爱尔兰六大储蓄机构所有存款的安全。此举令英国非常不满，因为这相当于封堵了英国政府的可操作空间。如果英国不采取类似的措施，就可能导致英国的资金流向爱尔兰。

尽管英国首相布朗当天即告诫爱尔兰政府，它是在拿纳税人的钱来应对危机，并承诺英国政府"将以正确、合理的方法，并采取一切必要的措施，来保证英国储蓄者的钱不受损失"，但是，除了紧随爱尔兰，英国政府没有更好的选择。2008年9月30日，英国政府曾表示，将所有个人银行存款担保的上限从原先的3.5万英镑提高到5万英镑（1英镑约合1.7美元）。英国银行共有2万亿英镑的私人存款，这几乎是英国国内生产总值的两倍。

2008年10月5日，德国政府宣布，政府为所有个人存款提供担保。默克尔当天在新闻发布会上说，所有德国公民不要为他们的个人储蓄安全担忧，德国政府提供的私人存款担保将覆盖总额5680亿欧元的私人账户，约合7850亿美元。

英国自由民主党党魁尼克·克雷格说："德国是欧洲最大的经济体，爱尔兰为银行存款提供担保的行为促使欧洲各国相继采取类似行为，而德国的决定让这一形势变得不可避免。"

同日，英国财政大臣阿利斯泰尔·达林暗示，他已准备好采取"平日断然不会采取的大动作"，帮助英国熬过信贷难关。此前，英国已把两家银行收归国有。

2008年10月6日，法国总统萨科齐表示，不会让本国银行储户有任何损失。这意味着法国将为个人存款提供全额担保。萨科齐当天表示，如果一家银行破产，它的储户不会有"哪怕是1欧元"的损失。

爱尔兰的做法所引发的连锁反应，充分暴露出欧盟脆弱的一面，面对次贷危机的肆虐，面对美元与欧元的搏杀，这种各自为战的做法不仅影响了欧盟的协调作战，削弱了整体力量，还可能因为内耗而将欧盟置于非常危险的境地。

实际上，欧盟各国政府纷纷选择为储户担保本身就埋下了无穷隐患。

政府担保破坏了声誉机制发挥作用的环境，这种担保使得存款人相信相关银行不会有倒闭之忧，就会忽略对银行的选择，这会破坏银行赖以生存的环境。而财政注资则使得银行有理由预期政府会继续为以后的不良贷款埋单，从而减小了通过自身的努力降低费用、节省成本、提高竞争力的动力。这会使银行产生对政府的依赖及因依赖而滋生的惰性，并破坏原有的游戏规则，使得机会主义和寻租成为默认的游戏规则，从而践踏市场经济的公共准则。

当爱尔兰率先以政府信誉为储户担保时，就把欧盟带上了不归路。这充分暴露出欧盟在团结与协调方面的脆弱性。

欧盟只是一个主权国家的联合组织。欧盟现有27个成员国（挪威、冰岛、瑞士等国尚未加入欧盟）和近5亿人口（2007年1月），欧盟的宗旨是"通过建立无内部边界的空间，加强经济、社会的协调发展和建立最终实行统一货币的经济货币同盟，促进成员国经济和社会的均衡发展"，"通过实行共同外交和安全政策，在国际舞台上弘扬联盟的个性"。

但它终归是一个联盟。在全部的27个成员国中，各国的经济状况、财政状况千差万别，协调行动受到制约。而且，在欧盟27国中，迄今为止使用欧元这一统一货币政策的国家只有15个：奥地利、比利时、芬兰、法国、德国、希腊、爱尔兰、意大利、卢森堡、荷兰、葡萄牙、斯洛文尼亚、西班牙、塞浦路斯、马耳他。

即便是这些使用统一欧元货币的国家，由于各国的财政政策仍然是独立的，在次贷这样的大危机面前，也难以拧成一股绳。在日益恶化的次贷危机面前，不仅欧元国感受到了寒气袭人，整个欧盟都在危机下战栗。

对于欧盟而言，任何一个成员的倒下都意味着欧盟被打开一个缺口。如果说这是欧盟的第一条底线，那么任何一个国家的倒下都意味着欧元的缺口可能被打开。尽管匈牙利尚未加入欧元行列，但欧盟在大危机考验时出现裂痕也会导致难以预料的可怕后果。

所以，欧盟各国必须全力以赴拯救匈牙利。

美元与欧元不共戴天

如果把欧盟比作一组骨牌，那么排在最前面的那张一定是最脆弱的，现在最脆弱的那张牌就是匈牙利。如果匈牙利倒下，它所导致的多米诺骨牌效应[1]，就会造成最坏的结果。

在美元与欧元的博弈中，起决定作用的往往就是首张骨牌。

从利益的角度来分析，欧元与美元是不共戴天的。欧元意在打破美元的垄断地位，分享原被美元独享的一系列好处，比如铸币税收入等。

在现行国际货币体系下，国际铸币税大多为少数国际储备货币发行国所获取。美元是头号国际通货，因而美国是世界上受益于国际铸币税最多的国家。在布雷顿森林体系下，通过"双挂钩"安排，美国事实上独自享受了全球范围的国际铸币税收益。布雷顿森林体系崩溃后，美元的霸权地位虽受到了一定程度的削弱，但其霸主地位并没有被撼动，而且由于实施了纸币信用，美元从此突破"贵金属制约"，不用担心发生在布雷顿森林体系下的黄金挤兑，所以能更加随意地获取国际铸币税收益。

美国凭借美元的国际通货地位，可以发行大量美元来购买他国商品或劳务，或者进行对外直接或间接投资。这些美元的一部分在美国之外做"体外循环"，另一部分通过购买美国的债券、存入美国银行、利润汇回等方式回流到美国。[2]

在美元一统天下的时代，欧洲也是受害国。欧元区的人口、产值和贸易规模都超过美国，但倘若没有统一的区域货币与美元抗衡，欧洲只能看着自己的财富流往美国，也只能在经济、军事、政治等各个方面唯美国是瞻。这也是欧洲相关国家精诚合作、最终促成欧元问世的根本原因。

1999年1月4日，欧元正式在各地挂牌交易。但就在欧元展现出自身的魅力不久，美国在欧元的家门口打响了科索沃战争。1999年3月24日，以美国为首的北约绕过联合国，开始对南联盟进行长达78天的轰炸，并成功将南斯拉夫联盟肢解。欧元遭到重创。2000年10月26日，欧元兑美元创出0.8225的历史低点。一直到2003年7月15日，欧元对美元的汇率才突破1:1。

欧洲人在弄清美国的"良苦用心"后，开始强烈地寻求和平解决科索沃问题的途径，终止战争。1999年5月6日，西方七国与俄罗斯一起，通过了和平解决科索沃问题的决议。紧接着，将由联合国安理会常任理事国通过派驻维和部队的决议，和平解决科索沃战争。但就在美国人在和平协议上签字后两天，5月8日凌晨，就发动了对中国大使馆的攻击，目的就在于激怒中国，使中国拒绝签字，达到在欧洲继续制造战争紧张局势的目的。果然，被激怒的中国强硬地要求先停止轰炸再谈维和。俄罗斯与中国的强硬态度使得科索沃和平的前景再次变得扑朔迷离。中国宏观经济学会常务副秘书长王建撰文指出：正像美国发动科索沃战争不是对着南联盟一样，美国袭击中国大使馆从特定角度可以说不是对着中国来的，美国甘冒国家声誉严重受损而做的这一件件事，原因就在于可以维护更加重大的国家利益。[3]

倘若不是伊拉克战争拖住美国，欧元或许已经被打入冷宫。这场未能速战速决的战争，给欧元提供了一个绝路逢生的机会。尽管如此，美国从来没有停止过在欧元家门口制造紧张气氛。

甚至包括对伊拉克发动的战争，亦被一些专家解读为"项庄舞剑，意在欧元"。2003年3月24日，《印度尼西亚日报》刊发了印度尼西亚石油业观察家库尔杜比的观点，他认为，美国对伊拉克发动战争除了美国公开宣称的理由以外，还与美国保护其石油利益以及美元与欧元的竞争有关。库尔杜比指出，目前国际交易大部分使用美元，但美国担心有朝一日美元会为欧元所替代，造成美元身价低落。他说，法国和德国是欧元的主要使用国家，如果今后中东石油出口国改用欧元来交易结账，将导致其他进口国也随之改用欧元交易，这势必将影响到美国财政，有可能导致美国陷入经济危机。因此，美国才发动伊拉克战争。

不管怎样，欧元问世，改变了美元一枝独秀的局面。经济学家钟伟曾经撰文指出，欧元无疑将对美元在国际金融市场上的支配地位产生冲击。这表现在美国向世界征收铸币税的能力将下降，尽管欧元自创立以来在美元面前略显疲软，但在2002年欧元现钞面世后的5～10年内仍然可能有5000亿～10 000亿美元的国际货币持有量从美元转换为欧元，这意味着美国将丧失如此数量的铸币收入。[4]

对美国而言，实际情况还要严重。全球外汇储备的币种结构发生了较大的变化，从1995年到2008年第2季度期间，美元比重从59.02%升至72.69%，然后降至62.48%，欧元从8.54%大幅升至26.99%，日元从6.78%大幅降至3.41%，英镑从2.12%大幅升至4.74%，瑞士法郎一直在0.2%左右徘徊而居于次要地位，包括人民币在内的其他货币则从4.78%降至2.21%。欧元取代美元，英镑取代日元，是一个长期的趋势。[5]

这给美元带来了最严峻的挑战。

美元在全球外汇储备中的比重下降将直接导致美国国际铸币税的减少，这将使美国的经常项目逆差逐步丧失稳定的弥补途径，使其更加倚重于稳定性差的外债和短期资本流入项目。照此发展下去，美国很可能陷入债务危机和金融危机，乃至引发全球金融体系的崩溃。

在经济上升期，美元虽然在贬值，但由于美元霸权或美元的软权力优势，国际铸币税的增加大大缓解了美元的贬值压力，即大大缓解了美元信心不足的问题。美国从1959年至今一直出现经常项目逆差，而并没有陷入债务危机和美元崩溃，美元所带来的国际铸币税对此起到实质性支撑作用。1977～2006年，铸币税对经常项目逆差的覆盖比率高达86.2%，也就是说，绝大多数的经常项目逆差通过国际铸币税得以"抵消"，这也是巨额经常项目逆差和财政赤字为何没有导致美元大幅快速贬值的原因。

而在经济衰退期，美国的国际铸币税减少，使美元贬值逐步丧失了制动阀，国际铸币税已无法挽救美元信心不足的危机，表现为美元的加速贬值。以1997年为拐点，铸币税对经常项目逆差的覆盖比率总体上经历了先上升后下跌的过程，说明铸币税对经常项目逆差的弥补能力出现了实质性的下降，连续出现缺口，这正是导致美元汇率的大幅度贬值的直接原因。这充分说明，国际铸币税能有效抵消巨额经常项目逆差对美元币值的冲击，从而具有"保护伞"的功能。随着近年来美国国际铸币税的抵消能力的降低，美元趋向疲软是大势所趋。

在上述两个方面的交互作用下，美国很可能陷入"国际铸币税减少——美元进一步疲弱——国际社会弃用美元——国际铸币税进一步减少……美元进一步贬值——爆发全球性金融危机"这一恶性循环。因此，美国国际铸币税的减少很可能成为全球金融体系崩溃的导火索。[6]

美元的贬值趋势是明显的。从2002年2月开始，美元进入贬值周期，截至2007年6月，美元累计贬值40%，其中，对欧元贬值幅度高达45%，美元汇率指数从112.73大幅下降至不足70。

欧元地位的上升，切分了美元的铸币税收益，甚至引发学界有关"欧元取代美元，英镑取代日元，是一个长期的趋势"的结论，这无疑令美国极度不安。

更令美国惶恐的是，2005年4月10日，法国负责工业的部长级代表德韦日昂提议，各国可尝试以欧元代替美元，作为支付石油的货币，这将有助于稳定国际油价。德韦日昂说，由于"纯投机"因素，每桶油价至少多涨15美元，这个发展趋势被世界各国关注。石油定价货币的更改将削弱美元的结算货币地位，引发其他国家的外汇储备中增加对欧元的配置，从而引起国际贸易结算、外汇储备、资金供应等一系列连锁反应，给美国经济造成致命打击。

法国的提议，无疑在要美国的命。

美国必须以最快的速度、最凌厉的手段维护自己的利益。从此，以次级贷款为基础生产出来的各种金融衍生品涌向世界，吸引着全球资金包括欧元区国家资金的涌入，而另一方面，美联储开始了更频繁更快的加息举措。但次贷危机发生后，我们惊讶地发现：在这场史无前例的危机中，中国、日本等亚洲国家的损失大于欧洲，而欧洲的损失大于美国，使欧盟恐慌到连冰岛的金融危机都不敢出手相救的地步。

笔者反对阴谋的说法，因为这一切都是公开运作的。在人类世界，利益的博弈是永恒的，利益分析法也能给出合理的解释。如果是巧合，我们也应该对这种巧合的深层次原因进行反思，以最大限度地避免危机降临，而不应该把精力耗费在到底是不是阴谋的争论中。

美欧救市大比拼让中国受伤

美元与欧元的激烈博弈从来没有停止过。

次贷危机发生后，美国大张旗鼓地救市。2008年9月29日，美国众议院投票否决了7000亿美元的救援方案。救市计划遭否决后，美国股票市场主要价格指数大幅"跳水"，上市公司市值9月29日一天内"蒸发"1.2万亿美元。被激怒的民众对议员施压，10月1日，美国国会参议院通过了实际总额为8500亿美元的金融救援方案。

救市计划怎么实施？据报道，美国财政部副部长麦考密克表示，美国救市8500亿美元将通过发国债来获得。

无论是加印美钞，还是发行国债，都意味着美元的贬值和债权国的利益受损，有利于美国产品出口竞争力的增强，同时也意味着通货膨胀压力增大。

欧元国会甘心吗？假如说过去在欧元没有问世以前，欧盟相关国家还只能无奈地吞咽苦果的话，那么在欧元问世以后，欧洲也有了相应的对应措施。

2008年10月15日，欧盟首脑会议在开幕当天，全体通过了欧盟一揽子救市计划——总值达2.2万亿欧元的救市计划，大约是美国救市计划的4倍。欧元区成员国将通过为银行发行债券提供担保等方式，缓解金融机构因为流动性短缺而面临的融资困难。

欧美救市大比拼，可以在某种程度上化解因彼此的庞大救市计划而给自己带来的损害（更确切的说法应该是欧盟化解美元贬值给自己带来的损害），问题是，那些不享有国际铸币税的国家将因此遭受更大的损失。拥有巨额美元储备又拥有巨额欧元储备的中国，便成为最大受害者——截至2008年9月底，中国外汇储备达到1.91万亿美元。外汇储备的币种结构中，美元资产约占65%，欧元资产约占25%，英镑、日元及其他币种资产约占10%。

为了有资金投入庞大的救市计划，许多国家认为最好的办法就是增加货币发行，而这必然会带来居高不下的通货膨胀，用《华尔街日报》的话说，这就是："默许发达国家敞开口子印钞票，最终由全世界来埋单。"

除了发行货币，对于美国而言，巨额救市资金的最直接结果就是国债飙升。布什政府为了支付万亿美元的救市计划，必定会发行债券，而目前美国的最大债权国中国、日本以及印度等新兴国家都可能购买。不论谁购买了债券，都可以说是在为美国埋单。

而中国并没有太多选择。只要中国外汇储备继续增长，就有被动投资美国国债的压力。而在美国大规模救市之后，投资美国国债的风险也在增大。

一方面，美国财政赤字可能很快攀上万亿美元关口，偿债压力将推高美国经常账户赤字，促使美元贬值，并增加人民币升值的压力，以人民币计价的美国国债投资缩水不可避免。另一方面，未来的通货膨胀风险将导致美元购买力下降，如果中国政府持有长期的美国国债，真实回报有可能为负。而且作为美国国债第一大投资者，中国的变现非常困难，除非承受资产价格的大幅下降，实际上承担了额外的变现风险。

花旗银行中国区首席经济学家沈明高指出："如果说被动地购买美国国债，是在承担美元贬值、美国通货膨胀、变现困难等风险，那么可以说是中国在为美国埋单。"[7]

一组数据更令人清醒：从布雷顿森林体系（保持1盎司黄金等于35美元固定汇率）到2001年（波谷）美元贬值了87%，到2006年美元贬值了94%。

美元自从2001年进入新一轮的贬值期以来仍然没有到达谷底，至2007年11月1盎司的黄金价格已经超过800美元。如果估定1967～2006年美国的外债平均为3万亿美元左右，那么通过美元贬值90%，美国因减轻外债负担而获取国际通货膨胀税为2.7万亿美元，年均获益675亿美元，而美国的债权国相应地总共损失2.7万亿，年均损失675亿美元。[8]

文中所举数据是过去的，实际数字要比这大得多。因为截至2008年10月，美国国债已经突破10万亿美元，以至于突破了"国债钟"的极限。

从这些数据中，不难理解在美国出台救市计划后欧洲为何如此急切地出台庞大救市方案的原因了。欧洲必须小心翼翼地采取对策，以免被美国算计。在金融战争时代，任何一个疏忽或滞后的反应，都可能带来致命的不可挽回的后果。因此，美国"挟救市以令诸侯"，欧盟第一个做出回击。

对欧元国而言，它必须走出美国次贷危机的阴影和重重陷阱。一旦失败，可能导致欧元的解体——它毕竟只是一个货币同盟的产物而非单一的货币区，存在着较多的弊端。比如，欧元区成员国的财政政策没有受到足够的约束，财政协调与合作仍然处于较低阶段，相关国家的货币政策如果不愿意做出调整，也没有相应的强制手段。欧元区货币体系的软肋尽显。

但是，如果欧元能够挺过这一劫难，欧元国的国际铸币税收益可能有正的外溢性。新的成员国的加入，将使欧元区的面积更大。一方面，新成员国得到了以前根本没有办法得到的国际铸币税；另一方面，老成员国的平均国际铸币税收益进一步增加。

用一句话概括就是：要么因被削弱而消失，要么变强，走向强者恒强。

欧元国别无选择，只有背水一战。

为何是匈牙利？

如果将美元与欧元的主导者作为博弈的双方，对美元的主导者而言，哪怕自损八千，倘若能够击垮欧元也是大胜。当次贷危机蔓延到欧洲，冰岛孤立无援、哭天无泪时，既让美元的主导者看到了次级债这个核武器的巨大杀伤力，也让欧元国感受到了恐怖的危险。

　　欧盟必须确保成功抵御这场灾难，唯有此，才能实现欧元的扩张，否则，就可能被逼入绝境。

　　现在，匈牙利就成了一个开始，当然也是一个关键。只有成功救助匈牙利，欧盟才能证明自己的力量，才能吸引更多的国家加入欧元区，事实上，每当有一个国家加入欧元区，就会使其他已经加入欧元区的国家受益，这种收益的正外溢性一旦形成滚雪球效应，欧元的影响力就会迅速放大。

　　那么，匈牙利为什么成为了最脆弱的一张骨牌？

　　1989年，东欧巨变震惊世界，匈牙利率先"回归欧洲"，在经济上进行了"彻底的"私有化改革。匈牙利的改革借鉴了两个国家的经验：

　　一是英国。撒切尔夫人上台后，力求"把国家干预的疆界推回去"，用货币主义和供应学派代替凯恩斯主义。在20世纪80年代，通过私有化把大量国有资产卖给私人，政府管制大幅减少，政府支出下降，大规模减税缩小了政府对收入进行再分配的范围和能力。

　　二是德国。德国托管局将原东德8500家大中型国有企业拆散、分离，改组成大约1.6万家企业，然后实行私有化。托管局根据投资者的管理能力、财力、技术状况、经营计划是否可行、准备投资多少、能保证多少就业岗位等情况来选择出售对象。到1996年，私有化已全部完成，大约2/3的企业由西部企业和外国企业买走，1/3由东部原企业负责人和职工购买。[9]

　　匈牙利借鉴这两种模式（德国对匈牙利的影响更大，因为在第一次和第二次世界大战期间，匈牙利都是德国的追随者，两国历史渊源较深），实行了彻底的私有化路线。

　　1994年，匈牙利第一批就有650家企业全部售出，第二批250家企业也部分售出；1997年，匈牙利1857家大企业中，已经有1299家得到了私有化处理。截至1998年，匈牙利85%的国有企业已被出售给外国资本家。匈牙利完成私有化后，其国有资产绝大部分已落入外国人手中。

　　从1996年起，匈牙利开始出售大型能源企业，这在中东欧国家是第一个。

国家在全国20家电力和煤气公司中仅拥有1股所谓金股，即国家在决策方面拥有否决权。匈牙利的大部分电讯企业也向外资出售。匈牙利外贸银行100%的股份已经出售，储蓄银行和布达佩斯银行也部分实现了私有化。目前大约40%的银行资本掌握在外国人手中。到1997年底，匈牙利的私有化基本完成，75%以上的经济成分为私有，国有企业只剩下5家。私有化带来了160亿美元的外国直接投资，外资用于企业改造和扩大生产能力的投资每年约为12亿~15亿美元。匈牙利人均所吸收的外资数量在中东欧国家仍占第一位，1997年底达1666美元，这对它加快基础设施的改造、消除同欧洲发达国家的差距起着十分重要的作用。然而，许多有竞争力的企业为外资所掌握，匈牙利本国市场为外国公司所占领，这在很大程度上影响了民族资本的发展。[10]

匈牙利实行私有化以后，大多数企业的经济效益有所提高，但也埋下了巨大隐患。

第一，私有化造成外资控制匈牙利经济命脉的局面。到私有化基本结束，私有资产占全国总资产的70%以上，其中外资操纵2/3以上的企业。在全国最大的15家商业银行中，外资控股占多数的已有9家；在全国15家最大的保险公司中，14家由外国公司控制；在制造业方面，外资所占份额达80%以上。外资不仅已经控制了匈牙利的经济命脉，而且还在匈牙利形成了割据和竞争的复杂局面。

第二，私有化导致国有资产流失严重，财政金融状况依然不佳。从1990年1月到1996年6月，匈牙利在私有化过程中获得的收益超过9400亿福林（1美元约合165福林）。然而，真正上缴国库的只有一半左右，而另一半则在私有化过程中流失。在匈牙利曝光的一桩丑闻中，当事人捞取的两笔酬金就高达8亿福林。因此，声势浩大的私有化并未给资金奇缺的匈牙利经济注入多少血液，财政金融状况依然不景气，内外债务还是国家和企业的沉重负担。

第三，私有化产生许多社会问题，其负面影响经久难消。首先，私有化导致了贫富的两极分化和政治上的不平等；其次，政府实施紧缩政策，削减社会福利，降低工人工资，人民怨声载道；还有，犯罪率大大上升，儿童失学严重。正如专家所预言的那样："匈牙利的问题不是出现在私有化进程中，而是出现在私有化之后。"[11]

欧美在危机中搏杀

私有化将匈牙利几十年积累起来的资本转化为外资的利润，全国人民公有的生产资料和社会财富大量流失。而在金融动荡时期，越是严重依赖外资的国家，受到金融危机冲击的可能性就越大，因为外资（包括热钱）的撤离，很容易引发金融危机。尤其是对匈牙利这样的外资掌控其金融命脉的国家而言，它的缺陷在次贷危机中暴露无遗。

为了拯救匈牙利，欧盟做出了最大努力。

要救匈牙利，欧洲央行需要扩权。根据规定，欧洲央行的职责范围只是在有15个成员国的欧元区内，但由于在拥有27个成员国的整个欧盟中缺少一个维护金融稳定性的机构，导致出现了真空，危机面前，欧洲央行进行了转型，把影响向整个欧盟甚至整个欧洲扩展。

诚如美林驻伦敦的经济学家跷姆·默尼埃所说："欧洲央行将不时为整个欧洲金融体系扮演终极拯救者的角色，该行的权力无疑已经扩大化了。"

在拯救匈牙利问题上，欧洲央行出手果断，在短短的三个星期时间里，就向匈牙利提供了50亿欧元（约合64亿美元）的贷款，并与丹麦和瑞士建立了货币互换机制[12]，并将其向欧元区银行的贷款额度提高到了1万亿美元以上。

欧洲央行及欧元区各国领导人都非常明白，只有在危机中向落水者伸出援手，充分施展影响力，才能在未来提高欧元的地位、扩大欧元区地盘，收取更多的国际铸币税。

因此，当匈牙利总理久尔恰尼游说欧盟领导人允许欧洲央行向欧元区以外的国家提供流动资金时，欧洲央行表现出了慷慨的一面。2008年10月31日，欧洲央行执行理事会理事洛伦佐·比尼·斯马吉表示，该行已经做好了帮助"要求我们提供援助的""其他"东欧国家的准备。欧盟委员会正计划将欧盟为非欧元区成员国提供的中期财政援助基金规模由目前的120亿欧元增至250亿欧元。

在危机中施加影响，是欧元国和美国的必走之路。在欧元国展开救市行动时，美国也没有放弃这个绝佳的机会——当然，它是这个绝佳机会的创造者。

2008年10月29日，美联储与巴西、墨西哥、韩国、新加坡四国央行同时公布了一项临时性货币互换协议，美联储将向四家央行分别提供300亿美元的流动性。这项临时协议将持续到2009年4月30日。

美国要以救援行动告诉世界：美元才是主导性的世界货币，美联储才是全世界的"最后借款人"。

为什么选择巴西、墨西哥、韩国、新加坡这四个国家呢？美联储在声明中称这四国是"大型的、系统性重要的"国家。

挑选这四国，的确显出美联储的独具匠心。花旗银行驻韩国首尔经济学家Oh Suktae说，美联储选择这四个新兴市场国家时，可能是从这些国家的地理位置以及经济地位考虑。据他分析，墨西哥与美国同属北美自由贸易区；巴西代表南美洲，且是"金砖四国"之一，对世界经济增长的贡献也较大；韩国代表东亚，且它当前确实非常需要这类贷款；新加坡国家虽小，但它是亚洲仅次于东京的金融中心，对整个东南亚都有重要影响。

"至于为什么不支持欧洲的新兴经济体，"Oh Suktae说，"可能是美国想把它们留给西欧发达国家救助吧。"确实，对于金融体系对西欧依赖度很大的东欧新兴市场经济体来说，它们更需要欧元，而非美元。[13]

是的，"美国想把它们留给西欧发达国家救助"，美国要等欧盟救援不了，欧洲国家上门来哀求时才出手相助。从利益博弈的角度来看，美国希望欧盟因个别国家的倒下走向分裂还来不及，怎么会有动力出手相救呢？欧盟的分裂、欧元国的分崩离析、欧元的影响力降低，才符合美国利益最大化的诉求。

美国次贷危机像一个巨大无比的蝴蝶，对着欧洲拼命地煽动着翅膀，即使逃过这次危机，下次危机不久后还会到来。欧盟能够一直抗衡下去吗？

2000年，欧洲议会制订了"里斯本议程"，确定到2010年把欧盟建成"世界上最有竞争力、最有活力的知识经济体"。这一目标，何尝不是亮出了美欧决战的日期？

注　释

1. "多米诺骨牌效应"所产生的能量是十分巨大的。这种效应的物理道理是：骨牌竖着时，重心较高，倒下时重心下降，倒下过程中，将其重力势能转化为动能，它倒在第二张牌上，这个动能就转移到第二张牌上，第二张牌将第一张牌转移来的动能和自己倒下过程中由本身具有的重力势能转化来的动能之和，再传到第三张牌上……所以每张牌倒下的时候，具有的动能都比前一块牌大，因此它们的速度一个比一个快，也就是说，它们依次推倒的能量一个比一个大。

2. 程恩富，王中保，夏晖. 美元霸权：美国掠夺他国财富的重要手段. 马克思主义研究，2007（12）。

3. 王建. 美国的真实战略意图，中国经济时报，1999年5月27日。

4. 钟伟. 略论人民币的国际化进程，世界经济，2002（3）。

5. 潘慧峰. 美元霸权地位将加速美元贬值，中国证券报，2008年10月15日。

6. 同第5条。

7. 殷俊，王家敏. 美国救市，谁来买单？瞭望东方周刊，2008年10月27日。

8. 同第2条。

9. 王义祥. 中东欧国家的私有化进程，东欧中亚研究，1999（4）。

10. 同第9条。

11. 李靖宇，姚素文. 匈牙利经济改革市场化问题的思考与评论. 东欧中亚研究，2000（1）。

12. 货币互换（又称货币掉期）是指两笔金额相同、期限相同、计算利率方法相同、但货币不同的债务资金之间的调换，同时也进行不同利息额的货币调换。简单地说，利率互换是相同货币债务间的调换，而货币互换则是不同货币债务间的调换。货币互换双方互换的是货币，它们之间各自的债权债务关系并没有改变。初次互换的汇率以协定的即期汇率计算。货币互换的目的在于降低筹资成本及防止汇率变动风险造成的损失。

13. 王晶，张翙. 美联储向新兴市场四国各贷300亿美元. 财经网，2008年10月30日。http://www.caijing.com.cn/2008-10-30/110024870.html

■次贷危机将加快货币同盟的产生，区域货币将次第问世。

■近年来，一个现象被许多人忽略了，那就是越来越少的经济危机与越来越频繁的金融危机。仅以近年来的危机为例：1994年的墨西哥金融危机、1997年的东南亚金融危机、1998年的俄罗斯金融危机、1999年的巴西金融危机、2001年的阿根廷金融危机……全都来势凶猛，造成巨大破坏力。而且这种趋势将延续下去，这到底是为什么？

■人们对经济危机的疼痛感会大大小于对金融危机的疼痛感，而事实上，由于金融衍生品的作用，金融危机所造成的损失正在以数倍于实体经济危机的速度上升，其所造成的财富洗劫也更为彻底。

■每一次金融危机的爆发都是一次财富洗劫与重新分配的过程，金融衍生品的杠杆作用使得金融危机可以成为一些人洗劫财富的工具。

抱团才能求生

美元化陷阱

在当今社会，货币越来越多地成为掠夺财富甚至摧毁一国经济的工具。

美元霸权把货币作为工具使用的境界推到了极致，这种做法早在20世纪就已经被运用得炉火纯青。

美国学者迈克尔·赫德森在其所著的《超级帝国主义》中写道：从1968年4月至1973年3月，由于美国累积了500亿美元的国际收支赤字，外国央行发现它们不得不为这一时期增加的共500亿美元的美国联邦债务埋单。实际上，美国正通过维持国际收支逆差，为其国内预算赤字融资。没有人会想到，到了20世纪90年代期间，美国的联邦预算赤字会由中国、日本和其他东亚国家，而不是由美国纳税人和国内投资者来融资。然而，这种国际剥夺早已隐含在美国财政部的债券标准中。[1]

这里所说的"融资"其实就是掠夺的文明说法。

美国印刷的美元，2/3都是在境外流通的，新增发的美元更是高达3/4的被外国人持有。从价值尺度和储备货币的角度看，世界上许多重要的物品都是以美元计价的，如石油、黄金等。

对于货币局限于在本国内流通的国家而言，政府要获得铸币税，超量发行的钞票必然引发通货膨胀。而对于国际货币而言，货币的主导国则是向世界征收国际铸币税，在国内不产生通货膨胀的情况下，达到其"融资"目的，因为，相关成本主要转嫁给了世界上的其他国家。

美元的最广泛流通，赋予了美国坐享其成的权力。

须要强调的是：**货币主导权在今天的重要性是无与伦比的。面对美元霸权的侵袭，只能狙击而不能退让，退让的结果只能是自取毁灭。但是，一些国家做出了惊人的退让，并因此引发了极为严重的后果。**

阿根廷是较早计划实行美元化的国家之一。根据国际货币基金组织的解释，所谓美元化就是一国完全放弃本国货币而选用一种稳定的外国货币（多数情况下是指美元），也指一国在经济活动中同时使用美元和本国货币。前者是完全的美元化，而后者则是部分的美元化。部分美元化不断深入的结果可能导致完全美元化，即美元在一国经济中履行货币的全部职能，具有无限法偿能力，完全取代本国货币。对于完全美元化而言，还需要一国政府主动采取美元化政策，即国家通过法律规定美元具有无限法偿能力，取消本国货币或按固定比价同时流通本币和外币，而且政府必须对国内金融体制进行改革。[2]

在发展中国家，20世纪90年代南美洲国家在实行美元化的道路上走得较远。1991年4月1日，阿根廷"兑换计划"的生效标志着美元在阿根廷合法流通。在阿根廷国内，可以用美元在银行设立账户、存款或签订合同，也可以美元计价。阿根廷经济被称为虚拟美元化。2000年9月9日，美元正式取代苏格雷而在厄瓜多尔市场上流通。从2001年1月1日起，美元在萨尔瓦多市场上流通。1990年代初，美元开始在危地马拉流通，2001年5月1日，"外汇自由交易法"的生效使美元在危地马拉的流通合法化。[3]

美国经济学家数次游说阿根廷政府放弃比索，实行"美元化"。比如，约翰斯·霍普金斯大学经济学家史蒂夫·汉克说："阿根廷人们不相信政治家，因此我建议阿根廷应当废除比索，使用美元。"史蒂夫·汉克认为，厄瓜多尔正是因为在1999年弃用本国货币苏克雷改用美元而恢复了经济。

耶鲁大学教授戴维·德罗莎表示，实行"美元化"是阿根廷摆脱经济混乱、避免发生恶性通货膨胀的唯一方法。

而美国经济学家库尔特·舒勒更是南美洲国家实行美元化的积极倡导者，他甚至"舌战群儒"，撰文驳斥反对者，强调美元化的重要性。

在《目前在阿根廷如何实行美元化》一文中，库尔特·舒勒对7种流行的反对实行美元化的观点都做了辩驳。当看到他的文章时，笔者对其"忽悠"技术之炉火纯青深感震惊！

比如，有反对者认为阿根廷经济体过大，不能实行美元化。库尔特·舒勒认为，如果阿根廷实行美元化，那么它将是美元化中最大的国家。与欧洲相比，阿根廷的GDP相当于比利时而小于爱尔兰，而这两个国家都加入了欧元区，放弃了国家的货币政策。所以，这也不能成为阿根廷放弃美元化的理由。

这是典型的偷换概念。比利时与爱尔兰虽然都加入了欧元区，但是，它们加入的是一个货币同盟，它们能够分享国际铸币税，也能参与货币政策的制定。这与阿根廷放弃本币、实行美元化截然不同——美国不会让阿根廷分享任何国际铸币税收入，只会让其承受被掠夺之苦。

比如，有反对美元化的人认为，实行美元化不见得能减少国家风险，而国家风险是货币体系的独立性问题。对此，库尔特·舒勒辩驳的理由是，这种观点忽略了货币是社会财产最广泛的持有方式，美元化会通过消除中央银行制造高通胀的机会来强化财产权。

这种说法显然是低估了阿根廷人的智商。美元化的确可以消除阿根廷银行制造高通胀的机会，问题是，美元化却不能消除美联储制造高通胀的机会，而且为美国制造通货膨胀再输入美元化国家提供了更为便利的条件。

再比如，反对美元化者指出，美元可能会变成不稳定的货币。对此，库尔特·舒勒并未加以否认，但他认为美联储在实施货币政策时也会出错。20世纪70年代后期，美联储曾允许通胀率升至每年10%以上，但此后接受了教训，没有再重复同样的错误。况且阿根廷的常规通胀率每年都在100%以上。即使美元成为不稳定货币，阿根廷可以用任何别的货币替代美元。

这一说法也显得非常可笑。其一，谁也不能保证其他人不犯错。美联储在实施货币政策时会否继续出错，其他人不能保证，库尔特·舒勒也不能保证；其二，一国货币不是衣服，可以随时换洗，那可是需要付出极其昂贵的成本的。

但是，就是在这样的理论推动下，一些国家走向了美元化之路。

货币退让只有死路一条

美元化道路是一个鲜花铺就的陷阱，再美丽的陷阱终归也是陷阱。

在从1991年开始，阿根廷实行了与美元挂钩的固定汇率制度后的一段时间内，在控制通货膨胀、稳定金融、促进经济增长方面，确有收益。但是，货币主权的丧失与货币调控功能被束缚，造成了一系列不良后果。

比如，阿根廷允许比索与美元自由转换，可以以美元结算银行存款和缔结债务，可以按照美元通货膨胀率调整服务业的价格等。其结果是，全国银行2/3的存款、2/3的债务是以美元结算的，而实际上其中大部分并非美元存款或美元债务，造成了数百亿的"假美元"存款和债务现象，最终导致阿根廷根本无法兑付存款，无力偿还巨额美元债务。

2001年，阿根廷金融危机爆发。2002年1月6日，阿根廷政府放弃了实行了11年的比索与美元的联系汇率制度，实行比索贬值，当日宣布比索贬值30%。随后，比索兑美元的汇率持续下跌，1月份时为1:1，到了5月份跌到了3:1。

2002年2月3日，阿根廷经济部长雷梅斯·莱尼科夫宣布，阿根廷将全面实行经济比索化，随后又公布了一系列相关措施，其中最主要的是，以美元结算的全部银行债务、抵押贷款和其他美元债务一律按1:1的汇率转换成比索债务；全部银行美元存款则以1美元兑换1.4比索的汇率转换成比索存款。这标志着阿根廷经济长达11年的美元化进程彻底结束。

美元化在阿根廷的结束乃是必然的结果。实行美元化给阿根廷带来了巨大损失。

第一，铸币税损失。有资料显示，铸币税在世界各国的财政收入中占据相当大的比重，比如在阿根廷，流通中的本币大约相当于150亿美元（GDP的5%），货币需求的年增长量在近几年平均约为10亿美元（GDP的0.3%）。现有本币存量的利息损失一年约为7亿美元（GDP的0.2%）。

第二，通货膨胀税。通货膨胀税是政府以增发基础货币的方式向社会征收的一种隐性的铸币税，是政府进行财政融资的一种有效手段。在实行美元化后，美元的主导国美国替代阿根廷政府成为通货膨胀税的征收者，这种财富的流失是显而易见的。

第三，外汇储备。从广义上看，美元化经济体损失的铸币税还应该包括它们所拥有的、被用来实施美元化的外汇储备。这笔储备资产或来源于经常项目盈余，或来源于资本项目盈余，且未构成美元化经济体对美国或其他接受美元的经济体的债权。一旦实施单边美元化，不仅以储备资产的利息表现的狭义铸币税消失了，而且这笔至少理论上可动用的储备资产本身——广义铸币税，也荡然无存了。就阿根廷而言，它的铸币税首先表现为其160亿美元的美元储备的利息（主要来自购买美国国债）收入，按目前的利率计算为每年约7.5亿美元。[4]

第四，美元化对证券市场税和国债发行的影响。证券市场中投资者应纳的税种主要有印花税、红利所得税和资本利得税。印花税的多少与股市交投活跃程度密切相关，取决于证券市场中本币资金的投放量，然而美元化将直接减少证券市场上的本币资金投放量，这极大削弱了政府以印花税进行融资的能力。国债发行收入是政府财政收入的重要组成部分。发行国债是一国政府筹措财政资金、弥补财政赤字的一个行之有效的方法，但由于开放经济下资本流动的不可预测性使未来经济走势的不确定性明显加大，作为国债购买主体的金融机构从其资产组合的角度出发，将降低对国债的购买。这时发行本币债券的认购率会大打折扣，若为完成预定的融资目标，政府只能提高债券利率、降低债券价格，这又会进一步加重债券融资的成本，增加未来的财政赤字。[5]

美元化带来了一系列问题和后遗症。

阿根廷原本拥有得天独厚的经济发展条件。20世纪90年代，其人均GDP就已经超过了8000美元，是"发展世界中的发达国家"。从1991年起，阿根廷根据IMF和美国的要求，实行了经济市场化、贸易自由化和国企私有化的新自由主义经济政策。阿根廷国有企业实施了规模空前的私有化，以至于许多阿根廷人说，"整个国家都被卖了"。

阿根廷美元化的"兑换计划"，体现了阿根廷彻底放弃货币政策、听任国际金融市场的资金供给波动来调节货币供应量、调节本国经济的思路，其结果是阿根廷成为20世纪90年代遭受金融危机冲击最多的国家，并最终引发金融危机。并且，在美元出现长期走软趋势后，拉美国家由于金融体系中美元资产较多，遭受重大损失。由此，拉美国家开始了"去美元化"运动。部分南美国家在2007年发起成立"南方银行"[6]，其一个主要目的就是为摆脱西方国家和国际金融机构的制约，实现金融独立。

2008年9月8日，巴西中央银行行长恩里克·梅雷雷斯和阿根廷央行行长雷德拉多签署协议，允许两国间的贸易使用当地货币（巴西雷亚尔和阿根廷比索）支付结算，而不需要用美元作为中介货币。

根据协议，巴西和阿根廷两国的货币兑换汇率，将根据两国外汇市场每日收盘时公布的雷亚尔与美元及比索与美元的比价计算，汇率之间的差价将由两国中央银行补足。这一协议已于2008年10月6日正式生效。

在"去美元化"的道路上，拉美国家迈出了至关重要的一步。

区域货币同盟的崛起

如果说欧元是欧洲打破美元霸权的产物，那么在货币战争时代，类似欧元这样的区域货币同盟的形成将成为必然的选择。

就货币影响力和经济实力而言，当今世界没有任何一个国家能够与美国抗衡，即使德国、法国这样的强国，也只能依托欧元避免遭到货币奴役。

次贷危机对全球财富的洗劫所带来的巨大疼痛，将促使越来越多的国家走向货币同盟。

货币同盟有几种形式：其一，同盟的各成员国实行统一货币，对外统一浮动。其二，同盟内同时实行几种货币，但几种货币之间的汇率是永久固定的、完全自由兑换、对外统一浮动。

根据货币同盟成员国维持汇率固定义务和经济调整负担分担的对等关系，可分为对称货币同盟与不对称货币同盟。两者的区别是，前者由各个成员国分担经济调整的负担（比如欧元区各国），而后者则有一个领导国（主导国）与跟随国（外围国），如美元化货币体系中的美国就是领导国，其他相关国家则是跟随国。

历史上曾经有过货币同盟。

19世纪初，欧洲各国货币不一，交易成本高。拿破仑最早发现这一弊端，并表达出统一欧洲货币的设想。1806年，拿破仑在给他的兄弟、荷兰国王路易写的信中说："哥哥，如果铸钱的时候，我建议您使用与法国一样的单位，您的钱币一面印您的像，另一面印您的军队的徽标。这样整个欧洲的货币就统一了，这样对贸易有很大的好处。"在法兰西第一帝国时代，拿破仑又说："欧洲需要一部欧洲法典、一家最高法院、相同的度量衡和相同的货币。"法国货币随着法国军事的推进，延伸到荷兰、比利时、瑞士、意大利，如果不是滑铁卢战败，欧洲可能早就实现了货币统一。

拿破仑的这种远见，与其军事才能相比毫不逊色。无论是欧盟的形成、欧元的推出还是《欧盟宪法条约》[7]的问世，似乎都在按照拿破仑的设想一步步完成。

历史上先后出现过几个货币同盟，当时货币同盟的形成大都与经济依存度、生产要素的流动、交易成本等因素密切相关，是自然的需求。笔者接下来要谈论的货币同盟，又增加了一个货币霸权的倒逼因素，尤其次贷危机爆发后，区域国家出于对财富被洗劫的担忧，将加快货币同盟的形成。

我们不妨先看看历史上的货币同盟，然后，对次贷危机后的货币同盟的形态做出深入分析。

拉丁货币同盟。1865年，由法国皇帝拿破仑三世倡议，比利时、法国、意大利和瑞士四国在巴黎召开会议，意在欧洲实行统一的、普遍通行的铸币。四国签订了实行统一货币的协议，标志着拉丁货币同盟成立。根据协议，各国的基本货币保持原来的名称（除意大利外）都称为法郎，以法国的货币体系为基础，实行金银复本位制，主币的含金量都定为0.290 322 5克黄金或者4.5克白银，可以在各国间等值流通。主币为面值100、50、20、10、5法郎的金币，同时发行5、2、1法郎和50、20生丁的银币。根据规定，各国铸币在成员国范围内都可流通，并且各国的中央银行都必须无条件地承诺相互对换。

拉丁货币同盟于1866年8月1日开始生效。拉丁货币同盟为成员国之间的资本流通、金融往来和商业、旅游带来了很大的便利，欧洲各国都想把自己的货币与这种稳定的货币挂钩，以稳定币值。1866年教皇国加入拉丁货币同盟，西班牙和希腊于1868年加入。奥匈帝国、罗马尼亚、塞尔维亚、黑山、保加利亚、圣马力诺和委内瑞拉于1889年加入。

拿破仑甚至还有一个更大胆的设想，实行全球统一货币。1867年，拿破仑三世召开会议，讨论建立单一的全球货币体系问题。

但是，拉丁货币同盟对各国发行的纸币的数量不做规定，使得个别国家可以通过多发行纸币，向其他国家征收铸币税。尤其是第一次世界大战后，各国加印纸币应对庞大的军费开支，最终导致拉丁货币同盟的解体。1927年法国终止金本位制，并于次年颁布新货币法，拉丁货币同盟正式消亡。

显然，拉丁货币同盟的解体，在于其货币同盟的不彻底，即仅仅是铸币的同盟而非全部货币（铸币、纸币等）的同盟，同时，没有政治同盟的这一前提也使得货币同盟缺少一个重要的根基。

斯堪的纳维亚货币同盟（即北欧货币同盟）。它是由北欧国家瑞典和丹麦于1873年5月5日组成的货币同盟，挪威在1875年加入。同盟国实行金本位制，即各自的货币按票面值透过金价互相固定：货币与金价挂勾成每克金2.48克朗，或约每克朗0.403克金。货币同盟内流通等值的克朗，取代了三国原有的货币，各中央银行承诺无条件相互兑换，兑换率为：1丹麦元=2挪威元=4瑞典元。

斯堪的纳维亚货币同盟只固定各国货币的兑换率和稳定性，各国仍可继续发行各自的货币。1894年，挪威和瑞典央行达成协议，以平价无限制地接受对方的纸币，1901年丹麦亦加入。由于货币同盟提供的安全感，三国各自的货币甚至在整个北欧地区都被视为"法定货币"来流通。

斯堪的纳维亚货币同盟比拉丁货币同盟走得更近了一步，成员国发行了共同的货币。并且，成员国对纸币的相关接受和兑换削弱了各国中央银行纸币发行的独立性，最大限度地避免了成员国通过扩大纸币发行攫取铸币税的几率，确保了货币同盟内部的固定汇率。

如果不是第一次世界大战爆发，各国宣布纸币与黄金脱钩并纷纷禁止黄金出口，斯堪的纳维亚货币同盟很可能继续维持。

1914年，斯堪的纳维亚货币同盟解散。虽然三国至今仍然使用货币同盟时代的货币——克朗，但相互之间已没有挂钩。

除了这三个，还有大大小小十余个货币同盟，整体而言，货币同盟的发展在逐渐走向成熟。此后，货币区理论的提出，为货币同盟的成熟建立提供了更扎实的理论基础。

最优货币区理论首先是由"欧元之父"、1999年诺贝尔经济学奖得主蒙代尔于1961年提出的。蒙代尔当年在《美国经济评论》上发表了著名的"最优货币区理论"。他指出：所谓最优货币区指的是地理相近的两个以上的主权国家组成一个对内进行货币同盟、汇率固定，对外实行浮动汇率的经济区域。蒙代尔进一步解释说生产要素尤其劳动力高度流动的几个国家或地区是组成单一货币的最优货币区。

简而言之，所谓最优货币区，就是在一个货币区中，成员国在放弃各自的货币和汇率政策后，在维持对外平衡的同时，也不产生对内的通货膨胀或失业问题，这种状况就是最优的。最优货币理论是欧洲货币一体化的理论基础，对欧元的形成起了不可忽视的重要作用。

继蒙代尔之后，麦金农、凯南·英格拉姆、哈伯勒·弗莱明、托维尔·威利特、杜德·格雷威，以及保罗·克鲁格曼都对此做出过贡献，最后演化成"一个市场一种货币论"。

最优货币理论为货币同盟的形成提供了更丰富的理论支持，欧元的问世正是货币同盟发展到成熟阶段的产物。

货币同盟是抗击美元霸权的利器

次贷危机发生后，最早暴露出问题的国家分别是冰岛、巴基斯坦[8]、韩国[9]、乌克兰[10]、匈牙利，匈牙利由于有欧盟为后盾，得到了最及时的救援。而其他四国则由于孤身作战，处于极其艰难和危险的境地，尤其冰岛和巴基斯坦，几乎沦落到国家"破产"的地步。

当冰岛在次贷危机发生后表达出强烈的加入欧盟的意愿时，这其实发出了一个明确的信号：次贷危机给相关国家带来的恐惧感，正在加快区域经济合作与货币同盟的形成。

这一信号在韩国身上同样清晰地体现出来。韩国在四面楚歌的情况下，也想起了"组织"，韩国首尔政府向东亚邻国求援，提出总值800亿美元的货币互换方案。韩国总统李明博焦急地向中国和日本招手，要求联同东盟一起举行区域性峰会，商讨如何应付当前危机。

近年来，频繁发生的金融危机正在给许多国家带来越来越强烈的不安全感，在美元本位制下，风险都落在非关键货币的国家身上。关键货币国家存在一个机制，可以向其他国家和地区转嫁危机，而非关键货币国家想摆脱危机也摆脱不了。在这种情况下，组建货币同盟便会成为越来越多的国家的诉求。

对于那些未参与货币甚至经济合作的国家而言，不仅不能抱团迎接挑战，还有一个更大的弊端，那就是在外部环境发生恶化迹象时，争相实行本币贬值的政策，使得这些孤军作战的国家因困徒困境而自相残杀，加大金融风险。

非货币合作国之间的自相残杀，在东南亚金融危机中体现得淋漓尽致。事实上，东南亚危机本身就是从泰铢贬值开始的。1997年7月2日，泰国宣布泰铢与美元脱钩，实行浮动汇率制度。当天泰铢汇率狂跌20%。和泰国具有相同经济问题的菲律宾、印度尼西亚和马来西亚等国迅速受到泰铢贬值的巨大冲击。7月11日，菲律宾宣布允许比索在更大范围内与美元兑换，当天比索贬值11.5%。印度尼西亚政府也被迫放弃本国货币与美元的比价，印度尼西亚盾7月2日至14日贬值了14%。

据统计，在1997年7月至1998年1月的半年时间内，东南亚绝大多数国家和地区的货币贬值幅度高达30%～50%，贬值幅度最大的印度尼西亚盾，贬值幅度高达70%以上。

日元在东南亚金融危机以前即处于贬值轨道中，金融危机爆发后，贬值更快，1998年与1995年相比，日元累积贬值50%以上。日本通过日元的大幅贬值，提高其出口来提振经济。但日元的贬值引发了更严重的后果：一方面，给亚洲其他国家的货币带来沉重的贬值压力；另一方面，引发与其他国家之间特别是与美国之间的贸易战。因此，日本政府放任日元贬值的做法，被亚洲各国批评是以邻为壑，成为导致东南亚各国股市汇市连连下挫、东南亚金融市场加剧动荡的重要原因。

东南亚金融危机爆发的一个很重要的原因就在于相关国家没有能够协调行动，及时采取适当的对策来化解危机，而是互相残杀。

鉴于中国在亚洲的影响力，当时几乎所有的亚洲国家（包括日本）都劝说中国力挺人民币，避免人民币贬值，它们担心一旦人民币贬值，亚洲金融危机将发展到更黑暗更恐怖的阶段。

在未有货币同盟制约的情况下，中国顾全大局，不仅通过国际货币基金组织和双边渠道，向东南亚国家提供40多亿美元的资金支持，还坚守人民币不贬值的承诺。中国主动承担了巨大的困难和风险，对稳定亚洲金融秩序做出了巨大牺牲。

但类似中国这样的做法，在国际间只能靠自觉，而没有作为一种机制固定下来。**只有依靠货币同盟这样的组织，才能协调行动，共同抵御金融危机，抗击美元霸权。**

第一，在货币同盟之内，交易成本被降到最低，每个成员国都深深受益，收益远远高出成员国自身由于丧失汇率调控工具而带来的成本。

国际贸易中通常存在着换汇成本，一旦实行货币同盟，这种成本就不复存在。据欧盟委员会估计，由于实行单一货币而节约的换汇成本，占到欧盟1990年国民生产总值的0.4%。

另外，共同货币使得价格的比较变得容易，使得价格的透明度大大提高，价格歧视与暴利变得非常困难，这有利于促进贸易的开放度和金融的一体化，相应的，金融风险也会大大降低。

第二，有利于抑制通货膨胀，确保社会的稳定和经济的可持续发展。在全球化时代，通货膨胀是彼此影响的，单独一个国家难以真正抑制住通货膨胀，即使它自己不制造通货膨胀也难以躲开输入型通货膨胀的困扰。并且，由于缺乏协调和配合，一个国家抑制或化解通货膨胀的努力往往会被另外一个国家相反的政策抵消。

而在货币同盟中，比如，在欧元问世后，欧元区的货币政策由具有较强独立性的欧洲中央银行统一制定，首先从制度上消除了各国产生恶性通货膨胀的可能性。据测算，欧元问世后，仅通货膨胀降低给欧盟带来的好处就相当于欧盟GDP的1%～5%。而通货膨胀降低，同样有利于保持一个稳定的金融环境，能够增加抵御金融危机的能力。

第三，有利于消除投机。在浮动汇率制度下，由于各国缺乏协调，争相贬值货币的现象时常发生，给人们带来了某种货币升值或贬值的预期机会，这必然引来投机，因此，外汇市场买卖和资本流动经常被投机资金搅动，导致汇率围绕均衡值大幅度波动。而货币同盟一旦形成，单一货币取代了多国货币，或者多国货币相互之间的汇率被永久性固定，就会使得寄生于多国货币的投机土壤不复存在。这有利于减少乃至消除区域内的投机性资本流动，同样也有利于增强抵御金融危机的能力。

第四，风险分担机制增强抗御金融风险能力。在建立货币同盟后，原来由不同货币计值的存款、债券、股票等金融产品，由一种货币来计值，消除了过去因货币不同所造成的汇率成本，使得金融市场更好地融合为一体。

在欧盟，这一融合步伐早在1998年就已经展开。1998年7月7日，两家欧洲最大的股市，伦敦和法兰克福股票交易所，就联营事宜达成谅解备忘录。英德两大股市的强强联合揭开了泛欧股市一体化序幕。同年11月25日，卢森堡、比利时、荷兰三家股票交易所宣布正式结盟。11月27日，欧洲9国主要证券交易所的总裁在巴黎与会，赞同由阿姆斯特丹、布鲁塞尔、法兰克福、伦敦、马德里、米兰、巴黎和苏黎世8大股市组建"泛欧证券交易所"。2000年，泛欧证券交易所问世。

泛欧证券交易所的建立标志着欧洲股市一体化进程取得了重大进展，欧洲股市的实力与地位大大提高，2006年1月31日，泛欧证券交易所内交易的资产市值达到2.9万亿美元，成为世界上第5大交易所。

但是，2006年6月1日，纽交所买下泛欧证券交易所91.42%的股份，合并组成纽约－泛欧证券交易所。2007年4月4日，纽约－泛欧证券交易所正式成立，该市场成为全球最大的股票市场。纽约证交所成功并购泛欧证交所后，不仅坐拥纽约、巴黎、里斯本、阿姆斯特丹和布鲁塞尔五大证券交易市场，同时，并购泛欧证交所为纽约证交所取得欧洲交易时间，还为其带来包括衍生金融工具在内的更多业务。不能不承认，在金融博弈中，美国人总是技高一筹的。欧元区如果最终被美国打散，一定跟欧元国的短视有关。

第五，带来国际铸币税收益。任何一个国家想取得类似美国那样的铸币税收入几乎都是不可能的。但是，一个共同货币区一旦建立起来，由于依托更大的经济规模，具有更强的抗风险能力，货币的稳定度大大增强，其在国际货币格局中的地位将远远超过货币同盟建立之前的各种货币之和，相应的，它也有更大的几率成为国际货币。而一旦成为国际货币，货币同盟内持有的外币（比如美元）会减少，而非货币同盟国持有的本区货币则会增多，同时，该货币区可以以更低的利率发行债券，这相当于增加了国际铸币税收益。

欧元的问世就在给欧元国带来滚滚铸币税收益，当然，这种收益某种程度上也是对美元国际铸币税的挤压。

第六，降低外汇储备。持有外汇储备不仅面临汇率风险，也面临着非常高的机会成本。而货币同盟形成后，减少了对美元国际储备的依赖，原来用于干预汇率的国际储备需要量也会减少，这可以大大降低成员国的平均国际储备，从而降低风险，提高外汇的收益率。

因此，无论是从内在需求来看，还是从美元霸权的倒逼来看，货币同盟的形成都在加快，自然，"棒打鸳鸯"也成为美国维持美元霸权的必然选择。

注　释

1. 迈克尔·赫德森. 超级帝国主义. 2版，中央编译出版社，2008。
2. 陈柳钦. 美元化的宏观经济政策效应分析和我国政府的防范措施. 现代国际关系，2005（2）。
3. 秦凤鸣. 从阿根廷货币危机看美元化的命运. 拉丁美洲研究，2003（1）。
4. 张宇燕. 美元化：现实、理论及政策含义. 世界经济，1999（9）。
5. 同第2条。
6. 2007年12月9日，阿根廷、巴西、巴拉圭、玻利维亚、厄瓜多尔和委内瑞拉6国领导人在布宜诺斯艾利斯正式签署协议，宣告南方银行成立。南方银行的倡议者之一、委内瑞拉总统查韦斯称，成立该银行是对抗以美国为首的国际金融体系的有效步骤，它可以帮助南美国家摆脱对发达国家的经济依附。
7. 《欧盟宪法条约》是欧盟的首部宪法，其宗旨是保证欧盟的有效运作以及欧洲一体化进程的顺利进行。2004年6月18日，欧盟25个成员国在比利时首都布鲁塞尔举行首脑会议，一致通过了《欧盟宪法条约》草案的最终文本。同年10月29日，欧盟25个成员国的领导人在罗马签署了《欧盟宪法条约》。但法国和荷兰两个欧盟创始成员国在2005年的全民公决中否决了该条约，迫使欧盟延长批约期限，欧盟首脑会议决定延长《欧盟宪法条约》批准期限。
8. 巴基斯坦被视为全球违约风险最大的国家。巴基斯坦外汇储备从2008年6月底的112亿美元降低到9月底的81.4亿美元，为历史最低值。巴基斯坦政府内债总额达460亿美元，外债总额剧增到463亿美元。而2008年底的到期外债就已达到30亿美元。评级机构标准普尔质疑巴国债务偿还能力，2008年10月初将巴基斯坦债信级别下调到CCC＋，即仅高于破产的评级。"屋漏偏逢连夜雨"，巴基斯坦卢比又频频贬值，至2008年10月已贬值21%，巴国通货膨胀也高达25%。

9. 韩国的经常项目逆差在亚洲国家中是最高的，其银行的贷存比率在亚洲国家中也是最高的，达到136%，大大高于亚洲82%的平均水平。亚洲贷存比率排名第二的印度尼西亚为95%。投资者匆忙逃离韩国市场，导致该国主要股指韩国综合指数大幅回落，韩元兑美元汇率也跌至10年低点。尽管韩国外汇储备仍然高达2400亿美元，但受累于短期流动性不足，2008年10月中旬，标准普尔仍把韩国7家银行纳入"信用观察"名单，这进一步加深了市场疑虑。除此之外，韩国经常项目逆差也位居全亚洲之首。据有关机构统计，2006年年初，韩国外债规模为800亿美元左右，但2008年韩国外债规模已经接近了1800亿美元。除此之外，像美国一样，韩国的消费者和企业也存在过度借贷问题。

10. 受次贷危机影响，乌克兰主要股指在2008年以来的跌幅超过了70%。乌政府不得不下令限制银行储蓄账户取现，并接管了数家银行，但并未能有效控制危机。国际著名评级机构惠誉于2008年10月17日下调了乌国家信用评级。惠誉称，乌金融危机加剧、本币贬值、银行压力加大、实体经济严重受损的风险正在加大。不仅金融危机四伏，乌克兰政局也动荡不安。

人民币突出重围

■一位日本经济学家说："美元兑日元的单独贬值，使得日本的经济损失与整个第二次世界大战中日本的损失相当，并且使日本陷入长达十几年的经济低迷。"

■在欧洲相关国家通过结盟、通过建立货币同盟构建起抗衡美元霸权的力量之后，其他国家倘若不采取相应的对策，无疑将承受更沉重的压力。那么，中国企业和人民币的突围之路在哪里？

■人民币升值之路也是中国相关企业疼痛之旅，升值越快，相关企业受伤越深。这一切都与人民币的国际地位相关。在国际货币食物链低端的货币及其代表的财富，往往受到居于高端的霸权地位货币的掠夺。因此，人民币的突围之路同时也是中国企业的突围之路。

■如果把国际货币比作一个长长的食物链，那么居最高端者春风得意、如鱼得水，居低端者遭致欺凌和掠夺。当然，这种欺凌和掠夺并不仅仅局限在货币这一条食物链条上，而是通过货币向其代表的财富延伸。也正因此，在人民币升值过程中，中国的制造企业才深感利润被压缩之痛。

■现阶段人民币对外结算仍面临着一些绊脚石，比如，用人民币结算长期无法享受出口退税就是一大障碍。在世界上许多国家想让人民币成为结算货币的情况下，中国放着这么好的机遇不去抓，却只能眼睁睁地看着人民币因为出口退税政策的一个瑕疵而受阻，且连续十几年都如此，是令人痛心的。

美国这样打垮日元和英镑

次贷危机后，有关重塑国际货币秩序的呼声渐高。但是，我们必须认识到，新的国际体制的形成不可能再重演1944年的一幕，即由多个国家的政府在会议上确立以哪种货币为中心，而应该是通过国际间的合作、碰撞与博弈来逐渐改变目前的国际货币格局。在这一过程中，中国应该积极主动，而不是消极地坐等机会。实际上，在货币地位的确立问题上，机会都是争取来的。

美元的强势霸权地位催生出了欧元，为自己培养了一个头痛的对手。但是，欧元的区域性和狭隘的局限性，及欧盟各国之间并非铁板一块的合作关系，使得美国依然可以通过霸权货币地位，肆意地掠夺财富。对于这次次贷危机，欧盟国家同样是受害者——既是次贷危机的受害者，也是次贷危机爆发伊始前往美国抄底被套的受骗者。但同时，欧盟与美国之间本身又有着千丝万缕的联系，存在着合作关系。

单独一种牵制力量是难以撼动美元的霸权地位的，更何况，欧盟在很多时候也与美国合作，以欧元为屏障跟在美国后面分一杯羹。**只有三足鼎立，才能形成一个互相牵制和制衡的国际货币新秩序。**

美元不负责任的贬值，正在严重损害美元的信誉度。仅2002~2005年间，美国债务性国际收支逆差累计高达24 682亿美元，而同期净对外债务仅增2068亿美元，这意味着22 614亿美元债务性逆差都被美元贬值的资产负债效应抵消。

次贷危机作为全球财富一次空前的大洗劫和大分配，在为美国大规模"减免"债务、劫掠巨额财富的同时，也在快速地损耗美元的信誉。

事实上，每次金融危机过后，美国在通过金融战争获取丰厚的战利品后，都会丧失一部分构成其金融霸权基础的信誉与权威。远的不说，只谈最近的。1997年的亚洲金融危机使得亚洲国家对美国怨声载道，马来西亚总理马哈蒂尔呼吁把亚元变为现实。而1999年的巴西金融危机和2001年的阿根廷金融危机，则直接导致巴西与阿根廷决定从2008年10月3日起，双边贸易结算不再使用美元。

那么，目前，除欧元之外，谁最有希望成为另外一足？目前，有希望成为另外一足的备选货币有三种：

一是日元。日元曾经非常强势。日本虽然到1984年才实行标志着基本放弃资本流动管制的撤销远期外汇交易的"实需原则"和允许非居民外汇自由转换本币。但是，日本出口企业为了规避美元贬值的风险，在此之前就已经执行起对外结算的职能。在进出口方面，以日元计价结算的比重在1980年就已占到出口的28.9%。

暴富的日本在美国大肆收购，仿佛要把美国买走的势头让美国人忧心忡忡，他们惊呼："日本将和平占领美国！"同时，日元也伴随着日本经济的崛起而备受世界青睐，到1990年，世界各国央行持有的日元资产比例已经高达10%。

为了灭掉这个可能挑战美元霸权地位的潜在对手，美国通过三个回合的战斗，摧毁了日元的国际影响力。

第一回合：广场协议+制造泡沫和捅破泡沫。1985年9月，美国财政部长詹姆斯·贝克、日本财长竹下登、前联邦德国财长杰哈特·斯托登伯、法国财长皮埃尔·贝格伯、英国财长尼格尔·劳森等五个发达工业国家财政部长及五国中央银行行长在纽约广场饭店，签署了旨在联合干预外汇市场、使美元对主要货币有秩序下调以解决美国巨额贸易赤字的"广场协议"，要求日元与马克大幅升值以挽回被过分高估的美元价格。

"广场协议"签订后，各国疯狂抛售美元，导致美元持续大幅度贬值，而日元则急速升值。在"广场协议"生效后不到3个月的时间里，日元汇率从1美元兑250日元升值到1美元兑200日元附近，升幅高达20%。1986年年底，1美元兑152日元，1987年最高达到1美元兑120日元。从日元对美元名义汇率看，1985年2月至1988年11月，升值111%；1990年4月至1995年4月，升值89%；1998年8月至1999年12月，升值41%。从日元实际有效汇率看，1985年第一季度至1988年第一季度，升值54%；1990年第二季度至1995年第二季度，升值51%；1998年第三季度至1999年第四季度，升值28%。[1]

一位日本经济学家说："美元兑日元的单独贬值，使得日本的经济损失与整个第二次世界大战中日本的损失相当，并且使日本陷入长达十几年的经济低迷。"

包括美国在内的投机资金大量涌入日本，买股票买房产，坐享日元快速升值带来的财产倍增收益，迅速放大了日本的股市和楼市泡沫。1989年12月，东京交易所最后一个交易日的日经平均股指高达38 915点，这也是投资者们最后一次赚取暴利的机会。国际投机资金在日本开始实行紧缩货币政策后高位套现撤离，导致日本股市和房价暴跌，陷入长达十几年的衰退期，几乎一蹶不振。

尽管如此，日元的影响仍未被彻底根除。1995年，迪安·库兹预言道：世界将分为以美国为首的美洲、以德国为首的欧洲和以日本为首的亚洲三极，美国将来为了做生意，将不得不将美元先换成日元然后再购买亚洲国家的商品。

既然日元风韵犹在，何不再打一棍。

第二回合：东南亚金融危机。

东南亚金融危机，日本最痛。日本人把东南亚爆发金融危机称为"日本的后院起火"。为何？东南亚地区是日本最大的出口商品市场之一。东南亚金融危机爆发前的1996年，日本对泰国、马来西亚、印度尼西亚、菲律宾和新加坡5国的出口总额达7.941万亿日元，占日本出口总额的17.3%。若加上东南亚其他国家和地区，分别高于日本对美国和欧盟的出口额。同时，东南亚也是日本最重要的进口商品来源，1996年，日本从东南亚5国进口的商品总额达6万亿日元，占进口总额的15%。

日本与东南亚国际的金融联系更为密切。以1996年度为例，日本对印度尼西亚，马来西亚、菲律宾和泰国4国的贷款余额达693亿美元，占日本对外融资余额的40.9%。

当以美国投机资金为主体的热钱洗劫东南亚时，日本苦不堪言，日本北海道地区最大的银行拓殖银行宣布破产，标志着日本金融所遭受的伤害已经深入其骨髓。

经过这两个回合，日本的财富大幅缩水，日本经济陷入漫长的萧条期，加之日本在东南亚危机中为了自保，不断加速日元贬值，使得日元信誉大大降低。到2006年，各国央行持有的日元资产比例已下降至5%以下。

美国次贷危机，再加一把火，日元的地位每况愈下。

来自国际货币基金组织的统计数据表明，截至2007年年底，日元占世界外汇储备的比重已经降到了2.9%。日本股市也持续低迷，2008年10月28日，日经指数又创下6994.9的近年新低。

日元难以担当第三货币的重任。

另一个被寄于厚望的自然是英镑了。

英镑曾经拥有今天美元那样的霸权地位。美国的经济实力早在19世纪90年代就已经超过英国，到1913年，美国的工业生产总值占到了世界工业总产值的1/3，超过了英国、法国、德国、日本四大强国之和。但是，世界金融中心却掌握在英国人手中，在美英两国的博弈中，英国以金本位制为防线，捍卫其金融领导者的地位。一直到1925年，英国还重新确立金本位，试图继续维持其世界经济领导者的地位。

帮助美国取代英国世界经济领导者地位的是1929年的世界经济危机。研究经济史，我们会发现一个有趣的现象，几乎每一次战争、每一次金融危机或经济危机过后，美国都从中深深受益，并因此再上一个台阶。

第一次世界大战将美国从债务国变为债权国的时间表大大提前；1929年开始的大萧条一劳永逸地摧毁了以金本位和自由贸易为标志的英国领导下的国际经济体系，美英两国相继放弃金本位，对自己的货币进行贬值，这为美国的崛起省去了"破旧"之力；第二次世界大战的爆发则完全剥夺了在20世纪30年代与之分庭抗礼、构成美国霸权之路最大外部挑战的英国在未来抗衡美国的资本。1940年夏天，法国的沦陷标志着英国传统均势外交的失败，德国、意大利和日本同时发出挑战，英国最终不得不向美国求救，将霸主地位拱手相让。《布雷顿森林协议》签订后，将美国推向了主宰整个第二次世界大战后国际金融世界的地位。[2]

尽管美英两国有着特殊的关系，但是在争夺货币霸权方面美国向来毫不手软，正所谓"卧榻之侧，岂容他人酣睡"，让潜在对手消失在视野之中，才能让霸权的主导者高枕无忧。

实际上，美英的博弈从来没有停止过，但结果是美元步步紧逼，英镑节节败退。到1992年那一仗，已经不用美国政府出手了，索罗斯凭借他带领的国际投机资金，就把英镑逼入绝境。

1992年8月，索罗斯以5%的保证金方式大量抛空了相当于70亿美元的英镑，并吸引大批国际炒家紧随，最终迫使英国不得不放弃固定汇率，退出欧洲货币体系。此战让索罗斯一举成名，英镑的地位继续下降，甚至连成为美元潜在对手的资格也丧失，同时使得欧元货币体系由于英镑未纳入其中而减小了对美元的威胁。

这次的次贷危机，同样给英国带来巨大冲击，它自顾不暇，哪里还能担当美元的潜在挑战者呢？

那么，接下来就是人民币了。

人民币在底端挣扎

如果把国际货币比作一个长长的食物链，那么盘踞最顶端的无疑是美元，欧元问世之后上升至第二位，而长期处于固步自封状态的人民币，则位居低端。

居最高端者春风得意、如鱼得水；居低端者遭致欺凌和掠夺。当然，这种欺凌和掠夺并不仅仅局限在货币这一条食物链条上，而是通过货币向其代表的财富延伸。也正因此，在人民币升值过程中，中国的制造企业才深感利润被压缩之痛。

这一切都决定着人民币除了突出重围、化蝶为国际货币，已经无路可走。

人民币升值过程中，伴随着出口企业难以承受的痛苦，这一阶段早在汇改前就已经开始。

2003年8月5日，《中国经济时报》刊登了一篇名为《出口企业担忧：人民币升值将使它们迅速亏损》的报道，其中提到：

如果人民币升值，对江浙地区一些小作坊型的企业，带来的打击是毁灭性的，而纺织行业有70～80%的企业都是这种类型的中小民营企业。他们用总资产的40～50%去购买原材料，赚取5～6%的利润。这些低附加值的产品利润值较低，报价值也较低。"如果人民币升值5～6%，这些企业要么是赔本赚吆喝，要么就是关门倒闭"。

2005年汇改后，人民币升值步伐大大加快。我们不妨先看看人民币的升值历程：

2005年7月21日：央行宣布人民币对美元汇率一次性升值2.1%，此后人民币汇率不再盯住单一美元，开始实行浮动汇率制度。随后，人民币对美元汇率先后突破8.1、8.0关口，2005年升值幅度达3%。

2006年1月4日：人民币汇改更进一步，央行引入询价交易方式和做市商制度，改进了人民币汇率中间价的形成方式。

2006年5月15日：人民币汇率中间价首次"破8"。9月28日，人民币汇率中间价突破7.9元大关。2006年全年人民币升值5%。

2007年1月11日：人民币对美元突破7.8关口，13年来首次超过港币。

2007年5月：人民币升破7.7大关，同期央行将人民币对美元汇率的日波幅从±0.3%扩大到±0.5%，人民币升值驶入"快车道"。

2007年10月24日：G7财长会议举行后，人民币突破7.5，全年升值6.5%。

2008年一季度，人民币升值超过4%，4月10日，人民币对美元汇率中间价首次突破7.0。6月17日，人民币对美元汇率中间价自汇改以来首次突破6.9。

至此，人民币自汇改以来已升值17.67%。

一些出口型企业已经不堪升值带来的巨大压力，有的被迫停止所有出口，转做内销——从针对海外市场向针对国内需求转型。

在推动经济发展的三驾马车：消费、投资和出口中，我国的内需不振，主要依靠投资和出口（在2006年之前的15年中，我国固定资产投资和出口合计约占到GDP总值的80%），我国经济对外依存度比较高，不仅企业对人民币升值非常敏感，整个经济运行体系对人民币升值因素都非常敏感。

那么，人民币升值何以对企业造成如此巨大的杀伤力呢？

从货币角度来看，这一切都源于本币对外结算地位的缺失，而这又是因为人民币未取得国际货币地位，未能获得相应的话语权。由于人民币未执行对外结算货币职能，而多采用美元等国际货币结算，导致国内企业不得不承担汇率变动风险。在人民币升值过程中，汇率变动风险变得难以逃避。

所谓人民币执行对外结算货币职能，是指我国进出口合同（包括商品与服务）采用人民币计价结算；同时，为了结算的顺利进行，我国应允许非居民（主要是银行）在境内银行持有人民币存款账户以便进行结算。

如果让人民币成为国际结算货币，上述困扰则迎刃而解。人民币成为结算货币，可以减少对美元的依赖，使国内企业更好地规避汇率风险，降低汇兑成本，加快企业结算速度，提高资金使用效率。同时，也能增强我国在国际金融市场的资源配置能力，使国内商业银行获得新的业务发展空间，提升国内银行的金融创新能力和国际竞争力，推动我国金融机构在世界上迅速发展。而且，人民币的铸币税和储备货币职能的扩大，也将有效提高人民币的地位和作用，增强我国商品在国际上的竞争力，增强我国在国际经济金融中的地位和作用。

那么，如何让人民币成为结算货币呢？

2008年10月，美国纽约廖氏投资咨询公司总裁、金融学家廖子光在接受中国媒体采访时说："我提议官方应该宣布，凡是与中国进行的贸易，都需要以人民币结算。包括中美之间的贸易，也要由人民币来结算。这是主权问题，不需要签合同，不需要与别人商量。这样，就可以摆脱美元霸权的控制。而且，这样做更重要的目的是利用主权信贷来发展经济。现在，美国金融危机对我们来说是个好机会，因为很多人感觉美元不可信，因此接受人民币的人会增多。而且，通过这种方式，我们可以摆脱对美元也就是对外资的依赖，转而依靠主权信贷来发展经济，提高就业率和工资，培养内需。我们那么大的国家，不需要依靠那么高的出口量。一个健康的经济，出口依赖程度不应该超过30%。"

记者又问："用人民币来结算外贸，这是否意味着人民币的国际化？"

廖子光说："我不是这样提倡的，这和人民币的国际化不同。我只是主张，对于中国的贸易，中国有权使用人民币来结算，而且是通过政府命令的方式，要求外贸相关方这样做。在技术上很快可以建立人民币结算机制，可能只需要两个星期。"[3]

廖子光著有《金融战争——中国如何突破美元霸权》一书，笔者曾专门向读者介绍过这本书。

廖子光的建议源于巴西与阿根廷的做法，从2008年10月3日起，阿根廷和巴西的双边贸易结算将不再使用美元，而以本国货币比索和雷亚尔替代。但是，廖子光的建议需要有一个重要的条件：首先允许非居民（主要是银行）在境内银行持有人民币存款账户，如果不开放非居民结算账户，非居民就不会用这种货币进行贸易结算，政府命令的方式也无法达到强制性让人民币成为贸易结算货币的目的。

这牵涉到货币自由兑换的问题。本国货币执行国际结算货币职能属于货币的经常项目[4]可兑换范畴。货币自由兑换是指在国际经济活动中某国货币的使用不受限制，且可兑换成外国货币。从世界各国的经验看，实现货币自由兑换一般要经历两个阶段：第一阶段，实现经常项目自由兑换；第二阶段，实现资本项目[5]自由兑换。

实现人民币风险与机遇共存，需要相关条件的成熟，比如国内经济的健康发展、合理的汇率机制、健全的宏观经济政策、健全的金融体系和金融市场、良好的国际收支状况、成熟的监管等，不然，就容易为热钱的进出创造条件，带来金融风险。但是，目前的严峻现实是，即使没有人民币的自由兑换，热钱依然在通过各种途径进入中国，监管难题并不比自由兑换条件下的少。次贷危机这样的金融灾难依然在给中国带来伤害，与其固步自封，不如积极完善监管等条件，让人民币自由兑换，为人民币成为国际货币创造条件。

为人民币松绑

早在2003年年底，德国前总理施密特就大胆预言：到2030年，全球将形成美元、人民币和欧元共同支撑的三大货币格局，全球金融稳定性和可持续性将主要依赖于美联储、中国人民银行和欧洲中央银行，而且取决于三者之间合作的程度如何。

这是一种颇有远见的展望，也可视为一个建议。

但是，人民币走向世界之路颇为曲折。

1948年12月1日，中国人民银行正式成立，同日发行了人民币。

当时，中国做了三项决定：

一是明令禁止金银、外币在市场上流通。当时政府认为，第二次世界大战后美国一度拥有世界黄金储存量的80%以上，并通过黄金买卖左右其他国

家的货币的币值。因此，决定取缔金银自由市场，截断与国际金银市场的联
系，使人民币的币值不受国际市场黄金价格自由涨落的影响。同时，国家对
金银产销实行严格的计划管理，人民银行统一经营金银的收售兑换。取缔外
国银行在中国享有发行货币和垄断中国外汇经营的特权，按国际国内市场情
况确定人民币对外国货币的比价。

二是在禁止外币流通的基础上，国家规定一切外汇收支、国际结算等一
律由中国银行办理。

三是禁止人民币出境。1951年3月6日，中央人民政府政务院公布《中华
人民共和国禁止国家货币出入国境办法》，禁止国家货币出入国境，凡携带
或私运国家货币出入国境者，一律没收。

这种严格的限制性措施是在当时特定的背景下出台的。改革开放后，
随着中国与世界经济交流、融合步伐的加快，相关限制性措施不断进行了
调整。

1987年公民携带人民币出入境限额调整为200元。1990年，北京举办亚
运会期间，将携带人民币的限额调整为2000元，但此规定在亚运会结束后随
之被取消。1993年，《中华人民共和国国家货币出入境管理办法》公布后，
人民银行将人民币出入境限额调整到每人每次6000元。从2005年1月1日起，
出入境限额由6000元调整为20000元。

人民币走向国际化是现实的需要。人为的阻止只会使其无序的流动变得
更加汹涌。据报道，在某些边境地区，地下钱庄成为无法回避的风景，大量
人民币在地下的无序流动，使得人民币的海外流通规模难以确切统计，更难
以管理。面对现实需求，放宽有序流动的渠道，向人民币自由兑换的最终目
标靠拢，已经成为势在必行的政策选择。

1999年1月1日，欧盟单一货币欧元正式问世，给中国很大的震撼。欧
元如果攀上国际货币食物链的顶端，处于底端的货币无疑将承受更大的强
权货币转嫁而来的各种成本。人民币国际化，首先是区域化之路就成为必
然的选择。

而且，在我国外汇储备持续快速增长、国际收支顺差持续增大的情况下，适当放宽人民币出入境限额，将能使部分国际资本兑换成人民币，从而在一定程度上缓解人民币升值压力，至于国际铸币税之类的收益，更是水到渠成。

外因倒逼，内因推动，促使人民币走向国际化。

2000年5月，东盟"10＋3"财长在清迈共同签署了建立区域性货币互换网络的协议，即《清迈倡议》。该倡议决定扩大东盟原有货币互换网络的资金规模，并号召东盟国家及中、日、韩在自愿的基础上，根据共同达成的基本原则建立双边货币互换协议，以便在一国发生外汇流动性短缺或出现国际收支问题时，由其他成员集体提供应急外汇资金，以稳定地区金融市场。《清迈倡议》的通过与实施标志着东亚金融合作取得实质性进展，对增强本地区的金融稳定发挥了积极的作用。

截至2008年初，在"清迈倡议"框架下，"10＋3"各国之间已签订16个货币互换双边协议，涉及800多亿美元的外汇储备。《清迈倡议》问世以来，有关协议设定的最高贷款额度至今仍未使用。[6]

"10＋3"各国目前的外汇储备总计约3.4万亿美元。《清迈倡议》对于防范金融危机、推动进一步的区域货币合作具有深远的意义。[7]

根据2000年5月通过的《清迈倡议》，中国人民银行与泰国银行于2001年12月6日在北京签署了"中泰双边互换协议"。2002年，中国人民银行先后与日本银行、韩国银行和马来西亚中央银行签署了双边货币互换协议。2002年6月17日，中国和尼泊尔签署双边结算与合作协议，中尼双方之间的贸易往来可用人民币结算。同年8月22日，中国人民银行与俄罗斯联邦中央银行签署了"关于边境地区贸易的银行结算协定"。

2004年，中国人民银行分别与蒙古中央银行和朝鲜中央银行签署了有关边境贸易的银行结算协定，并与俄罗斯联邦中央银行就边贸银行结算协定签署纪要，扩大了边境贸易银行结算的范围。2004年2月和8月，中国香港和澳门特区的银行正式开办个人人民币存款、汇款和兑换业务。

2003年2月，新华社驻越南记者发回的报道说："在越南首都河内，市中心的河边上看到有20多个越南人在那里专门从事人民币兑换，看到中国人就用不太标准的中文说：'人民币换钱。'目前，人民币在边境地区流通的最多，另外在北部，河内、海防、下龙湾包括南部胡志明市也可使用。"

这是人民币区域化的一个缩影。人民币开始担当起了"区域结算货币"的职责。2004年12月，中国人民银行发布的报告指出，人民币在俄罗斯、蒙古、越南、缅甸、尼泊尔等周边国家已成为边贸结算的主要币种，这些周边国家对人民币的需求不断增加。

但是，有一点须要强调，新闻报道中经常提到的，人民币承担的"区域结算货币"功能并非真正意义上的对外结算货币职能。因为我国的边境贸易许多都是现金结算，而现金结算并不表明人民币执行了对外结算货币的职能。因为，人民币用于计价结算的结果应该是非居民在本国银行中持有的人民币账户存款额的变动，而非媒体报道的现金的变动。如果非居民在我国可以自由进行资金交易，那么，人民币作为计价结算货币的吸引力就会大大增加。

除掉绊脚石

人民币执行对外结算货币职能是人民币国际化的必走之路。

当年的日本就是这样做的。1970年前后，日元升值，而美元贬值，日本出口企业不堪忍受，为了规避汇率风险，日本将出口计价货币由美元改为日元。

事实上，如果我们允许非居民（主要是银行）在境内银行持有人民币存款账户，非居民就可用人民币进行贸易结算，这一步完成后，再像廖子光先生建议的那样，由政府宣布"凡是与中国进行的贸易，都需要以人民币结算"就具有了一定的可行性。

但是，现阶段人民币对外结算仍面临着一些绊脚石，比如，用人民币结算长期无法享受出口退税就是一大障碍。根据国家税务总局1994年印发的《出口货物退（免）税管理办法》，办理边境小额贸易出口退税必须提供收外汇的"出口外汇核销单",而人民币结算只能办理"出口收汇核销单",无法享受出口退税政策。

货币政策这个瑕疵,是影响我国企业把人民币作为对外结算货币的重要原因。

我们知道,出口退税政策的目的是鼓励出口,使产品以不含税成本到国际市场上竞争,而人民币只是支付货币形式的不同,它理应享受出口退税政策。根据国家外汇管理局的规定,边贸企业与毗邻国家的企业或其他贸易机构之间进行边境贸易时,可以以可兑换货币或人民币计价结算。

但是,用人民币计价结算与出口退税政策未能实现对接,用人民币结算意味着中国企业将承受出口退税的损失。令人惊诧的是,虽经多方呼吁,这种弊端依然存在数年。

这导致了两个不良后果。

第一,导致企业经营成本增加,商品出口竞争力下降,制约了我国边境贸易的快速健康发展。据悉,多达85%的云南边境小额贸易出口货物,由于未能享受国家出口退税政策而含税进入周边市场,大大降低了中国产品的出口竞争能力,这导致中国商品在周边市场占有份额在逐步降低,如缅北重镇曼德勒中国商品的市场占有率由1992年的50%,一直降到2002年的20%以下。云南省边贸出口规模近年来未能实现大的突破,其中一个重要原因就是边贸出口以人民币结算不能退税。[8]

另外,相邻国家的出口产品都不含增值税,而中国商品却须缴纳平均约14.8%的增值税,并且其中85%因用人民币支付而享受不到退税,这导致我国同样的产品,其成本比其他出口国高出一大截,竞争力被削弱。

无奈之下,一些企业为了办理退税,宁愿在价格上让步也要求外方支付美元。然而,在主要贸易国,如缅甸,政府对外汇管制极严,不允许在境内自由买卖、兑换外汇,并且外汇国家牌价又与市场兑换价相差悬殊,因此,外方往往选择通过地下中间商将本国货币兑换成美元交给中方企业。这样一来,外方在兑换时汇率波动大,兑换成本高,而中方收汇也只能通过一些不规范的操作进行，风险很大——两方不得利。[9]

第二，不利于人民币国际化和人民币在周边国家地位的巩固。人民币周边化、并逐步成为中国－东盟自由贸易区的区域性货币应该是我国参与自由贸易区建设的目标之一。人民币在周边不少国家已被作为通常使用的结算货币。越南规定，对中国的出口货物，中方支付人民币后允许越方企业办理出口退税，鼓励使用人民币。我方出口收人民币后不能享受出口退税政策，不仅增加企业经营成本，而且在一定程度上制约了人民币在周边国家的使用和流通，与我国参与中国－东盟自由贸易区建设、致力于人民币区域化的目标也不相适应。[10]

其实，人民币在区域内流通具有天然的优势。以云南与周边相邻三个国家的贸易交往为例，缅甸、老挝、越南三国均属不发达国家，外汇储备不足，企业无力在边贸中使用美元支付；而缅币、越南盾、老挝吉普币值低，极不稳定，双方企业都不愿以之作为计价和结算货币，人民币成了最主要的流通货币。对于中方支付给外商的人民币货款，外商往往把它存入自己在中国境内中资商业银行的账户上，便于支付。

相关数据更能说明问题。在对缅边贸中，中缅双方进口与出口的业务结算大多在中国境内中资银行进行；在对越南的边贸中，中方与越方的商业银行互开结算账户，90%以上通过边贸人民币账户采用银行汇票、边境贸易结算专用凭证等方式结算。海关所显示的美元统计数（除有收外汇的贸易外），其余绝大部分是边贸企业报关时，海关以国家外汇牌价折算成美元后纳入进出口金额统计。

事实上，人民币在缅甸、越南、老挝等周边国家的边境地区已成为硬通货。十多年的边贸使人民币逐步周边化，人民币在上述三国信誉好、地位高，在三国的北部地区已成为与该国货币同等地位的重要流通货币。[11]

在世界上许多国家想让人民币成为结算货币的情况下，中国放着这么好的机遇不去抓，却眼睁睁地看着人民币因为出口退税政策的一个瑕疵而受阻，且连续十几年都如此，是令人痛心的。

这一问题目前还处于计划解决阶段。

2008年10月31日，中国财政部表示，中国计划对一般贸易以人民币结算办理出口退税，以促进出口。财政部公布公告称，优先考虑在边境地区扩大试点。

在现阶段，尤其是在次贷危机严重影响中国出口的情况下，对一般贸易以人民币结算办理出口退税是抵消相关负面影响、提高我国产品竞争力、扩大市场占有份额的重要举措，它不应该仅仅以试点的形态出台，步伐完全可以迈得再大一点。

须要强调的是，以上提到的对外结算货币职能还仅仅局限于与中国有服务贸易往来的经济体，还不是真正意义上的国际结算货币，国际结算货币是在中国之外的国家之间也能进行结算的。中国下一步的目标应该是在东南亚、非洲等相关国家让人民币成为区域结算货币，然后，逐渐让其成为储备货币，一直发展到国际货币。

在今天看来，这或许是一个曲折的过程。但是，在货币战争时代，在利用金融工具可以悄然劫掠财富的时代，让人民币成为国际货币是捍卫国民宝贵财富的最佳选择。

在这方面，中国应该展现出信心。事实上，一旦开放非居民人民币贸易存款账户，就使得人民币变成国际储备货币有了一定的可能性。

学界认为，一种货币要成为国际储备货币一般要具备四个条件：第一，完全可兑换并被广泛接受；第二，金融市场应具有广度和流动性，或者有开放和有深度的金融市场；第三，货币价值具有一定的稳定性；第四，在国际金融和贸易中有较大的交易量。

但是，日本在不具备前三个条件的情况下，就成为了国际储备货币。根据1980年的《国际货币基金年报》，日元在1976年时已经占世界外汇储备的2%，但是，日本宣布取消外汇管制的时间是1979年，而实际执行是在1980年。可见，日元在远未满足"完全可兑换"的条件下就变成了储备货币。1976～1980年，在世界各国的外汇储备中，日元的比重由2%提高到4.5%，而在这一时期日本不仅没有开放金融市场,而且还实行着严格的外汇管制。日本对金融市场的封闭遭到西方国家的一致抗议,因而有广场协议的产生。可见,日元在成为国际储备货币之后也没有实现第二个条件。日元在成为储备货币的初期存在着较严重的通胀。日元不仅对内通胀严重,对外的价值也不稳定。从20世纪70年代(史密森协议前)初算起至90年代中期,日元从1美元兑换360日元,25年间升值至80日元,然后又跌至130日元,波动幅度之巨可以想象,但这并不妨碍日元成为国际储备货币。关键是要开放境外非居民本币贸易存款账户,如果一种货币不允许境外非居民持有本币存款账户,那么这个国家的货币(例如人民币)不能成为国际储备货币。[12]

德国前总理施密特对美元、人民币、欧元三足鼎立的预言,乃是对人民币发展前景的一种展望。中国应该有足够的勇气和信念,护送人民币一步步走向国际货币的舞台。

目前,中国香港与澳门地区的一体化进程由于汇率同盟的初步建立日益成熟,我们可以在此基础上,加快人民币与港元两种货币的自由兑换进程,形成人民币与港币的固定汇率,建立起人民币与港币的一体化。然后,再沿用这种做法,实现人民币与新台币的一体化。最终建立起人民币、港币、澳币和新台币融合的共同货币区,就可以缩短人民币国际化的路程。

在货币被作为战争工具的时代,要么走出去,让货币成为国际货币,分取铸币税等收益,要么就独守一隅,最忌讳的就是在两者之间来回摇摆。

注 释

1. "广场协议"对日本经济的影响及启示. 国际经济评论, 2004 (1)。

人们通常将有效汇率区分为名义有效汇率和实际有效汇率。一国的名义有效汇率等于其货币与所有贸易伙伴国货币双边名义汇率的加权平均数,如果剔除通货膨胀对各国货币购买力的影响,就可以得到实际有效汇率。实际有效汇率不仅考虑了所有双边名义汇率的相对变动情况,而且还剔除了通货膨胀对货币本身价值变动的影响,能够综合地反映本国货币的对外价值和相对购买力。

2. 张振江. 从英镑到美元：国际经济霸权的转移. 人民出版社，2006。

3. 应推进人民币成为外贸结算货币. 第一财经日报，2008年10月8日。

4. 经常项目是指本国与外国进行经济交易而经常发生的项目，是国际收支平衡表中最主要的项目，包括对外贸易收支、非贸易往来和无偿转让三个项目。

5. 资本项目是指资本的输出输入，它所反映的是本国和外国之间以货币表示的债权债务的变动，换言之，就是一国为了某种经济目的在国际经济交易中发生的资本跨国界的收支项目。在国际收支统计中，资本项目亦称资本账户，包括各国间股票、债券、证券等的交易，以及一国政府、居民或企业在国外的存款。分为长期资本（合同规定偿还期超过1年的资本或像公司股本一样未定偿还期资本）和短期资本（即期付款的资本和合同规定借款期为1年和1年以下的资本）。

6. 13国建立共同外汇储备基金 亚洲版IMF见雏形. 世界财经报道，2008年5月6日。

7. 同第6条。

8. 云南边贸发展急需国家对人民币结算予以出口退税的政策支持. 云南省电子政务门户网站. 网址：http://www.yn.gov.cn/yunnan,china/76843776810680320/20050625/379282.html。

9. 人民币结算能否享受出口退税？21世纪经济报道，2005年5月10日。

10. 同第8条。

11. 同第9条。

12. 宋建军. 人民币生成储备货币的政策选择. 财经问题研究，2007（8）。

第12章

中国应主导游戏规则

- 在现阶段，如果说让人民币成为国际货币还需要一定过程、需要时间的话，那么积极引领亚洲各国，催生亚元的出现，便成为中国当仁不让的责任。

- 在金融战争时代，中国应该建立起足够的自信，积极主动地担任游戏规则的制定者而不是循规蹈矩的遵守者。因为，只有担任游戏规则的制定者，甚至更进一步担当领导者的角色，中国才能争取到更多的利益，获取更大的主动权。

- 只有中国，才能使得亚洲各国真正团结起来，抗御美元霸权。中国是唯一能够担当这一历史使命的国家，应该勇敢地走向前台……

- 退一步说，即使我们领导的亚洲货币一体化进程由于种种原因进展不顺，这种姿态一旦摆出来，也足以令美国感到震撼，而仅此一点，就可以使得我国在与美国的谈判中获取更多的筹码和更大的主动权。中国还可以借助亚洲货币同盟的羽翼，为人民币走向国际化搭建舞台。

- 回顾历史，为什么英国在已经没有足够的势力担当世界金融领袖的情况下，依然拼命维护其地位？为什么现在的日本，在实力衰弱的情况下，依然带头排斥中国进入G8俱乐部？关键在于它们不想失去参与制定游戏规则的机会。一旦机会丧失，就意味着它们从食物链的顶端下移，而这一结果失去的不仅仅是自尊，更是巨大的利益。

美国的坚硬盾牌与区域货币

全球化时代的发展，首先是基于区域融合加快、加深基础之上的。区域融合是全球化融合的一个重要的步骤，即使美国这样的货币强权国家，也开始调整战略，力主建立起美洲自由贸易区。

1988年美国通过综合贸易竞争法案，确定了通过双边、多边和区域贸易等多种方式开展国际贸易以推动国内经济增长的战略。这是美国战略的一次重大调整，意味着美国从反对区域经济合作的立场转向参与和主导地区自由贸易协定，以获取更多经济和政治利益。

1992年12月17日，美国、加拿大和墨西哥三国领导人

自由贸易协定》。1994年1月1日，协定正式生效，北美自

北美自由贸易区不仅增加了美国高科技产业对加拿大和墨

快了美国西部投资，甚至对墨西哥向美国移民都起到了制

消贸易壁垒后对于加拿大和墨西哥也都带来了许多好处，尤其是加拿大与美国的贸易融合步伐大大加快，几乎浑然一体。

美国通过北美自由贸易区，确保区域稳定，保护好自己的"后院"不起火。在尝到甜头以后，1994年，美国又开始了更具雄心的计划：建立一个把整个美洲（北美洲、中美洲、南美洲）联系在一起的自由贸易体系，即美洲自由贸易区。美洲自由贸易区一旦建成，将成为世界上面积最大、年GDP总值达17万亿美元、拥有9亿人口的自由贸易区，与欧盟形成对峙之势。当然，与北美自由贸易区相比，美洲自由贸易区具有更大的操作难度。

为了进快促成美洲自由贸易区的形成，在区域协议难以达成的情况下，美国想出了一种折衷方案，即通过双边自由贸易协议的签署，逐步扩大到整个区域。但拉丁美洲国家立即提高了警惕，认为美国要各个击破，迫使它们在谈判中做出更大让步。

从这一点也不难看出，美国在促成美洲自由贸易区过程中的"用心"。美国提议建立美洲自由贸易区的一个重要目的就是要在西半球建立起美元集团。美国想通过区域化合作，强化美元的区域优势，抵消由于欧元影响力逐渐扩大对其货币霸权地位带来的挑战。

诚如罗伯特·蒙代尔所言："贯穿货币发展史的一个主题就是，处于金融权力顶峰的国家总是拒绝国际货币改革，因为这会降低它自身的垄断力量。"

但是，当区域和合作的兴起逐渐演变成抵御美元霸权的强大力量，美国人开始警觉。他们"以其人之道还治其人之身"，亦通过引领区域合作相抗衡，抛却利益色彩，这种居安思危的战略眼光不能不令人感叹。美国人非常清楚，利用美元强势地位安稳享受霸权收益的时代，正由于类似欧盟这样的区域合作组织的发展壮大而受到削弱，由自己组团抗击其他区域组织，就成了"团队"或区域组织之间的对抗。

美国要为自己装上一个坚硬的盾牌。

连美国这样特立独行的国家，也力主美洲自由贸易区的形成，实际上是了一种大趋势。在全球化及区域化进程加快的时代，那些独立于自由贸易区之外的国家，将遭受壁垒之苦，因为自由贸易区内市场的融合意味着对其他国家同类商品的排斥，也意味着贸易壁垒更加坚固。

因此，区域性贸易乃至金融的融合，已经成为许多国家不得不面对的问题。次贷危机给世界各国带来的强烈的危机感，正在变成强大的推动力，加快区域融合的步伐。

目前，除了欧元，国际范围内已经形成多个货币同盟：

1. 西非经济共同体[1]和西非经济货币同盟[2]。西非经济共同体包括15个国家，其中的8个国家加入了西非经济货币同盟。西非国家早在1962年就成立了西非国家中央银行，在区内使用自由流通货币CFA法郎，而另外7个非货币同盟国家中的5国（包括冈比亚、加纳、几内亚、尼日利亚和塞拉利昂），计划于2009年12月成立第二货币区，使用第二货币ECO，并最终与第一货币区合并为"西非货币同盟"。

2005年3月，西非经济货币同盟国家元首和政府首脑会议执行主席、尼日尔总统马马杜·坦贾说，西非经济货币同盟是当今7600万西非人的一个希望，一体化就是在一切存在需要的地方进行生产和销售，就是在同盟8个成员国的每个国家里感觉像在自己家一样。

货币同盟更有利于抵御金融危机。2008年10月7日，非洲法郎区成员国财长会议在雅温得闭幕时发表声明："非洲法郎区成员国到目前为止没有遭到金融危机的直接冲击，但有关各方必须对局势的发展高度警觉。"

2. 中非货币同盟[3]。它由中非6个成员国组成。1973年4月1日，中非货币同盟成立了共同的中央银行，称为"中非国家银行"，总行设在喀麦隆首都雅温得，不仅发行共同的货币"中非金融合作法郎"，还实行统一的贴现率。

中非货币同盟促进了区域内的经济发展。

值得一提的是，西非和中非两个货币同盟虽然各自发行不同名称的货币，但都采取盯住法国法郎的货币发行机制，两种货币是等值的。这实际上意味着西非与中非融合步伐的加快。

3. 东加勒比国家组织[4]和东加勒比货币同盟[5]。东加勒比国家组织现有9

个成员国，其中的8个成员国建立了货币同盟，成立了东加勒比中央银行，8个成员国范围内自由流通统一货币——东加勒比元，集中管理外汇储备，实施中央银行职能，规范货币信用政策，促进并保持货币稳定，改善信用与汇兑条件和有助于成员国经济发展的金融结构，采取有效措施促进成员国经济发展。

不可否认的是，共同货币的出现是货币发展史上的又一次飞跃。正像每一次货币形式的演进是对旧的货币形式的扬弃一样，共同货币是对国家货币的一次扬弃。建立在主权国家合作基础上的货币同盟，既保留了国家货币中的积极、合理的因素——信用货币需要以国家的权力和信誉为保障，又抛弃了国家货币中的消极、不合理的因素——国家货币可能阻碍交易范围的国际扩张、增加交易成本。进入20世纪中后期和21世纪，人们交易范围的广度和深度都有了前所未有的发展，同时国际间资金流动的规模激增、速度加快，人类真正开始进入了经济全球化的时代。与经济全球化并行的区域经济一体化也在蓬蓬勃勃地展开。[6]

尤其是这场次贷危机后，会促使区域货币政策的协作，催生出新的区域性货币。事实证明，**区域性货币不仅有利于在应对金融危机时起到缓冲作用，也有利于区域经济的发展。**

2007年12月9日，南美国家组建的南方银行在阿根廷首都布宜诺斯艾利斯正式宣告成立。南方银行由巴西、阿根廷、委内瑞拉、乌拉圭、厄瓜多尔、玻利维亚和巴拉圭7个南美国家组建，其宗旨是为南美各国融资提供便利，同时摆脱国际货币基金组织和世界银行通过提供贷款对南美国家经济决策权施加影响。

那么，亚洲国家该走向何处？

参与制定游戏规则者生

在全球自由贸易区纷纷建立起来的情况下，那些独立于自由贸易区之外的国家，会遭受更强大的贸易壁垒，因为自由贸易区是具有排他性的，一个大的自由贸易区的建立意味着区域内贸易融合的加快，这会压缩其他国家自由腾挪的空间。

由多个国家或地区参与的区域经济一体化形式的自由贸易区，成员间彼此废除关税和数量限制，成员的商品可自由流动，但每个成员仍保持各自对非成员国（地区）的贸易壁垒。这些区域内部形成的协调机制相对独立或游离于世贸组织之外，因而对非区域国家的贸易具有一定程度的排他性。从当今世界上100多个区域集团协议来看，大部分都采取这种形式。

另一方面，从20世纪80年代到现在，金融危机越来越频繁地爆发，这对那些游离于货币同盟之外的国家构成了另外一种压力。没有一个稳定而强大的货币同盟作为后盾，弱小的国家只能无奈地一次次地承受财富被掠夺之痛。

亚洲国家在这方面的疼痛尤其明显。据估算，东南亚金融危机中，仅汇市、股市下跌给东南亚同家和地区造成的经济损失就高达1000亿美元以上，这些国家和地区出现了严重的经济衰退。

日本同样在这场危机中损失惨重。日本是东南亚国家外债的主要来源地，也是东南亚外商直接投资的主要控制地，日本的金融业和工业在东南亚地区有着重大的利益和影响力，亚洲金融危机使日本在东南亚的生产体系遭到摧毁。日本在东南亚和韩国的约1000亿美元商业贷款无法按时收回，严重影响了日本金融业的资金周转。危机后，东南亚和韩国经济衰退又影响了日本对这一地区占总额将近1/4的出口，使日本国内经济在亚洲金融危机期间经历了一次明显的衰退。[7]

亚洲金融危机之所以恶化得那么快，关键在于相关各国缺少协调机制、各自为战，以至于出现了以邻为壑、争相贬值货币的现象，互相挖墙脚。这场金融危机，给亚洲各国带来了强烈的危机意识和忧患事实，各国都认识到了加强区域经济合作、共同抵御经济风险的重要性。

实际上，除了携手应对金融危机，各国其实没有更好的选择。可以想见，这场次贷危机的影响，将进一步增强亚洲的不安全感。

在这种情况下，亚元再次成为人们谈论的话题也就不足为奇了。

20世纪70年代，日本人关世雄首先提出亚洲共同货币概念，不过他所指的亚洲共同货币是一个以日元区为核心的概念，相对来说是比较狭隘的。

关世雄在他后来出版的《亚洲货币一体化研究（日元区发展趋势）》一书中提出：日本与亚洲邻国之间应建立日元区——这些国家将使用日元作为国际货币，维持与日元汇率的稳定。《亚洲货币一体化研究》是第一部系统研究亚洲货币一体化问题的著作，但其视野主要还是站在日本利益最大化角度来论述的，很难为亚洲国家所接受。1995年，关世雄在《日元圈的经济学》一书中，又从汇率变动角度分析了亚洲地区的经济连动关系，大胆提出了亚洲各国货币与美元挂钩不是好政策，并首次提出了若要经济稳定，亚洲各国汇率应与一篮子货币挂钩的建议。关世雄的贡献在于，他为亚洲货币一体化问题打开了一个全新的思路。

1997年，日本在IMF和亚洲开发银行会议上提出由日本、中国、韩国和东盟组成地区性基金组织，主要目的是通过各种可行性途径来减少东盟国家的货币对美元的依赖性，加强该地区的金融合作，协调东亚地区各经济体的金融政策，抵御越来越不稳定的国际金融市场的冲击。

1997年12月，马来西亚总理马哈蒂尔又在东盟国家首脑会议上提出了关于建立"亚元区"和"东亚元区"的设想。

无论是日本还是马来西亚都深切地认识到，只有摆脱对美元的过分依赖，保持区域的相对独立性，才能增强抗御金融危机风险的能力。日本虽然是美国的盟国，但是美元霸权给它带来的痛苦一点也不比其他国家少，至少广场协议签订后的财富大缩水就是一个明显的例子。

日本积极推动亚洲货币同盟的用意非常明确：即使不能完全改变被美元霸权掠夺的地位，至少背靠"组织"，增加了与美国博弈的筹码。这当然是假定美元霸权强势的前提基础上的。假如美元衰退，日本则可以通过亚洲货币同盟担当领导者的角色。

迄今为止，在亚洲货币一体化问题上，中国还不够积极主动，一直都是日本在唱主角，而日本日渐衰弱的影响力及它在亚洲金融危机期间以邻为壑的表现决定着，日元无法独立推动亚洲货币一体化进程。

在金融战争时代，中国应该建立起足够的自信，积极主动地担任游戏规则的制定者而不是循规蹈矩的遵守者。因为，只有担任游戏规则的制定者，甚至更进一步担当领导者的角色，中国才能争取到更多的利益，获取更大的主动权。

应该认识到，在目前的世界政治和经济格局中，区域合作都在如火如荼地展开，区域融合的层级越来越高，关系越来越密切。只有中国等为数不多的国家在独立行走。这其实是一种自我边缘化的状态。在这种情况下，大多数时候，我们只能参加带"＋"号的会议。比如，东盟10＋3（东盟10国和中国、日本、韩国）峰会，G8＋5（八国集团和中国、印度、巴西、南非、墨西哥）峰会等。

回顾历史，为什么英国在已经没有足够的势力担当世界金融领袖的情况下，依然拼命维护其地位？为什么现在的日本，在实力衰弱的情况下，依然带头排斥中国进入G8俱乐部？关键在于它们不想失去参与制定游戏规则的机会。一旦机会丧失，就意味着它们从食物链的顶端下移，而这一结果失去的不仅仅是自尊，更是巨大的利益。

中日印韩联手

谈论这个问题，需要澄清两个概念，亚元与亚洲货币单位是两个完全不同的概念。

亚洲货币单位（ACU）只是一个概念性的货币单位而不是货币，它是参照欧元的前身"欧洲货币单位"而设计的，即采用"一篮子货币方式"，综合该地区内各种货币的国民生产总值、贸易、汇率、资本交易量等要素，求出加权平均值，然后在亚行的主页上进行公布，并每天更新。在最初的计划中，是以中国、日本、东盟、韩国等共计13种货币为基础计算出该指标。而亚行区域经济一体化办公室主任河合正弘则表示，"亚洲货币单位"最终要包括整个亚太地区的全部40余种货币。而亚元就是货币，是可以流通使用的。

在2001年上海APEC会议期间，"欧元之父"蒙代尔发表了自己对未来世界货币格局变化的看法："未来10年，世界将出现三大货币区，即欧元区、美元区和亚洲货币区（亚元区）。"他的这一论断为亚元区的建立构筑了一个更为明确的目标。

在现阶段，在亚洲国家之间疆界、文化等方面的冲突尚无法完全消解的情况下，率先在为数不多的几个国家建立货币同盟是具有可行性的。

事实上，历史上形成的货币同盟，基本上都是由发起国或核心国逐渐扩张，吸引更多国家加盟的。

笔者认为，蒙代尔的观点具有重要的参考价值。他说，亚洲的状况有别于欧洲，不可能用亚元代替地区内所有其他货币，但国家间的差异并不能构成统一货币的障碍。他认为，可以在中国、日本、韩国之间先开辟统一货币区，货币区内的银行业实行同一种固定汇率。

就目前而言，任何一个以中印或中日为核心的货币区，都容易产生滚雪球效应，使得货币区成员国逐渐增加。因此，在中印韩日，或中印，或中日之间首先能够建立货币同盟，就能产生放射效应。

建立经济同盟乃至统一货币区最大的阻碍在于发展差异。美国积极推动的美洲自由贸易区之所以停滞不前，就与此有关。比如，2003年美国人均GDP为37 800美元，而海地仅为380美元，经济上悬殊越大，结盟的阻力越大。

亚洲各国的经济发展水平差异也非常之大，最发达国家与最不发达国家人均GDP的差异，较之美国与海地的对比可能好不了太多。而且，亚洲一些国家之间还存在着领土领海之争，加上历史遗留的其他一系列问题，障碍重重。

就中国、日本、印度、韩国四国而言，中国、印度国内的人均GDP相差很大，但是，中国和印度整体实力的快速提升，使得中国、印度与日本、韩国首先建立统一货币区具有了一定的可行性。

第一，四个国家都属于开放性经济（只是开放度有差异），都对汇率变动高度敏感，汇率变动给进出口、投资、消费、货币政策等都带来了极大的不确定性，各方迫切需要稳定汇率，进行货币合作。

第二，亚洲国家亟须携手解决外汇储备过大的风险，尤其是美元贬值带来的资产缩水风险。根据彭博社的数据，在外汇储备排名全球前十的国家和地区中，亚洲占据了七席。截至2008年9月底，中国拥有1.9万亿美元的外汇储备，占到全球外汇储备的28%，日本以9690亿美元排名第二，印度到2008年2月的外汇储备也达到3012亿美元，其中绝大多数为美元。中国台湾、新加坡、中国香港及马来西亚的外汇储备规模也都超过了1000亿美元。据国际货币基金组织的统计，在全球已知的各国官方外汇储备中，有约65%是美元。中国虽未公布官方的外汇储备比例，但应远高于全球平均值。

根据中国银行的数据，2008年前3个季度，人民币对美元升值了6.66%，人民币对欧元升值了6.25%，人民币对日元贬值了0.36%。以2007年12月底与2008年9月底中国外汇储备余额的平均数1.72万亿美元来计算，则2008年前3个季度以人民币计价的中国外汇储备的市场价值就损失了大约1000亿美元。

另有分析认为，如假定中国外汇储备90%是美元，过去一个月即蒸发357亿美元，这相当于中国一个月损失了4艘航空母舰。印度央行去年底也在2006~2007年度报告中披露，由于美元贬值，截至2007年6月底，央行的外汇资产损失6500亿卢比（1美元约合41卢比）。[8]

如果亚洲国家建立货币同盟，可以从三个方面解决这一问题：（1）以区域货币代替美元结算，减少对美元的依赖，减少外汇储备；（2）货币同盟的建立，可以节约用于干预相互汇率的关键货币持有量，减少国际储备需要量；（3）如果亚洲货币同盟建立起来，美元为了避免被区域化，肆无忌惮贬值的偏好会有所收敛。

第三，四国都有紧迫感。日本的紧迫感源于其实力的衰落，一方面日元作为国际货币的使用率下降，另一方面日本在国际经济和亚洲经济中的地位都在下降。它亟须通过促成亚洲共同货币区的建立来挽救颓势，这同样促使日本放下过去的傲慢，以更大的诚意促成亚洲的合作。

韩国的紧迫感源于其在金融危机中不堪一击的脆弱表现，无论是在1997的亚洲金融危机还是这场次贷危机中都如此。韩国亟须找到一个靠山，所谓"远水不解近渴"，再没有比组建一个货币同盟对韩国更有益的事情了。

中国和印度的紧迫感则源于全球化时代被区域边缘化的迷茫和不安。中国和印度都倡导不结盟运动，都强调独立性，但是，这种独立性在区域化组织雨后春笋般出现的情况下，实际上正在给不结盟的国家带来更大的损失和焦虑。

第四，欧洲、美洲区域化自由贸易区的建立，倒逼亚洲国家加强贸易、金融等方面的协作，否则就将面临各种壁垒的困扰。

自由贸易区内外存在着极为明显的区别，对内高度对等和公平，而对外则壁垒森严。亚洲国家之间协调与合作进程的滞缓，不仅增大了彼此的交易成本，也带来更大的不确定性因素，同时，高度依托于美元的金融系统也是非常脆弱的。反之，如果亚洲国家携手建立起货币同盟，不仅可以节约交易成本、促进区内贸易发展，还能更好地应对金融危机。即使某个国家受到了金融危机的威胁，也能够通过协调机制予以化解。

亚洲货币同盟不是梦

尽管目前看来，亚洲货币同盟仍很遥远，这与推动力量的微弱有关，长期各自为战使得亚洲国家没有真正认识到协作的重要性，但频繁的金融危机和日益严重的区域贸易壁垒正在逼迫亚洲国家走到一起。

过去，中国对日本主导的亚洲货币一体化一直充满疑虑，因为日本主张的货币一体化在很大程度上是日元化的一个代名词，这当然是中国不可能接受的。而今，中国的实力已经今非昔比，日本的实力也已明显衰退，中国在亚洲货币一体化问题上可以更积极主动一些。在推动亚洲建立货币同盟这一问题上，中国可以分几步走。

第一步，主导建立起人民币、港币、澳币和新台币高度融合的共同贸易区和货币区。近日的海峡两岸直航为加快大中华经济圈的融合步伐创造了非常好的条件。

大中华货币区一旦建立起来，人民币的自由兑换工作进度再稳健一些、快一些，人民币成为国际货币的进程就能加快。只有做到这一点，中国引领建立亚洲货币同盟才有底气。

第二步，与日本、印度、韩国分别签订双边自由贸易协定。双边自由贸易协定就是使协议双方之间的贸易尽可能的自由化，而贸易自由化程度的直接度量为关税的下降、非关税措施和其他贸易限制的减少。贸易区内的成员国相互削减关税、开放市场、促进人才和资金的流动，形成一个共同的经济区域。双边自由贸易协定不仅是中国经济融入世界经济的一种途径，也是让中国成为区域领导者的一条必走之路。

第三步，以中国为红线，建立起中国、日本、印度、韩国四国自由贸易区，加快彼此协作与融合的步伐，并逐渐将自由贸易区扩大到亚洲其他国家，最终建立起一个涵盖范围更广的亚洲自由贸易区。在亚洲自由贸易区建立之前，也可以借鉴欧洲的做法，从具体的合作入手，然后再逐步深入。

比如，欧盟最初的雏形就是50多年前建立的"煤钢联营"。1950年，法国外长舒曼提出"欧洲煤钢联营计划"，建议愿将本国经济中的煤钢部门管理权委托给某一独立机构的国家成立煤钢共同市场。1951年4月18日，法国、联邦德国、意大利、比利时、荷兰、卢森堡六国在巴黎签订了为期50年的《欧洲煤钢共同体条约》，谁能想到这个具体的组织竟然会发展成为日后强大的欧盟？

第四步，建立起亚洲支付同盟。如果追溯起来，欧洲货币一体化进程正是从1950年欧洲支付同盟的成立开始的。中国应该引导建立亚洲支付同盟，对各国由双边贸易形成的贸易顺差或逆差进行净额结算，并实行多边抵消。不能抵消的部分，支付同盟安排一定规模的信贷配额来帮助解决。这样才能像欧洲第二次世界大战后那样，首先在贸易支付上减少对美元的依赖，为下一步走向以"区域篮子"货币为中心的窄幅波动固定汇率制，以致最终走向区域性货币同盟和单一货币迈好坚实的第一步。[9]

2000年5月,《清迈倡议》的签订,将东盟成员国之间的货币互换协议范围扩展到中国、日本和韩国,东南亚金融危机催生的这次合作,在应对此次金融危机中得到进一步的强化。各自为战的结果只能是被各个击破。除了合作,亚洲国家已经没有其他选择,诚如蒙代尔所说"亚洲或者亚太地区建立一个统一货币是大势所趋"。

现在,亚洲各国的货币合作已经是越来越强烈的内在需要,尽管这种需要受制于亚洲国家的狭隘与自私(比如日本官员动辄对侵略战争的否认一再伤害到亚洲各国的感情),尽管亚洲国家之间存在诸如领土争端这样的障碍重重,尽管亚洲国家的合作与欧洲、美洲的区域合作相比还比较落后,但是,一旦中国、日本、印度、韩国等国在强烈的紧迫感和危机压力下走到一起,合作推进的速度就会加快。

应该认识到,中国日渐崛起的实力和影响力,已经使它可以担任亚洲游戏规则的制定者,中国应该根据国际形势的变化,加快自身的转型,这可以使中国拥有更大的主动权。

退一步说,即使我们领导的亚洲货币一体化进程由于种种原因进展不顺,这种姿态一旦摆出来,也足以令美国感到震撼,而仅此一点,就可以使得我国在与美国的谈判中获取更多的筹码和更大的主动权。中国还可以借助亚洲货币同盟的羽翼,为人民币走向国际化搭建舞台。

同时,如果中国愿意承担起领导货币一体化的责任,亚洲各国一盘散沙的状况就能逐渐得到改善,这将是最佳选择,可以通过加强亚洲国家的团结与合作,增强中国的影响力,并加快人民币的国际化进程,化解人民币升值压力。

注　释

1. 西非经济共同体是西非法语国家的发展中国家区域性经济合作组织。它的前身西非国家关税同盟是1959年成立的。1970年5月，该同盟成员国首脑和多哥财政部长在马里首都巴马科举行会议，通过了关于建立西非经济共同体的协议议定书，决定改组原关税同盟，成立一个新的经济、工业和关税合作组织。1974年1月1日，共同体正式成立。

　　西非经济共同体目前包括贝宁、多哥、塞内加尔、科特迪瓦、马里、尼日尔、佛得角、几内亚、几内亚比绍、尼日利亚、加纳、塞拉利昂、利比里亚、冈比亚、布基纳法索共15个国家。

2. 西非经济货币同盟是西非国家经济共同体中贝宁等7个法语国家于1994年1月10日成立的。目前，"西非经济货币同盟"包括贝宁、布基纳法索、科特迪瓦、几内亚比绍、马里、尼日尔、塞内加尔和多哥8个国家，总面积占西非的2/3，人口占西非总人口的1/4。2000年1月1日正式启动对外共同关税，对内取消成员国间原有的关税及一切非关税限制。

3. 中非货币同盟由赤道几内亚、喀麦隆、乍得、刚果、加蓬和中非共和国6个成员国组成。1973年4月1日，中非货币同盟成立了共同的中央银行，称为"中非国家银行"，总行设在喀麦隆首都雅温得，发行共同的货币"中非金融合作法郎"。1998年2月5日，同盟第33次首脑会议决定正式成立中部非洲经济与货币共同体。

4. 东加勒比国家组织成立于1981年6月18日，现有9个成员国，包括安提瓜和巴布达、多米尼克、格林纳达、蒙特塞拉特、圣基兹与尼维斯、圣卢西亚、圣文森特和格林纳丁斯7个正式成员和安圭拉（英国殖民地，尚未独立）、英属维尔京群岛两个非正式成员。秘书处设在圣卢西亚首都卡斯特里。

5. 东加勒比中央银行（ECCB）成立于1983年10月，总部设在圣基兹与尼维斯，是东加勒比地区8个岛国（除英属维尔京群岛外的所有OECS成员国）的货币管理机构，也是它们的中央银行。

6. 祝丹涛. 论货币同盟形成的条件. 中国金融出版社，2007。

7. 杨国庆. 危机与霸权——亚洲金融危机的政治经济学. 上海人民出版社，2008。

8. 唐玮. 专家称我国外汇储备月损失约357亿美元. 华夏时报，2008年4月5日。

9. 同第6条。

资源为王时代的搏杀!

- 有没有一种财富储备方式可以不受金融危机的掠夺,不仅可以在危机中保值,在未来还能有数倍的增值呢?有,那就是资源,尤其珍贵、稀缺资源的储备。全球正在步入资源为王的时代。

- 津巴布韦更像是一个寓言。纸币是靠不住的,在未来资源将是真正意义上的财富。谁拥有足够多的资源,谁就能富甲世界。因此,中国必须全力以赴守卫资源。

- 什么是资源为王?就是以有色金属(包括黄金)、煤炭、森林等珍贵自然资源和以高科技人才与知识产品为核心,构筑起来的最安全的财富体系,这些资源既是重要的原料或高含金量的产品,又是最强势的最值得信任的货币,谁拥有的资源(尤其珍贵、稀有资源)越多,谁就拥有更多的财富和更强的购买力。

- 这是一种令人痛心的谬误:我们把最具有增值潜力的稀缺资源贱卖,换来最容易贬值的纸币储备起来,由此给中国带来的财富的损失和国家安全的损害是难以估量的。

- 资源不是货币,但是,在未来人们将越来越清晰地认识到,资源的购买力将远远大于目前以纸币为核心的货币体系所代表的购买力。资源不仅具有货币所具有的功能,还具有货币没有的功能,比如,资源作为工业原料的功能就是纸币所缺乏的。

全球将步入资源为王的时代

如果说货币霸权的掠夺性是导致金融危机越来越频繁地爆发的根本原因，那么金融衍生品规模的过度扩张及以此为依托的虚拟经济规模的膨胀，则是金融危机危害性越来越大的根本原因。

在纸币脱离黄金、白银和一切实物而变成代表财富的符号之后，货币与废纸之间的界限就变得不是那么容易区分。

例如，非洲国家津巴布韦近来物价飞涨，2008年3月份的通货膨胀率达到令人吃惊的100 500％，当地货币的纸面价值已经低于纸的价值。而到了2008年6月份，津巴布韦的通货膨胀率急剧攀升至2 200 000％。但独立经济学家认为，官方通货膨胀率被严重低估。他们估计，实际通货膨胀率可能已经高达10 000 000％～15 000 000％之间。津巴布韦中央银行决定在2008年7月21日发行单张面额1000亿津元的钞票。

那么，有没有一种财富储备方式可以不受金融危机的掠夺，不仅可以在危机中保值，在未来还能有数倍的增值呢？有，那就是资源，尤其珍贵、稀缺资源的储备。

这里所指的资源包括两个部分：一是包括煤炭、石油和铟、稀土等在内的日渐稀缺的矿产资源；二是建立在高科技基础上的知识产品的研发、技术人才的培养和储备。日本在自然资源缺乏的情况下，通过以知识和技术为核心构筑起资源体系，同时通过在世界范围内采购、囤积稀缺资源或收购、入股此类公司来弥补自然资源的短缺，奠定了其大国基础。

未来，纸币信誉的逐渐崩溃，是资源代表的财富成倍上涨的一个重要催化剂。

津巴布韦的现状，具有寓言意义，它在暗示我们一种趋势，一种纸币——哪怕目前看起来尚且非常强势的货币，其强势状态只能是短暂的，而贬值趋势则是长期的和必然的。

事实上，纸币的历史早已证明了这一点。纸币的发行者在最初的时候，就把基于纸币的这种掠夺性演绎得淋漓尽致。

世界上最早的纸币——我国宋朝的交子，起初是由商人自行发行的。携带巨款的商人把现金交给"交子铺户"（相当于金融机构），"交子铺户"把存款人存放金银的数额填写在用楮纸制作的卷面上交给存款人，这种填写存款金额的楮纸券便是交子的雏形，存款人凭借交子提取金银和利息。

但是，一些唯利是图的铺户，滥发交子或挪用存款，然后闭门不出甚至一逃了之，致使所发交子无法兑现，引发诉讼。

这种做法让政府深受启发。宋仁宗天圣元年（1023年），政府亲自主持交子发行。宋徽宗崇宁四年（1105年），政府由于财政困难，决定扩大纸币的流通地区，把交子改名为钱引，并滥发钞票，引起严重通货膨胀，到1107年，宋朝的军费开支主要依靠发行纸币来解决，纸币贬值高达90%，引起物价飞涨，民怨沸腾，北宋政权在内外交困中终于走向了灭亡。宋朝滥发纸币导致纸币信誉的丧失，到明中叶，纸币重新被贵金属白银取代。

中国纸币的这段历史，正在当今世界上重演。

纸币（包括其衍生出来的电子货币，它只是纸币的另一个化身）潜在的贬值源于货币掌控者的贪婪和不受抑制的欲望的膨胀，以及财政赤字下政府对通货膨胀税的偏好，这种状况正在给人们带来越来越大的不安全感。

实际上，**在纸币贬值已是大势所趋的情况下，全球未来将逐渐步入资源为王的时代。什么是资源为王？就是以有色金属（包括黄金）、煤炭、森林等珍贵自然资源和以高科技人才与知识产品为核心，构筑起来的最安全的财富体系，这些资源既是重要的原料，又是最强势的最值得信任的货币，谁拥有的资源（尤其珍贵、稀有资源）越多，谁就拥有更多的财富和更强的购买力。**

进一步说，将来哪个国家拥有的资源最多，哪个国家的以资源为依托的纸币就能得到更大的信誉保障。

美元之所以成为国际货币，与其庞大的黄金储备、强大的科技创新能力、对全球各地尖端人才的吸纳和强大军事实力构筑起来的国家信用体系不无关系。

无论何时，资源都是最靠得住的、最货真价实的货币。

事实上，人类使用货币的历史就始于物物交换的时代，人们采用以物易物的方式交换自己所需要的物资。在人类历史长河中，物物交换的历史是最漫长的。随后，作为货币使用的物品逐渐被金属取代，但仍然是建立在实物基础之上的。

以珍贵资源（比如黄金）为核心建立起来的货币体系，由于规模不可以随意无限制扩大而受到制约，不易引发通货膨胀；而以国家信用为基础构建起来的货币制度则会因滥发纸币而引发通货膨胀。

美国著名经济学家米什金在其著作《货币金融学》中，将货币定义为："货币或货币供给是任何在商品或劳务的支付或在偿还债务时被普遍接受的东西。"当纸币危机全面到来之时，稀缺资源或者以稀缺资源建立起来的本位制，将成为米什金所称的"被普遍接受的东西"。

拥有越来越稀缺的资源，就意味着拥有持续升值的财富，意味着拥有随时可以兑换成任何一种货币的财富！

一方面，全世界的稀缺资源由于消耗量增大正在快速减少，资源面临着枯竭的威胁，自然，其价值也会越来越大。英国石油公司（BP）在2007年6月13日公布的《世界能源统计评估》中称，如果按照现在的消费水平计算，世界上目前探明的石油储量还可供人类使用40年。但是，一些科学家却表示，统计数字中包含了许多政治因素，到2011年对于石油的需求就将超过产出，石油枯竭将提早来临。[1]

另一方面，用以计算这些稀缺资源价值的货币（如美元）是在持续贬值的，反映到资源的价格上，自然是上涨的。国际大宗商品的价格大都是以美元计算的，以美元报价的商品价格与美元汇率之间有着较强的负相关性：美元贬值时，商品价格上涨；而当美元升值时，商品价格下跌。比如，2002～2004年底，美元贬值30%，黄金价格上涨57%，原油价格上涨112%，铜价格上涨116%。

储备资源就是储备财富

资源就是财富，稀缺资源就是珍贵财富。这个道理，早在几十年前，日本、美国就弄明白了。

美国是主导废除金本位制的国家，但是它却深知黄金的重要性，在其他各国大力储备美元时，美国却重点储备黄金。美联储和财政部管理的美国货币储备黄金规模约为8500吨，占美国外汇总储备的56.5%，占全球货币储备黄金总数的27%，且从不卖出黄金。

从世界黄金协会提供的国家官方黄金储备资料看，截至目前，黄金仍是许多国家官方金融战略储备的主体，西方前十国的官方黄金储备占世界各国官方黄金储备总量的75%以上。

美国还储备石油，禁止近海石油的开采其实就是一种最天然的储备，也是成本最低的储备方式。

　　众所周知，美国是世界第一大石油消费国，也是世界第一大石油进口国。据统计，2007年美国日均石油消费2069.7万桶，其石油高度依赖进口，日均进口石油1221万桶。美国并不缺少石油。根据美国能源部情报署公布的统计数字，美国已探明石油储量超过209亿桶，居世界第11位。美国墨西哥湾、阿拉斯加、加利福尼亚近海都蕴藏着大量的石油。但是，美国一方面到世界各地控制石油资源（甚至不惜发动战争达到这一目的），另一方面，却对自己的石油资源严加控制。

　　这一切，都是借环保之名来完成的。1969年1月，美国加州发生重大石油泄漏事件。由于油压力过大，圣巴巴拉海湾的海底油田发生严重井喷，海面覆盖了1～2厘米厚的油层。1982年，在里根政府任期内，美国国会通过一项法案，冻结距海岸线4.8～322公里的美国大陆架石油开采。这项法案每年都被重审延长。

　　1989年，由于船长擅离职守，埃克森美孚的Valdez油轮在阿拉斯加威廉王子湾触礁，造成美国历史上最严重的一次原油泄漏事故，这也成为美国环保史上一次标志性事件。1990年，时任总统老布什签署行政令，将石油禁采区域扩大为墨西哥湾中部和阿拉斯加近海外的所有近海海域，禁令有效期至2002年。1998年，时任总统的克林顿又将有效期延长至2012年。

　　美国的石油禁令因环保问题而起，但并非唯一原因，因为1989年的原油泄露事故并非是石油开采引发的，而是运输引发的，其结果却是出台禁止开采原油的禁令，就充分证明了这一点。

　　美国禁止在近海开采原油，除了环保原因，更与美国的长远石油安全战略有关。石油是不可再生资源，通过封存本国石油资源，有备无患，不仅在石油战略物资储备上掌握了主动，而且随着世界石油资源的逐渐减少，美国将来开采出来的原油价格，恐怕已经是现在的很多倍！

　　虽然美国总统小布什在2008年7月14日宣布解除在美国近海开采石油的行政禁令，并敦促国会采取类似措施废除相关法律禁令。9月16日，美国众议院通过一项法案，允许石油公司在征得邻近州政府同意的情况下、在距岸

50英里（80公里）以外的海域开采石油。但此项法案对于美国近海油田的开采，实际意义不大。

首先，美国近海180亿桶石油储量中，约88％位于距岸50英里的范围内，而这部分依然被禁止开采，开禁的部分占比很小。众议院其实是在"阳奉阴违"，诚如白宫在随后的声明中所说：该法案自称开放了美国能源资源，实际上却阻碍了这方面的发展，因为它永久禁止了距岸50英里内的石油开采，并增加了向大型石油公司征收的税种。

其次，沿岸州政府出于环境的考虑，在民众的压力之下，将反对开采近海油田，并且根据众议院的法案，沿岸各州无法从石油开采中获得特许权使用费，州政府就更不会批准在其附近海域开采石油了。

掌控着石油资源，就掌控了石油战争的最核心武器。

日本在资源储备方面，更是处心积虑。

日本的战略资源极度缺乏，因而历届日本政府都十分注重保持和增加战略物资的储备。据统计，日本99％的石油、73.3％的煤炭、99％的铁矿石以及100％的镍、锰、钛等稀有金属均依靠进口。由于绝大部分资源都依赖进口，一旦战时其物资进口被切断，日本的军事工业乃至整个国民经济都将在短时间内陷于停顿和瘫痪状态。日本人的危机意识十分强烈，几乎所有的重要物资都实施储备制度。

日本的物资储备不仅有石油、天然气、煤炭、铀、钢铁及众多稀有金属等，而且还有粮食、木材、大豆、动物饲料等。2003年底，日本政府拥有的石油储备量可供全国使用92天，民间的石油储备量也可供日本全国使用79天。加上流通领域的库存，日本全国拥有的石油储备量足够全国使用半年以上。日本是产钢大国，年产钢铁基本上维持在1亿吨左右。但日本的铁矿石和焦炭几乎全部依赖进口，所以也同样实施储备制度。钒、铬、锰、钴、镍、钼、铂、银、铜以及钨等其他稀有金属也不例外，都必须实施战略储备。[2]

与美国一样，日本有些资源也禁止开采。比如煤炭，日本国内也有煤炭资源，但大都已经关闭，不再开采，而是作为一种储备手段，留到最需要时开采。煤炭在日本能源消耗中占比较低，但日本仍然从国外进口大量优质煤，并不是为了使用，而是为了储备。

全球争夺资源

资源不是货币，但是未来人们将越来越清晰地认识到，资源的购买力将远远大于目前以纸币为核心的货币体系所代表的购买力，资源不仅具有货币所具有的功能，还具有货币没有的功能，比如，资源作为工业原料的功能就是纸币所缺乏的。

一个国家拥有的资源越多，这个国家就越主动。因此，普京政府极力加强国家对资源的控制。以"尤科斯事件"为标志，普京政府加强了对石油工业的整顿与控制。第一，国家强力介入能源工业，强化国家对能源工业的控制；第二，对石油企业停止执行私有化计划；第三，限制私营石油公司进行强强联合；第四，政府全面控制俄罗斯国内石油公司与国外石油公司的大型合作项目。[3]

美国、日本等西方国家，对在本国开采资源有着非常严格的规定，外国人根本别想染指。美国早在1920年颁布的《矿产租赁法》中就规定，除非通过持有某公司的股权，否则禁止外国人享有租赁物所有权。此后的一系列法律，进一步强化了其对资源的控制和保护。

日本则通过法律和政策、金融支持，鼓励民众到海外购买资源。

为了保障矿产资源稳定供应，日本组织各种团体以经济援助为前导，以各种名义向世界各地派遣事业调查团，收集包括资源信息在内的各类信息。在此基础上，日本政府以海外矿产勘查补贴计划的形式，主要通过金属矿业事业团和海外经济合作基金会等机构，对日本公司开展海外地质调查、矿产勘查及矿山基本建设提供资助或贷款担保。

金属矿业事业团用政府提供的补贴费，在国外可能贮存有大型优质矿床的地区进行区域地质调查，查明有望的矿床赋存区后交矿业公司继续进行勘查。在这一阶段，日本政府发放补贴的标准是钻探和坑道工程补贴1/2，地质、地球物理和地球化学调查补贴2/3。矿业公司进一步找矿时，可通过海外经济合作基金会获得政府贷款。日本企业与外国公司合作进行地质调查也可以获得政府资助。

日本政府正是通过这项海外矿产勘查补贴计划的实施，在许多资源丰富的国家和地区自主建设了一批海外矿山，保证了矿产资源的稳定供应。[4]

正是由于日本在海外控制着庞大的资源，所以它才在铁矿石价格谈判中出其不意地将中国陷入弱势境地。

2005年2月，在国际铁矿石价格谈判中，日本新日铁率先与巴西淡水河谷公司达成上涨71.5%的协议，最终迫使中方不得不含恨吞下苦果。2008年2月18日，巴西淡水河谷发表的声明显示，该公司与日本新日铁、日本钢铁公司达成的谈判结果为，大部分铁矿石的价格较2007年上涨65%，这让正坐在谈判桌前的中方代表感到愤慨。

从2003年开始，我国铁矿石进口量就超过了日本，成为世界上铁矿石进口量最大的国家。但也正是从此以后，铁矿石价格似乎走上了不归路，几乎一年一个台阶。这难道仅仅是一种巧合吗？

按照人们的认识,像日本这样资源匮乏的国家(其铁矿石的85%依赖海外进口),更应该喜欢铁矿石价格下跌才对。问题在于,早在多年以前,日本企业就走出去进行资源参股、收购,单就铁矿石而言,日本专门挑选储量大、铁矿石品位高、开采条件好、交通方便的矿参股或收购。无论是巴西、澳大利亚这些铁矿石大国,还是印度、加拿大等铁矿石的后起之秀,都遍布着日本资本的身影。这意味着,铁矿石涨价对日本企业将能够带来三大好处:

其一,日本企业可以从铁矿石涨价中分一杯羹。由于日本企业对铁矿石资源的控制已经成熟(日本三井集团一家就控股4528.5万吨的铁矿石资源,占世界总贸易量的7.87%),它能从铁矿石涨价中获取丰厚利润。其二,将能削弱甚至挤垮中国部分钢铁企业,使日本钢铁企业因竞争性的减弱和钢材价格的提升而获取丰厚利润。其三,日本钢铁企业生产的产品多是高附加值产品,技术含量高,日本企业在这类产品的定价权方面非常强势,受铁矿石价格上涨的影响较小。同时,由于技术发达,日本对铁矿石的利用率为世界最高。更何况,日本钢铁企业更容易借助铁矿石涨价的借口提高产品价格。正因为这些因素,最近几年,日本企业连续在谈判中出损招,屡屡陷中方于被动地位。倘若基本面不发生变化,日本钢铁企业还可能将这种做法继续进行下去。[5]

资源贱卖是中国最大的痛

在日本等发达国家一边禁采自己的资源一边去全世界收购资源的大背景下,中国的资源成为它们蚕食的对象。

以前面提到的我国近年发现的仅有的几个世界级金矿为例,贵州省黔西南州烂泥沟金矿(远景储量在150吨以上)被澳大利亚澳华控股;辽宁省营口市盖县的猫岭金矿(远景储量达300吨)被加拿大的曼德罗矿业公司掌控,控股比例高达79%;云南东川播卡金矿(探明储量为150吨),被加拿大的西南资源公司掌控,控股比例高达90%。[6]

　　而发达国家则一直严密地守护着自己珍贵的矿产资源。2005年，当中海油竞购美国优尼科公司（优尼科公司拥有美国稀土的第一大矿业——芒廷帕斯稀土矿山）时，美方提出的先决条件之一就是，中海油必须把优尼科公司下属的芒廷帕斯稀土矿山卖给美国公司。

　　美国何以对稀土矿如此重视？

　　原来，稀土有工业"维生素"之称，当今世界最尖端的高技术武器、高科技电子、激光等几乎都离不开稀土。日本国际未来科学研究所的代表浜田和幸就曾说："中国拥有世界稀土资源的72%，掐住了日美的咽喉，日本和美国没有这些稀有金属，就无法制造精密的制导武器。"在海湾战争中，"爱国者"导弹之所以能准确击落"飞毛腿"导弹，稀土在其制导系统中的贡献功不可没。

　　美国芒廷帕斯矿山是美国最重要的稀土资源地，但美国在2001年停止了芒廷帕斯稀土矿的开采（澳大利亚、加拿大等拥有稀土矿的发达国家也纷纷限制或停止开发本国的稀土矿，转而从中国进口），一方面保护自己的稀土资源，另一方面，和日本、韩国等国联手压低中国稀土的价格。美国从中国购入的稀土的价格竟然低于其在国内开采稀土的成本！

　　中国的稀缺资源被以令人吃惊的价格贱卖。从1990～2005年，中国稀土的出口量增长了近10倍，可是平均价格却被压低到当初价格的64%。在世界高科技电子、激光、通信、超导等材料呈几何级需求的情况下，中国的稀土价格并没有水涨船高。一些稀土企业的代表说，按照目前的价格，稀土企业的利润一般在1～5%之间。就算最高达到5%左右的利润，卖的也是土的价钱。

　　原因在于我国大量稀土在以最粗放的形式出口，而国内商家又相互压价。我国对稀土缺乏战略资源的统一调控，在战略资源的价格、产量、品类和级别上没有形成政府或协作组织型的宏观调控。目前由于缺乏宏观规范，大多出口产品的价格都几乎是买家说多少就多少，初级产品、粗放产品以不计环境成本的价格出售给了国外。[7] 2008年上半年，中国对日本出口稀土9421吨，占同期稀土出口总量的46.1%。

外国人拿着印着代表货币的符号换走了我们珍贵的资源，一旦将来我们资源短缺，想再重新买回，需要付出多大的成本？假如人家根本就不卖呢？这已经从经济问题变成国家安全问题了。

专家痛心地表示，再过50年，中国将从稀土资源大国变成小国，世界最大稀土矿白云鄂博矿藏将在30年内消失，有"世界钨都"之称的江西赣州稀土资源矿将在20年内被开采殆尽。而目前发达国家几乎都对稀土进行最严格的限制！

除此之外，还有一种隐性的资源贱卖方式，那就是以资源为依托的低附加值产品。这种方式其实是在变相贱卖我国宝贵的资源，另外搭售了我们的廉价劳动力。这些初级产品以接近资源的价格被卖到国外，他们将这些初级产品精加工后加价几倍再卖给我们，我们靠卖资源和苦力赚的一点血汗钱，转一圈后就又回到外国人手里了，我们一无所获，还污染了环境、浪费了资源、牺牲了健康。

因此，资源被贱卖乃是中国最大的疼痛。

必须认识到，资源并不是可以无节制地浪费的。

很多人对2007年煤炭供应短缺的状况记忆犹新。许多人至今认为，我国煤炭供应不足是生产不足所致，而没有考虑到一个潜在的危险因素，即我国煤炭后备资源短缺问题。早在2004年，中国工程院院士、中国煤炭工业协会会长范维唐和第一副会长濮洪九就上书国务院，他们指出，按照"净有效量"（指真正能经济有效可供开采的资源量）测算，在1万亿吨的煤炭探明储量中，净有效储量仅为1037亿吨。以我国煤炭工业的现状为基础，每吨煤的采出率为30%，以净有效量1037亿吨计算，可采出储量为311亿吨。若以年产煤10亿吨测算，仅可保证31年的产量；若以预测需求量来衡量，到2020年，311亿吨煤将全部采出。因此，两位专家建议尽快建立起我国的煤炭储备机制，通过技术改造等手段，提高全国煤炭资源平均回收率。

这是一种令人痛心的谬误：我们把最具有增值潜力的稀缺资源贱卖，换来最容易贬值的纸币储备起来，由此给中国带来的财富的损失和国家安全的损害是难以估量的。

1994年，中国外汇储备为516.2亿美元，当时的黄金价格是384美元/盎司，以购买力计算，我国的外汇储备相当于134 427 083盎司黄金。

2008年2月，中国外汇储备为16 471亿美元，当时的黄金价格在900美元/盎司以上，以购买力计算，我国的外汇储备相当于1 830 111 111盎司黄金。

通过对比不难看出，我国外汇储备从1994年到2008年2月，增长了32倍，而能够购买的黄金总量仅增加了13.6倍！显然，外汇储备的过快增长，掩盖了其购买力下降这一现实。

重美元储备而轻实物储备不仅短视而且危险。中国应该转变思路，从储备货币向储备实物尤其是稀有资源（包括黄金）转变。

无论是从自身经济安全的角度考虑，还是从为未来让人民币成为国际性货币打基础的角度考虑，亦或是从升值的角度考虑，中国都应该加大稀缺资源尤其是黄金的储备量。

美国的黄金储备在其国家战略总储备中所占的比率高达56.7%，德国为37.6%、法国为47.1%、意大利为47.8%、瑞士为38.2%、荷兰46.6%，这也凸显了黄金储备的重要作用。

而中国的年黄金产量已经超过了200吨，2007年达到了270.49吨，仅次于南非，居世界第二位。2008年中国黄金产量可能达280～300吨。

但是，这些年来我国的黄金储备仍然是600吨（相当于美国的1/14），没有增加，在我国目前的外汇储备中绝大部分仍然是美元。据悉，这里面有一个潜规则，有关部门储备美元等货币，一旦升值，就能获得部门利益，如果储备黄金则不能获得部门利益。这个制度漏洞所造成的中国黄金储备的减少不能不令人痛心。

次贷危机的恶化，使得海外一些资源类企业的市值大幅缩水，中国企业应该抓住机会，走出去，积极收购或参股矿产资源，为中国未来的发展做好储备。倘若再不抓紧时机，趁着次贷危机后全球需求下降导致的大宗商品价格暴跌的机会，积极储备实体资产，在美元霸权机制下，天赐的良机就可能再次擦肩而过。

中国必须尽快觉醒：以最强烈的紧迫感保护资源（尤其稀缺资源）、储备资源，这是将来实现民族复兴的最重要保障！

建立技术人才和知识产品资源

高科技是无形资源，却站在财富之巅。尤其是当某种技术仅为少数甚至某个国家独有的时候，这类资源就显现出珍贵、稀缺的特征，也代表着更强大的购买力。

高科技产品的研发和储备，与稀缺的自然资源一样，被一些国家置于经济安全的重要位置，严格限制甚至禁止相关高科技产品的出口。

以美国为例。2001年，美国对华高科技产品出口占当年中国高科技产品进口总额的18.3%，而这一比例到2006年下降到9.1%，原因就在于美国对其高科技产品对华出口的严格限制。

中国社会科学院研究员杨圣明撰文指出：在美国的产业结构中，资本和技术密集的高科技产业是优势，而劳动密集的生活必需品产业则是劣势。这就决定了美国必须进口劳动密集型产品而出口高科技产品。但美国在大量进口劳动密集型产品的同时，却以出口管制政策严格限制高科技产品出口，这就导致贸易严重失衡，贸易逆差与日俱增。如何解决财政和贸易双赤字问题？那就是靠在全球发行美元、国债、股票以及大量金融衍生品。通过这样的虚拟渠道，使全世界的实体资源（自然资源、劳动资源和资本资源）不停地流进美国。美国生产货币，其他国家生产商品，这是多么"美好"的交换啊！[8]

我们的官员经常十分困惑：美国现在是世界上技术最先进，拥有最多高技术产品和专利的国家，而中国是一个最大的高技术产品的需求市场，如果能发挥双方的优势，形成互补，一定可以对平衡中美贸易起到很重要的作用。

但是，即使在次贷危机已经露出端倪的情况下，美国依然更严格地限制高科技产品的出口。

2007年6月19日，美国商务部下属的产业安全局发布了三项新规，即《对中华人民共和国出口和再出口管制政策的修改和阐释》、《新的授权合格最终用户制度》、《进口证明与中国最终用户说明要求的修改》。管制新规所列产品"黑名单"涉及31个大类和有关技术、软件的20种产品。具体包括飞行器、飞机发动机、航空电子系统和惯性导航系统、激光、光学感应纤维、数组天线、无线接收设备、认证软件、高性能计算机、电力系统合成器、贫化铀、水下摄像机和推进系统、某些复合材料、部分电信设备、空间通信和防空设备等。[9]

美国严格限制高科技产品的出口，原因有三：

其一，确保其技术领先优势，而这种技术领先优势所支撑起来的强大国力，为其通过金融衍生品的发展套取全世界的财富，创造了条件。

其二，防止其他国家将相关技术运用到军事武器研究方面，威胁到美国的军事霸权地位。无与伦比的军事力量与强大的高科技研发、创新能力，是美国吸引全球资金涌入并让其有安全保障的重要基础。

其三，牢牢地控制技术发展优势，意在使包括中国在内的新兴国家，因技术资源的缺陷而贱卖自然资源换取外汇，从而使得包括中国在内的发展中国家难以颁布限制甚至禁止稀缺资源出口的法规，坐享中国的稀缺自然资源。同时，使得新兴国家由于研发能力弱、技术落后而沦为最廉价的加工车间，既帮助美国分担了通货膨胀压力，也使得美国可以用少量的高科技含量高的成品换取大量的最廉价的商品和服务——中国需要卖掉8亿件衬衫才能换来一架波音飞机，就是一个最明显的例子。

因此，我们应该限制稀缺资源的出口，同时加大对高科技研发的资金和政策扶持力度，全力支持民族高科技产业的发展。

我们还应该通过对知识产权的保护，促使高校和企业在高科技研究领域有所突破。

《华尔街日报》的一篇评论指出：什么是最大、最重要的美国产业？钢铁业、石油业、化工业还是汽车业？上述哪个产业都不算。知识产业才算是所有产业中首屈一指的。

这段话是评论弗里茨·马克卢普所著的《美国的知识生产与分配》一书的，该书系统阐述了知识生产的相关理论、重要性和生产过程，美国对知识生产的高度重视跃然纸上。

比如，在高科技研发投入方面，该书写道："研究费用增长到了可观的程度，其中绝大部分是由联邦政府支付的。在1930年，用于'有组织的研究'的费用达到'居民教学'费用的约8%，1956年达到了44%，1958年几乎达到了50%。"[10]

不仅政府重视对高科技研究的投入，企业同样非常重视。美国的大公司集团早已养成通过同其他实验室建立合作关系以推动自己的科研工作的习惯，动辄数亿美元的科研投入，给美国企业带来了丰厚的收益。例如，IBM公司2001年的专利特许权收入就将近20亿美元。

而这两点现在都是中国的软肋。中国规模以上工业企业的研发经费只占销售额的0.56%，在全国两万多家大中型国有企业中，有研发机构的只占25%。[11]

原科技部部长、中科院院士徐冠华曾经指出："在政府科研经费投资方面，仅公共卫生研究而言，2001年美国的政府科研投资为240亿美元，而我国为12亿元人民币，两者相差约160倍。"[12]

2000年诺贝尔经济学奖得主詹姆斯·赫克曼指出：中国在教育投入方面与世界平均水平的差距隐含着巨大隐患。现阶段中国的人力资本投资远低于物质资本投资，大约各占GDP的2.5%和30%，而在美国，它们是5.4%和17%，在韩国，它们分别是3.7%和30%。这样的现状如果持续下去，会不利于国民整体素质的提高，并使国家发展必需的人才储备出现供给安全。[13]

近年来，中国政府加大了科研投入，但是许多资金并未用到刀刃上，科研经费浪费严重。

据新华社记者调查：我国科研经费的利用率普遍低下，科研项目甚至成了某些科研人员的"圈钱"工具。为争取科研经费，必须得开展公关活动，这项花费占去科研经费的很大一块。由于竞争机制的不规范，使得相当数量的课题组及科研人员将大量时间和金钱投入到课题申请环节。"争取项目有很多'潜规则'，要看关系。有关系的，项目设计得不好也能上；没有关系，课题再好，也不容易上"。"一般做项目预算时，需要100万元就报120万元，上浮20%。资金只要拨下来，就能想方设法用完。用不完时，就买车买电脑、置办办公用品，反正钱是剩不下的"。在项目实施中，上级部门也会派专家组成的"评审组"进行中期审核，了解项目资金的使用情况、课题进度等，如审核不过关，就不再拨付下一批的资金了。因此，每逢检查时，研究机构一般都要请前来考评的专家吃喝玩乐，每人再送点纪念品，更有甚者直接送"辛苦费"。"评审组"被哄高兴了，审核自然就一路顺风。另外，科研行政部门掌管大量科研经费，资金分配不透明，也引发众多非议。[14]

必须认识到，中国在科研方面的实力与西方发达国家还有非常大的差距，倘若不全力以赴追赶，差距可能越拉越大。"在18世纪时，知识每50年翻一番，现在不到10年就翻一番。"[15]

面对已经到来的资源为王的时代，中国应加大科研投入，提高资金的使用效率，打造出一个以高科技产品为核心的珍贵的资源体系，唯有此，才能在未来的竞争中立于不败之地。中国到了该觉醒和有强烈紧迫感的时候了。

注　释

1. 世界石油当真还够用40年？——科学家警告枯竭将提前来临. 中国日报，2007年6月15日。
2. 日本人危机意识十分强烈官民共担战略储备. 环球时报（第3版），2004年6月18日。
3. 李中海. 普京八年：俄罗斯复兴之路（经济卷）. 经济管理出版社，2008。
4. 中国需要怎样的矿产资源战略. 中国矿业报，2004年4月14日。
5. 国内钢企蓄力"铁矿石定价权". 中国矿业报，2008年4月2日。

6. 外资圈占中国世界级金矿储量巨大令人心跳. 中央电视台，2008年4月11日。

7. 我国稀土自主研发能力薄弱出口价十年下降46%. 中华工商时报，2006年3月30日。

8. 杨圣明. 美国金融危机的由来与根源. 人民日报，2008年11月21日。

9. 美对华高科技出口管制升级. 科技中国，2007年7月12日。

10. 弗里茨·马克卢普. 美国的知识生产与分配. 孙耀君，译. 中国人民大学出版社，2007。

11. 全国两万多家大中型国企仅25%有研发机构. 中国青年报，2006年6月29日。

12. 徐冠华力陈科研三种"病"科学资源浪费严重. 京华时报，2003年12月5日。

13. 时寒冰. 教育支出占GDP的比重为何连年下降？ 上海证券报，2006年3月7日。

14. 科研项目成"圈钱"工具浪费黑洞触目惊心. 新华社，2006年5月29日。

15. 同第10条。

民富国强 启动内需

■ 第二次世界大战结束后，从废墟上爬起来的日本，像谜一样，以迅雷不及掩耳之势发展起来，其国力增长速度之快，令世界震惊。解开这个谜团，不仅对我国解决目前的现实问题具有重要参考价值，对我国构思长期的发展规划，实现民族复兴亦具有重要价值。

■ 日本既给我们带来了经验，也带来了教训。经验是民富则国强，教训是民穷则国衰。

■ 我们现在所面临的最重要的问题，不是高工资导致的生产成本过高问题，而是工资落后于GDP增速所引发的内需不振问题。低工资状态下的廉价劳动力，虽然可以降低生产成本，却让我国经济难以走出粗放式发展的模式。

■ 要想实现国强，须首先实现民富，因此，在人均GDP超过1000美元之后，我们首先应该在国民收入分配中向国民个人倾斜。唯有此，中国经济才能冲破内需不振的羁绊，实现最优效率的增长。

内需不振的巨大风险

内需萎靡不振一直是困扰中国经济发展的头号障碍。随着次贷危机的恶化，我国政府开始把启动内需作为刺激经济发展的首要目标。2008年11月9日，国务院常务会议确定了当前进一步扩大内需、促进经济增长的10项措施，其主要目的就在于激活内需。

拉动内需是确保经济可持续发展的一个重要前提。但是，中国的内需屡拉不动。

2006年11月23日，中国人民银行副行长苏宁表示，我国最终消费[1]占GDP的比重已从20世纪80年代超过62%下降到2005年的52.1%，居民消费率[2]也从1991年的48.8%下降到2005年的38.2%，均达历史最低水平。储蓄率[3]则从2001年的38.9%上升到2005年的47.9%，5年间快速增长了9个百分点。储蓄率过高、消费率过低的结构性矛盾引发的一系列问题，已成为当前金融调控需要应对的突出挑战。

这一趋势还在延续。2007年，美国居民消费占GDP比重高达72%，而同期，中国居民消费仅占GDP的35%，加上政府消费也只占49%。[4]

投资、消费和出口被认为是拉动经济高速发展的"三驾马车"，但长期以来，我国一直是"重投资，重出口，轻消费"，经济增长主要靠投资和出口拉动，而国内消费的贡献则较小。

经济发展过于依赖投资和出口存在很大的隐患。

投资如果超越或脱离消费需求走在前面，会导致投资规模膨胀，进而导致产能过剩、库存增加、价格下跌，增大金融风险和经济运行风险，并使腐败有机可乘。商务部的调查显示，我国绝大多数消费品和生产资料都供过于求，工业品生产能力利用率有半数低于50%。

经济发展过于依赖出口同样存在很多弊端。

其一，当经济发展严重依赖外部需求时，意味着我国商品处于买方市场[5]格局下，国外消费者占据着主动权，他们通过挑起国内企业的恶性竞争获得更低的售价，导致国内大量资源型产品、劳动密集型产品被贱卖。由于我国企业获取的利润很有限，无法给予工人更多的工资，从而形成进一步依赖国外消费市场的恶性循环，严重威胁着我国的经济安全。

其二，由于我国内需不振，产能过剩，为了在和周边国家的竞争中脱颖而出，使国外的消费者接受我们的产品，政府往往会对电价、油价等进行财政补贴，以维持我国相关产品的成本优势和价格优势，这实际上意味着财政间接补贴国外的消费者，导致中国国民福利外流。

其三，国外的消费者在购买中国廉价商品的同时，也造成了对中国的贸易逆差，外国政府常常以此为由，对中国出台不公正的带有明显的贸易保护主义色彩的政策，或者以此为由对中国的货币政策等进行干预。

从1995年开始，中国已连续成为全球遭受反倾销调查最多的国家。随着贸易摩擦越来越多，我国企业的出口压力越来越大，不确定性风险也越来越大。

为了寻求贸易平衡，中国往往会集中采购相关国家的产品。比如，每一次中美战略经济对话前后，中国都会赴美集中大量采购美国的相关商品。

在奥巴马上任后，出于对美国失业率上升的担忧，他可能在贸易保护方面采取行动。而此前，奥巴马已经向美国全国纺织团体协进会做出明确表态：将对中国纺织品采取监控机制，以确保中国没有违反相关法规与条约；支持在各自由贸易协议中，保留"yamforward"的原产地规定；支持《贝瑞修订案》中关于美国国防部军用服饰品只采购"美国制"纺织品的规范。

来自于国外市场的风险，成为悬在中国企业头上的一把达摩克利斯之剑，这种不确定性风险给中国相关企业的发展和规划带来了非常大的困惑。

其四，经济安全受制于人，就可能在外围力量的影响下，发生经济动荡，甚至引发经济危机。

我们知道，经济危机是指经济系统没有产生足够的消费价值，亦即生产能力过剩的危机。根据马克思经济学的观点，生产过剩包括三种形式：一是产出或产品过剩，反映在市场上就是供给过剩；二是资本（实物资本和货币资本）过剩；三是劳力过剩，表现为就业率下降或失业率上升。

由于内需不足，我国许多商品的供给是过剩的。国内纳入国家监控的650余种商品类别，产能长期过剩的就有620余种之多，导致全国40%的产品必须长期依赖国际市场才能"低价倾销"。[6]

供给过剩是生产过剩的初级形态，很容易转化成产能过剩。事实上，产能过剩的现象在我国已经非常普遍。但是，中国过剩的产能与美国等发达国家的消费（尤其美国消费信贷支持下的过度消费），通过出口实现了对接，这种对接消化了中国部分过剩产能，减小了中国发生生产过剩危机的可能性。问题是，随着次贷危机的恶化，倘若发达国家实行严格的贸易保护主义，限制中国相

关商品的出口，或者因国家之间发生纠纷与争执，导致经济制裁问题出现，就有可能使我国的产品由于出口不畅而发生严重过剩，进而引发生产过剩危机甚至经济危机。

所谓居安思危，为了确保中国的经济安全，这一潜在危机是我们必须要正视的。

其五，内需不振，拖住了中国进行产业结构调整的进度。

高耗能、高污染、高损耗资源的发展模式，虽然确保了GDP增长速度，但给中国的环境带来了污染，给经济发展甚至给中华民族的繁衍生息带来了巨大的隐患。

国家人口和计划生育委员会科学技术研究所曾对1981～1996年间公开发表的、来源于39个市县、256份文献共11 726人的精子分析数据进行研究后发现，由于环境污染等因素，我国男性的精液质量正以每年1%的速度下降，精子数量降幅达40%以上。

这还是过去的数据。全国人大代表、两院院士钟南山指出：由于环境污染等因素带来的食品问题越来越突出，男性的精子浓度比40年前下降了将近一半，以前每毫升含5000万～1亿个精子算是正常，现在3000万就算正常了。如果不采取相应的解决办法，再过50年很多人将生不了孩子。[7]事实上，现在全国各大治疗不孕不育的医院，都经常是人满为患。

环境污染给中国人的生存环境带来的严重后果，正在让我们这个民族付出代价。中国越来越难以承受这种初级的发展模式，亟须实现转型。而要实现产业结构的调整，必须有内需的启动作为前提。否则，一旦外部需求下降，产业结构调整就可能被迫中断，次贷危机恶化后，中国重新鼓励钢铁等过剩行业的发展即为一个例子。

什么抑制了内需

每当谈起中国的内需问题，许多研究机构不约而同地把能否激活消费、拉动内需和我国工资较低的现状联系在了一起，开出的药方也是提高工资、让民众有钱消费，这难道仅仅是巧合？

这一结论与我国现实情况相符。

中央党校《学习时报》副编审邓聿文曾撰文指出：由于资本的利益机制在于以最小的劳动成本获取最大的利润，劳动者的工资总是被不断压缩，消费市场相对缩小。所以马克思指出："一切真正的危机的最根本的原因，总不外乎群众的贫困和他们的有限的消费。"在过去，我们把经济危机看做资本主义社会独有的现象，认为是资本主义生产的无限扩大与消费的相对不足这一矛盾所致。但现在看来，只要实行市场经济，不论姓资姓社，都会出现经济危机。因为作为经济危机表征的生产过剩、消费不足，也已经存在于我们的社会，而且已经有好长时间了。[8]

因此，从根源上来讲，抑制内需的最根本原因在于民众收入没有与经济保持同步增长，没钱消费。就我国具体情况而言，又表现在以下几个方面：

第一，在我国的国民收入分配机制中，财富分配向政府和企业倾斜，公众收入较低。

笔者在本书第2章曾经提到过："由于工资过低，导致无法产生出与产品供应相配套的内部需求，即内部需求是残缺的。由此，不得不进一步依靠外部需求，国内的生产与国外的需求构成一种平衡，而要依靠外部需求，又常常进一步压低工人工资，从而形成了一种恶性循环。"

国家发改委公布的《中国居民收入分配年度报告（2006）》指出：从资金流量核算结果来看，20世纪90年代以来，我国国民收入分配出现了向政府和企业倾斜的现象，政府和企业可支配收入占国民可支配收入的比重不断上升，而居民可支配收入占国民可支配收入的比重持续下降。并且，政府占国民可支配收入的比重仍保持扩大之势。而根据国际上通常的发展路径，当人均GDP超过1000美元之后，居民可支配收入占国民可支配收入的比重通常是上升的。[9]

这一趋势延续至今。国家税务总局发布的统计数据显示，2008年上半年，全国税收收入（不包括关税、耕地占用税和契税，未扣减出口退税）稳定较快增长，累计完成32 553亿元，比上年同期增长30.5%，增收7606亿元。而同期的GDP增速为10.4%，税收增长速度是GDP增速的3倍。

另有一些数据亦支持这一点。

我国工资长期处于较低状态。国际劳工组织公布的数据显示，2000~2005年间，中国的人均产出增长了63.4%，超过了印度的26.9%和东盟的15.5%。这一数据显示出中国经济的增长是有效率而且是健康的。但是，该报告也指出高劳动生产率却并没有体现在工资水平的增长上，这表明公民没有充分分享到劳动生产率提高的成果。由于工资增长缓慢，造成我国消费长期低迷不振。

这与世界银行2007年2月发布的一份报告结论相同。世界银行认为，造成中国消费长期低迷的原因并不是公民的高储蓄，而是工资水平跟不上经济发展速度。许多关于刺激中国消费的传统看法主要将注意力集中在中国过高的家庭储蓄上，但实际上，中国消费的下降可以用工资等收入占经济比重在过去的变化来解释。工资水平作为衡量居民收入的指标，其在经济指标中的比重呈现持续下降态势，远远低于美国57%的水平。[10]

近年来，我国GDP以9%左右的速度增长，各级政府的财政收入也以年均20%的速度增长，但工资占GDP的比例，则从1989年的16%下降到2003年的12%。[11]

为了拉动内需，我国从1988年开始出台了一系列鼓励消费的措施，但效果平平，工资涨幅低于GDP增速不能说不是一个根本性原因——收入低拖了内需的后腿。

因此，我们现在所面临的最重要的问题，不是高工资导致的生产成本过高问题，而是工资落后于GDP增速所引发的内需不振问题。低工资状态下的廉价劳动力，虽然可以降低生产成本，却让我国经济难以走出粗放式发展的模式。

这种定位在中国和印度之间体现得很明显，《人民日报·海外版》披露的数据显示，在制造业领域，我国的劳动力价格甚至比20世纪90年代才开始快速增长的印度还要低10%。印度平均工资水平在2003、2004和2005年这三年分别上涨了11.45%、11.6%和14%,远远高于印度当年的GDP增长速度。高工资加快了高技术人才的培养步伐,并有利于留住人才,印度软件业的快速发展就得益于此。

近年来,无论是在印度、美国还是欧洲各国,劳动力工资都在提高。在美国,单位劳动力成本出现了将近25年来的最快增长。2006年的数据显示,德、法等国的失业率当时都处于几年来的最低水平,过低的失业率加速了工资上涨的步伐。[12]

我国居民收入的增长速度也低于俄罗斯。1999~2006年间,俄罗斯经济年均增长6%,而同期俄罗斯的人均实际工资和人均实际收入的增长速度,比GDP的增长速度高出2倍。俄罗斯财政部部长库德林还宣布,根据俄罗斯2007~2009年预算计划,未来3年,实际工资还将提高50%。

对比之下,显出我们应努力的方向。

另外,贫富差距的拉大也是制约我国内需启动的一个重要因素。一个最常见的数据是:20%的人拥有80%的银行储蓄。而在房价上涨过程中,部分首先富起来的人炒房,推高房价,进一步抑制了普通民众的购买力和消费动力。

第二,社会保障机制不健全,公共产品的市场化倾向蚕食了民众的消费能力。

社会保障健全的国家,民众对未来不确定性预期的担忧小,后顾之忧小,自然也敢于消费。反之,社会保障机制不健全的国家,民众对未来担忧大,他们会不由自主地养成储蓄的习惯,不敢轻易去消费。

同时,由于社会保障机制不健全,民众需要承担医疗、教育、养老支出,并受到高房价的困扰,这些负担蚕食了民众的消费能力。教育部原副部长张保庆曾经坦言:"我和我夫人两个人的工资加在一起,也只供得起一个孩子上大学。"

我国消费体制改革与收入分配体制改革并未同步进行。一方面住房商品化、教育产业化、医疗市场化等进程迅速展开；另一方面，公众的收入结构改革滞后，人们因住房商品化、教育产业化、医疗市场化等增加的消费支出，没有能由收入（货币工资）的相应增加而得到充分补偿。

虽然，从1998~2005年，我国财政社会保障经费年支出虽然由598亿元增长到3600亿元左右，年均增长29.4%，占财政总支出的比重也从5.5%增长到11%，但与发达国家相比（美国占70%以上），这一比例依然过低。

2007年5月28日，中国社会科学院发布了2007年《社会保障绿皮书》。绿皮书指出，1990~2004年，我国城镇居民人均可支配收入由1510.2元增加到9421.6元，增加5.24倍；农村居民人均纯收入由686.3元增加到4039.6元，增加4.89倍。与此同时，我国城乡居民人均医疗保健支出分别增加了19.57倍和5.86倍，居民卫生支出的增速远超出其收入增长速度。教育支出同样如此。全国高校的人均学费在1990年时不足500元，到2004年就已经上涨到5000多元，上涨了10倍以上。[13]

尤其须要强调的是，房价的过快增长是蚕食民众购买力、制约内需启动的一个极其重要的因素。由于房价连年持续快速上涨，偏离民众的实际购买力越来越远。在许多城市，购买一套房，相当于消耗掉一个中等收入家庭一辈子的收入。至于那些按揭买房者，在长达10年、20年、30年甚至更长的时间内，背负着沉重的还贷压力，平常不得不节衣缩食，高房价透支了他们未来几十年的消费能力。当开发商等少数既得利益集团获取巨额财富的时候，牺牲掉的是民生和推动中国经济发展的一大动力——内需。

支出增速远超过居民收入增速，无法实现藏富于民的设想，难以让民众真正分享经济发展的成果。同时也使我国居民生活压力较重、对未来不确定性预期的担忧加大，严重抑制消费需求的释放，导致内需屡拉不动，从而成为制约我国经济可持续发展的一个致命缺陷。

第三，行政管理支出增长过快，挤压了公共产品领域的财政投入。

2006年，全国两会期间，国务院参事、全国政协常委任玉岭指出："我国行政管理经费增长之快，行政成本之高，已经达到世界少有的地步。尤其值得注意的是，近年来行政管理费用的增长还在上升。"任玉岭指出，目前我国共有1.2亿人口生活困难，而1978～2003年这25年间，我国的行政管理费用已增长88倍，高于同期财政收入增长和GDP增长。行政管理费用占财政总支出的比重在1978年仅为4.71%，到2003年上升到19.03%。将2003年行政管理费用同2000年相比，3年内增长1923亿元，平均每年增长23%。[14]

任玉岭的观点与财政部官方网站一篇研究报告中的数据不谋而合。该报告指出：如果以行政管理成本支出情况分析，行政支出成本确实存在着不断膨胀的事实，公共财政支出的有效性还有很大的潜力可挖。这种膨胀基本体现在：一方面行政管理费用的绝对支出从改革开放初期1978年的52.9亿元，增加到2003年的4691.26亿元，增长了88倍，同期的财政收入与财政支出分别增长19.18倍、21.97倍，政府成本支出增长的倍数分别高出同期财政收入与总支出增长的68.82倍和66.03倍；另一方面，在国际上比较，中国的行政管理费占财政总支出的比重要比发达国家高出很多。以2003年为例，中国的行政管理财政支出已上升到19.03%，远远高于日本的2.38%、英国的4.19%、韩国的5.06%、法国的6.5%、加拿大的7.1%和美国的9.9%。[15]

行政管理支出增长过快与"三公"（公车、公款吃喝、公费旅游）消费不无关系。2008年11月28日，在中央电视台《新闻1+1》节目中，央视特邀观察员、全国人大常委会办公厅研究室特约研究员王锡锌指出："我国公款吃喝、公费出国、公车开支一年9000亿元。"

而"三公"消费增长过快又与行政机关的膨胀有关。王锡锌指出："我们辽宁的铁岭市，一个304万人口的地级市，居然有9个副市长，而办公部门居然有20个副秘书长。另外有一个山东的贫困县只有30多万人口，居然有15个县长助理，的确是令人震惊。"[16]

2008年11月，辽宁铁岭市有9个副市长、20个副秘书长，河南新乡市有11个副市长、16个副秘书长，贫困县湖南平江有10个副县长、4个县长助理等现象，成为全国各大媒体热炒的焦点话题。这些全部源于政府网站的信息，反映出机构臃肿、官员过多的弊端。

政府机构越大，开支自然越大。2007年，国家财政税收增加了31%，达到5.1万亿元，占GDP的21%，相当于3.7亿城镇居民的可支配收入、12.3亿农民的纯收入。[17]

第四，由于惩罚性措施不够严厉和系统，执法不严，使得我国消费领域的社会信用水平较低，一些生产厂商在提供商品或劳务时利用以劣充优甚至以毒充优，或者虚高成本、哄抬价格，牟取暴利，欺骗消费者，使得消费者不敢消费。

三聚氰胺"毒奶粉"事件就是一个非常明显的例子。

在三鹿婴幼儿奶粉被查出三聚氰胺之后，国内的许多知名奶粉品牌也相继发现了问题。由于越来越多的媒体揭露，三聚氰胺乃是行业内的"潜规则"，导致消费者对国产品牌的信任度大大降低。价格高昂的进口奶粉销量大增。[18]

如果不是此后外资品牌也相继被查出三聚氰胺，除了为数不多的几个国产品牌在行业风暴中保持了清白，恐怕大部分奶业民族品牌都在劫难逃。

2008年11月29日，新华社援引美联社27日发自美国加州圣何塞的一则电讯说，几种美国大牌婴儿配方奶粉中检测出了有毒物质，这引起了家长们的担忧和困惑，一个消费者组织和伊利诺伊州检察长要求美国食品和药物管理局召回问题奶粉。美国三大婴儿配方奶粉制造商之一美赞臣公司的发言人彼得·帕拉多西说："颇感困惑的妈妈们的电话潮水般涌来。"

外资品牌的奶粉出现问题，并不值得国内企业庆幸。这是全球消费者乃至整个人类的一场悲哀。作为危害婴幼儿健康的有毒奶粉事件，无论发生在任何一个国家、任何一个品牌身上，都是令人痛心的，须以严厉的监督、检测、惩罚机制来确保奶粉的质量与安全。

除了"毒奶粉"事件，在商品房投诉中，面积缩水、质量问题，永远是位居投诉前两位的焦点，但以中国现有的法律体系，欺诈者为此所付出的赔偿往往小于被侵权者的维权成本。这些因素都恶化了消费环境，影响了我国内需的拉动。

日本国力腾飞之谜启示中国

第二次世界大战结束后，从废墟上爬起来的日本，像谜一样，以迅雷不及掩耳之势发展起来，其国力增长速度之快，令世界震惊。

解开这个谜团，不仅对我国解决目前的现实问题具有重要参考价值，对我国构思长期的发展规划、实现民族复兴亦具有重要价值。

日本的经济发展始于1955年。从1955年开始的"神武景气"[19]期间，国民生产总值年增长12%，消费热逐渐升温，从1957年开始，消费品的"三大神器"——洗衣机、电冰箱、黑白电视机迅速普及，进入寻常百姓家。家用工业品的增长率中，电视机达到47倍，电冰箱达到24倍，普通工人2个月的工资即可买1台电视机。日本的消费时代开始来临。

接着，从1958～1961年，日本经济又经历了一场长达42个月的景气，超过了"神武景气"，日本人称为"岩户景气"[20]。在这一期间，国民生产总值每年递增10%以上。经济结构发生重大变化，重化学工业投资迅速增长，生产大幅度增加。钢铁、机械、电力等产业部门形成投资引发投资的循环过程。同时随着工资的提高，食品消费比例下降，耐用消费品、娱乐和交际费用比重增加，娱乐消费意识上升，保龄球、高尔夫球、滑雪、旅行成为时尚，追求生活舒适成为时代潮流，日本出现了"大众消费社会"。由于消费内容趋于均衡和一致，在将近一半的国民中产生了"中流阶层意识"。

从"神武景气"到"岩户景气"，日本经济的发展，都是以内需的启动为基础的，而中产阶级的发展壮大，为内需的成长注入了勃勃生机。在此期间，为了扶持本国产业的发展，日本实行了严格的进口限制政策。可见，日本经济的起步，内需的贡献功不可没。

受此启发，日本经济学家充分认识到了提高国民收入给经济发展带来的强大生机。于是，日本推出了更雄心勃勃的计划，为日本经济不可思议的腾飞奠定了坚实的基础。

1960年12月27日，是改变日本国运的一天。这一天，日本池田内阁为了推动日本经济的发展，采纳经济学家下村治的建议，通过了国民收入倍增计划。

国民收入倍增计划的主导思想是：<u>用国民收入的增长来带动经济总量的增长，而不是像传统的习惯那样，用经济总量的增长来带动国民收入的增长。</u>

国民收入倍增计划的时间为10年，它把国民收入倍增作为第一目标或者核心目标——10年后实现国民生产总值及人均国民收入增长1倍以上：国民生产总值和国民收入年平均增长速度为7.8%，人均国民收入年平均增长速度为6.9%。

具体内容主要包括：充实社会资本；产业结构高度优化，提高高生产率部门在产业中的比重；促进对外贸易和国际经济合作；培训人才，振兴科学技术；缓和二重结构，确保社会安定。这一计划的主要目的在于使经济达到极大的增长，提高人民的生活水平以及实现充分就业，消除日本的经济结构不平衡状况。

国民收入倍增计划在日本实施的结果是：国民生产总值和国民收入的实际年平均增长率达到11.6%和11.5%，远远超过了计划规定的目标。1967年，日本提前完成翻一番的目标，实际国民收入增加了一倍。到1970年该计划完成之时，日本的国民生产总值已先后超过法国和德国，仅次于美国，跃居世界第二位。

通过另一组数据，我们能够更清楚地了解日本国力迅速提升的秘密。日本经济从20世纪50年代进入快速增长时期，在实施国民收入倍增计划之后，日本国民工资的增长速度每年比美国快70%，到1980年工资水平就已经与美国持平。高工资提高了消费能力和国民的敬业精神，为其经济发展注入了强劲而持久的活力，使日本成为世界经济强国。这说明，国强民富乃是相伴而生，国强必须有民富作为基础。[21]

现在，我们再拿日本跟美国做一个对比。

美国的黄金发展阶段是1942～1962年，其人均GDP在1942年首次超过1000美元，在经历20年时间后，1962年人均GDP达到3144美元。日本的黄金发展阶段是1966～1973年，其人均GDP从1966年的1071美元，经过7年的增长变为1973年的3348美元。

在1000美元至3000美元的阶段，美国和日本的政府、企业和居民在初次分配中的份额大致为1:4:5。而在经过了再分配后，1948～1962年，美国企业在国民可支配收入中占有主体地位，虽然所占份额有所下降，但仍在80%以上；政府和居民在国民可支配收入中的份额均较小，年均不到11%，都呈现缓慢上升趋势，政府、企业和居民三者之间的最终分配比例关系大致为1:8:1。

1965～1973年，日本的企业在国民可支配收入中所占份额较小，平均为7.5%；政府部门在国民可支配收入中所占份额也不多，约占16%左右，变化趋势是略有上升；居民与非营利机构在国民可支配收入中占有主体地位，占国民可支配收入的75%以上，政府、企业和居民三者之间的比例关系大致为1.5:1:7.5。[22]

通过对比不难发现，日本人均GDP从突破1000美元到突破3000美元，只用了7年的时间，而美国从人均GDP突破1000美元到突破3000美元，用了20年的时间。原因在于，日本的财富分配是向居民个人集中的，而美国则是向企业集中的。两者相比，可以看出：日本居民收入的快速增长比美国财富向企业的集中，更能促进消费能力的提升。同时，日本居民收入的增长，也为日本海外投资创造了条件，更有利于日本海外资源的收购和海外市场的扩张。

由此，建立在民富基础上的日本，国力以不可思议的速度发展起来。20世纪80年代，日本在美国大肆收购，大有买下整个美国之势，"美国正在变成日本的第41个县"的名言在日本广为流传。如果不是美国动用货币武器给冲昏了头脑的日本一次刻骨铭心的回击，今天的日本不知道该多么令人畏惧！

美国、日本等发达国家的经验证明，在人均GDP超过1000美元之后，收入分配越是向国民个人倾斜的国家，其经济发展越迅速、国力越强大。

20世纪90年代初，被美国用货币战争大伤元气的日本，经济显露出衰退迹象。倘若日本再次实行类似国民收入倍增计划这样的宏大计划，日本经济或许能走出泥潭，实现二次腾飞。遗憾的是，日本试图通过扩大产能，保持单向的贸易优势，占据国外市场，而不是像20世纪60年代那样，增加国民的收入，拉动起内需，结果导致了巨大的产能过剩。

日本既给我们带来了经验，也带来了教训。经验是民富则国强，教训是民穷则国衰。

要想实现国强，须首先实现民富，因此，在人均GDP超过1000美元之后，我们首先应该在国民收入分配中向国民个人倾斜，其次是企业，最后才是政府，而不是延续目前的向政府和企业倾斜的现状。唯有此，中国经济才能冲破内需不振的羁绊，实现最优效率的增长。

其实，民富国强的道理，中国古人早就认识到了。

墨翟强调古代的明君"其用财节，其自养俭，民富国治"。《荀子·富国篇》中对于"国富"与"民富"的关系做出了精彩的论述："足国之道，节用裕民，而善臧其余。节用以礼，裕民以政。彼裕民，故多余。裕民则民富，民富则田肥以易，田肥以易则出实百倍。上以法取焉，而下以礼节用之，余若丘山，不时焚烧，无所臧之。夫君子奚患乎无余？"

民富是国强的基础，民穷则是国衰之先兆。

公元589年，隋灭陈，统一全国，隋朝统治者通过对税收等政策的调整，积富于国。据《通典》记载："西京太仓，东京含嘉仓、洛口仓，华州永丰仓，陕州太原仓，储米粟多者千万石，少者不减数百万石。天下义仓，又皆充满。"《资治通鉴》也提到朔州"仓粟烂积"，涿州临朔宫"仓库山积"，《隋书·李景传》则强调北平"粟帛山积"，以至于史学家忍不住感叹"古今国计之富莫如隋"。

但是，隋朝却是短命朝代，原因是民穷，即使在闹大饥荒之时，杨坚也守着充盈的仓库拒绝开仓救灾。故唐太宗评价杨坚说："不怜百姓而惜仓库……凡理国者，务积于人，不在盈其仓库。"隋炀帝时，变本加厉地掠夺百姓，国库虽然保持充盈状态，却最终葬送了江山社稷。

民富是国强之根本。要促进消费，拉动内需，必须实现民富。

中国应如何启动内需

在认识到制约我国内需启动的根本原因后，通过与日本的经验教训做对比，我们就能找到针对性的解决办法。刺激消费需求的核心在于增加居民收入，最终实现民众"有钱可花、有钱敢花"的目标。要做到这一点，中国可以效法日本，实施类似于国民收入倍增计划这样的计划。

第一，增加民众的可支配收入。

经济学理论与美日等发达国家的实践表明，在一国人均GDP处于1000美元～3000美元这一阶段，随着产业结构的不断优化、消费结构的逐步升级以及社会结构的全面深化，国民经济的高速增长和社会进步将面临难得的机遇。2003年我国跨过了人均GDP1000美元的门槛，正在经历这一黄金发展阶段，应该使财富在分配过程中向居民个人大幅倾斜。只有这样，才能让民众有钱消费。

许多研究者认为，中国应该走以下发展路径：先发展经济，等有了足够的资金再去解决民生问题，再增加民众的收入。事实上，这种做法不仅使民生问题的解决和民众收入的提高变得遥远，而且严重制约了我国经济的可持续发展。

有人认为，税收收入会增加财政收入，促进政府的消费，进而带动起全社会的消费。然而，国外学者通过大量的数据早就得出了一个相反的结论：政府消费与经济增长之间是负相关的。[23]

又有人提出，以政府投资来带动消费增长。结果怎么样呢？

建国以来，国家财政收入大多投入到直接的经济建设活动中。然而，政府直接参与经济建设的弊病非常明显。政府财政支出的能力毕竟有限，大量投入到经济建设，则意味着投入社会保障领域资金的减少。同时，其结果是在一些地方楼堂馆所越建越多，形象工程越建越多，真正落到实处的不多。社保体系的不完善，将直接导致老百姓害怕风险波动、花钱谨慎，更会使低收入的人群陷入困境。"有钱不敢花"，或是贫者更贫，消费不畅，最终会抑制经济增长，抑制财政收入的增加，形成恶性循环。可见，一旦财政体制异变成为"经济建设财政"，其结果反而会恶化增长方式。[24]

国民收入分配向政府的集中，对经济发展所产生的推动力小而损耗大。在内需萎靡不振的今天，中国经济已经到了一个临界点上，在这一关键点上，只有当机立断，改变目前的国民收入分配机制，尽快实现民富，中国的国力才能实现快速腾飞，民族复兴的曙光才能清晰地展现在我们面前。

要实现民富，就应该在增加就业和减税方面做文章，而减税本身就可以促进社会投资，增加就业机会。从整个宏观经济来看，面对经济下滑的风险，还应该采取宽财政的措施，而降低企业税负正是宽财政的主要内容。而且，减税有利于我国的经济结构调整。不管是理论界还是实践部门都认同，作为我国第一税种的增值税转型改革有利于推进经济结构调整，应在全国范围内铺开，而增值税改革的一个原则就是减税。

应该认识到，2008年上半年税收增长速度为何3倍于GDP增速？一个最重要的原因是，我国征管水平大幅度提高。我国过去在设计税收机制时，考虑到实际征收率不高的因素，实行"宽打窄收"即名义税负高和实际税负低的征税机制。扣除了各种税收优惠后，如果将当前我国税法所确定的各种税收全部征收上来，那么各种税收总收入应该占到GDP的50%左右。因此，随着我国税收实际征收能力的提升，税收收入大幅度增长本身就凸显了减税的紧迫性。

我们相关税收的某些设计不尽合理，不利于实现藏富于民。以个人所得税为例，从2006年1月1日起施行的新修订的个人所得税法，把个税免征额正式由之前的800元提高至1600元。但仅仅过了1年，有关个税免征额过低的争论就激烈展开了。

对于个税免征额的设计，需要有更大的胸襟和魄力，而不能仅仅停留在修修补补的阶段。

以目前的个税免征额和1981年的相对比，或许更能清楚地看清现行个税免征额的不合理性：1981年职工平均工资约为每月60元，而免征额为800元，大约为月工资的13.3倍。如果比照1981时的比例，现行的个人所得税法把免征额定为24 600元以上或许才更具有合理性，才不至于陷入2年不到免征额标准就显得过低的困局。

个人所得税的作用就是调节贫富差距，免征额低却使它走向了反面——工薪阶层成为个税缴纳的主体。诚如清华大学教授王一江所言，免征额过低压制了中等收入者，而这部分人恰恰是社会中坚力量。十七大提出的目标是，到2020年"合理有序的收入分配格局基本形成，中等收入者占多数，绝对贫困现象基本消除"，要实现这一目标，我国的税收政策应该要能够助推中等收入者的形成而不是相反。[25]

我国应该通过降低税率、消除重复征税、提高就业机会等方式，逐步提高民众的实际收入水平。

第二，建立起完善的社会保障机制。

对于社会保障，我国经济学家将其定义为"国家和社会，通过国民经济的分配和再分配，依法对社会成员的基本生活权利予以保障的社会安全制度"，国际劳工组织则将其概括为"社会通过采取一系列公共措施，以保护其成员免受由于疾病、生育、工伤、失业、伤残、年老和死亡造成的停薪或收入大幅度减少的经济损失及社会贫困，并对其成员提供医疗照顾和对有子女的家庭提供津贴"。

社会保障机制包括三个层次：一是直接面向贫困或低收入阶层的各种社会救助制度；二是面向劳动者的各项社会保险制度；三是各种社会福利制度。

由于医疗、住房、教育等相继走向市场化，部分成本被转嫁到公众身上，而民众收入的增长速度却相对滞后。这就是老百姓生活虽然明显改善，而压力反而增大的根本原因之一，同时也是内需屡拉不动的根本原因之一。

只有建立完善的社会保障机制，才能真正消除人们的后顾之忧。而要建立完善的社会保障机制，包含着两个重要的内容：

一是必须加大财政在社会保障领域的投入。据经济学家陈志武介绍，美国政府财政开支的73%用于社会保障、医疗卫生、教育文化等公共产品，行政开支只占10%，而中国政府开支只有25.5%用于社会保障、医疗卫生、文教和科研事业。[26]

中国需要把更多的资金用于社会保障领域。国家把财政收入用在社会保障上，才真正称得上是取之于民而用之于民。

二是确保公众分享公共产品的公平性。有限的公共产品在分享方面的不平等，是造成相关公共产品供应结构性严重不足的另一个原因。以医疗为例，据卫生部原副部长殷大奎透露，中国政府投入的医疗费用中，80%是为850万以党政干部为主的群体服务的（中科院调查报告）；另据监察部、人事部披露，全国党政部门有200万名各级干部长期请病假，其中有40万名干部长期占据了干部病房、干部招待所、度假村，一年开支约为500亿元。[27]

为了尽快建立和完善我国的社会保障体系，不仅应加大财政对社会保障领域的投入，还必须确保公众公平地分享公共产品。诚如殷大奎所言："没有公平的效率，对社会的贡献是反比性的，效率越高，负面作用越大；而没有效率的公平，是没有希望、低水平的公平，其内在关系也呈反比，即越讲公平，效率越低。因此，我们应该坚持公平原则，力求较高的效率，即贯彻公平、效率一致性的精神。"

第三，削减政府的行政管理支出，为社会保障节约出更多的资金。

我们现在提倡建立节约型政府，即通过采取法律、经济和行政等综合性措施，提高资源利用效率，把政府的资源消耗维持在最低水平，并以最低的资源消耗获得最大的社会和经济效益。

这种节约主要体现在三个方面：控制人员规模，做到"精兵简政"；节约行政开支，做到既廉洁又廉价；提供高效率的优质服务。

对于公众而言，政府在进行公共管理和提供公共服务的过程中所花费的各种费用越少越好。政府行政成本支出减少意味着有更多资金可用于民生方面的投入。

但是，就目前情况而言，有些政府部门的节约意识尚且不足。

2007年3月12日，全国政协委员冯培恩指出，从1986～2005年我国人均负担的年度行政管理费用由20.5元到498元，增长23倍，而同期人均GDP增长14.6倍，人均财政收入和支出分别增长12.3倍和12.7倍。"可见20年来人均负担行政费用的增长速度，明显快于人均GDP和财政收支的增长速度。"行政管理费用超常规增长与政府浪费现象有关。[28]

据《光明日报》的一则报道，北京市曾经对全市48家市、区政府机构2004年的能源消费进行了问卷调查。结果显示，48家政府机关的人均耗能量、人均年用水量和人均年用电量分别是北京居民的4倍、3倍和7倍。其中，政府机构的人均年用电量最高值达到9402千瓦时，相当于北京居民488千瓦时的19倍。[29]

通过新华社《上海证券报》的一则报道，我们可以更清楚地看到应努力改进之处。

1964年，英国医生约翰·亨特给内务部医疗顾问写信："我这里有一名长期痔疮患者，曾经是英国驻奥地利以及日本的大使。回到本国以后，他的病情不断恶化。这全都归罪于政府公务部门提供的厕纸，硬得像稻秆一样。"

英国财政部对约翰·亨特的答复是：你的建议不予采纳，若将现用的硬厕纸改为柔软纸，一年要多支出13万英镑，这是浪费纳税人的钱。1969年，财政部的女员工提出相同的请求，提议很快被再度否决。事情一直拖到1981年，柔软厕纸才得以在英国政府部门的厕所内出现。

一个小小的手纸问题，何以历经17年才得以解决？关键在于，这种更换要使用纳税人的钱，将增加纳税人的负担，在众目睽睽之下这种预算很难通过。[30]

我们的政府部门存在着铺张浪费的现象，关键在于预算不严格，监督力量缺位。这需要强化预算制度的约束力，并加强包括媒体监督在内的社会监督力量，促使政府改掉陋习，在节约方面做出表率，把有限的资金用到提供优质、充足的公共产品方面，消除公众的后顾之忧，为拉动内需创造条件。

用惩罚性损害赔偿为内需护航

我们的消费者处于一种缺乏安全感的消费环境中，权益经常被损害，而维权成本非常高昂，得到的赔偿又往往很低，导致许多消费者经常忍气吞声，被迫放弃维权，而这又成为纵容商家下一次侵权的动力。这种恶性循环恶化了我国的消费环境，也是导致内需不振的一个重要原因。只有对违规、违法的企业严惩不贷，让其付出惨痛的代价，才能保护消费者的利益，给消费者提供一个放心消费的良好环境。

在20世纪初，美国的消费者也曾面临缺乏安全感的消费环境，假冒伪劣甚至有毒产品泛滥成灾，商家唯利是图，置消费者的生命健康安全于不顾。在此背景下，在有"消费者保护神"之称的拉尔夫·纳德律师的努力和倡导下，于20世纪60年代兴起了声势浩大的消费者保护运动，美国的消费者保护状况有了很大提高，厂商的产品质量有了显著的改善。在这一进程中确立的惩罚性赔偿和集团诉讼制度更是功不可没。惩罚性赔偿制度的设计正是美国的法律制定者和执行者认准了不良企业主的死穴。

众所周知，追求利润最大化是商人的本性。在利润刺激下，人很可能利令智昏，时时有一种难以遏制的犯罪冲动，如果悬一把足以让人倾家荡产的达摩克利斯之剑在头顶——动辄上亿、几十亿美元的惩罚性罚款，那么就会约束着企业主牢记违法的巨大代价，加强自律。[31]

这里提到的"惩罚性损害赔偿"制度，早在1763年就已经在英国确立，美国则在1784年确立了这一制度。美国许多法案，如著名的《谢尔曼法案》和《克莱顿法案》等都有关于惩罚性赔偿的规定。所谓"惩罚性损害赔偿"，是指法院在判令行为人支付通常意义上的赔偿金的同时，还可判令行为人支付高于受害人实际损失的赔偿金。

2005年8月，美国得克萨斯州一家法院判美国制药巨头默克公司对"万络"服用者罗伯特·厄恩斯特猝死负有责任，责令它赔偿死者遗孀各项费用共计2.53亿美元。"万络"由默克公司20世纪90年代推出，能避免传统镇痛药引起的胃肠出血副作用，一度畅销全球，但美国得克萨斯州大学安德森癌症中心2004年报告，患者服用"万络"后，出现心脏病、中风和其他严重不良反应的可能性成倍增加。默克公司为此被接踵而至的诉讼缠身。2007年11月9日，默克公司宣布，愿支付48.5亿美元赔偿金了结美国近5万宗与它旗下止痛药"万络"的有关诉讼。

一起诉讼赔偿2.53亿美元，就是"惩罚性损害赔偿"，这种威慑力最终迫使默克公司接受支付48.5亿美元赔偿金。正是由于这种天文数字般的惩罚性赔偿，促使生产厂家以人为本，尽心尽力地研发和生产，培养了一个良好的消费环境。从这一个侧面，不难理解美国的消费为何成为世界经济的发展引擎了——这至少是原因之一。

我国法律也有"惩罚性损害赔偿"的规定。《消费者权益保护法》第2条规定："消费者为生活需要购买、使用商品或接受服务，其权益受本法保护。"但是，我国的"惩罚性损害赔偿"规定与国外相比则是"缩水"的。

有一个案例很好地说明了这一点。

某原告在某商场（销售者）购买了一瓶由被告某著名饮料公司（生产者）生产的汽水（透明塑料瓶装），价格为人民币6.50元。原告发现该饮料瓶内有一只长约一厘米的昆虫，遂未开瓶饮用。原告称其当即感到恶心，怀疑以前饮用过的饮料中是否也含有类似的不洁物质，心理上承受了巨大的压力，精神伤害很大。遂依据我国《产品质量法》、《消费者权益保护法》和《最高人民法院关于确定民事侵权精神损害赔偿责任若干问题的解释》的有关规定，向法院提起诉讼，要求判令被告（生产者）书面赔礼道歉、双倍赔偿购物款13元、支付精神抚慰金人民币40万元。

法官认为：

一、民法上的欺诈，是指故意隐瞒真相或虚构事实诱使他人上当受骗的行为。本案中，原告在被告生产的汽水中发现昆虫，该昆虫透过装汽水的透明容器，是可以被看见的，没有证据证明被告采取了手段隐瞒这一事实。故只能认定被告生产的汽水存在质量问题，但不能认定被告的行为构成欺诈。

二、本案中，原告购买有质量问题的汽水后，并未饮用，未造成人身或缺陷产品以外的财产损害，故其只能依据买卖合同关系向销售者提出赔偿请求，而不能直接向作为生产者的本案被告提出。只有因缺陷产品造成其人身损害或缺陷产品以外的其他财产损害时，原告才可以侵权为由选择向生产者起诉。故本案原告关于双倍赔偿购物款的请求，不能直接向被告提出。

三、原告购买了汽水后，没有开启，没有饮用，故没有对原告造成人身损害，仅凭原告所说的看到瓶内有异物，感到精神压力、恶心，不能构成精神损害赔偿的基础。故原告要求被告支付精神抚慰金40万元的诉讼请求，缺乏事实依据，不应支持。

其结论是：原告要求被告双倍赔偿购物款及支付精神抚慰金的诉讼请求不应支持。鉴于被告愿意向原告书面赔礼道歉，该行为符合自愿原则，又不违反法律的禁止性规定，故原告要求被告书面赔礼道歉的诉讼请求可以支持。原告受到的损失（主要是购物款损失）可通过向销售者追究违约责任，要求其退、换货或请求赔偿等方式予以救济。[32]

此案对于消费者的不公之处在于，如果消费者无意中喝了这瓶含有虫子的饮料，他根本不知道里面有虫子，即使身体因此遭受损害，也不能索赔，生产厂家安然无恙。

如果是有意喝下去的，他事后怎么能够证明喝到肚子里的虫子源于这瓶饮料？而且，虫子喝下去后被消化，根本无法取证。在这种情况下，生产厂家仍安然无恙。显然，把饮料喝下去消费者根本不能维权，即使勉强维权也必然败诉。

如果不喝，就是上面的那个结果——接受被告的"书面赔礼道歉"。生产厂家同样毫发无损。

也许法院依据现行法律的判断有它自己的理由，但诸如此类的判决对我国消费环境的危害是非常大的，它不仅无助于促进生产厂家提高产品质量，反而使它们心存侥幸，认识到忽视质量和卫生把关的成本是何等低廉，从而进一步养成懈怠与轻慢的习惯。

这种恶劣的消费环境是制约内需的一个重要的外部因素。

此外，在我国，消费者为生活需要购买的房屋、汽车等大宗商品，在许多案件中，却不被列入生活消费用品之列，[33] 因而，也就不能依据消法第49条（经营者提供商品或者服务有欺诈行为的，应当按照消费者的要求增加赔偿其受到的损失，增加赔偿的金额为消费者购买商品的价款或者接受服务的费用的一倍），来维护自身权益。

房屋和汽车等大宗商品基本上被排除在双倍赔偿之外，使得消费者的权益难以得到有力保障。这种状况不仅导致民众维权成本的高昂和获得赔偿的微薄，也导致生产厂家无视产品质量，不仅造成了经济上的巨大浪费，也为生命安全埋下了诸多隐患。

法律的这种宽容，导致我国消费者在一些事件中受到羞辱性、歧视性的对待。人们尚且记得东芝笔记本事件：2005年5月，日本东芝公司宣布"只赔美国人不赔中国人"，东芝公司最终承担10亿美元的巨额损失，用于向美国用户支付和解金、发放购物券及支付原告律师费。同样的问题，在中国的

处理办法则是：在东芝的网页上公布了一个补丁软件，让中国的消费者下载后安装在自己的笔记本上。类似的事件多次重演。

要想拉动内需，法律必须为消费者构筑起一个良好的环境，让他们可以通过积极的索赔，获取远远超出其维权成本的赔偿，没有这种动力，消费者维权的积极性就难以提高，而生产者和商家肆意制假售假的劣习就难有改观。

具体到三鹿奶粉事件，还要补充一点。三鹿事件除了暴露出我国法律惩处力度的不足，同时也暴露出我国财政对奶业扶持力度的不足。

奶制品业是中国近十年来发展最快的行业之一，从2003~2006年，行业的总产量就增加了3倍之多，奶源不足问题便成为制约奶制品业发展的一大障碍。同时，由于资金投入量大，竞争激烈，价格卖不上去，只能在降低成本方面做手脚。这就是所谓行业"潜规则"得以存在的原因。

而在欧盟，奶牛被归入农业政策之列，每头奶牛每天可以获得2.5美元的

补贴。据世界银行统计，日本的奶牛得到的补贴更多，每天得到7.5美元的
补贴。假如日本奶牛和它们的欧洲朋友一起环球旅行，它们能坐公务舱。

欧盟对奶牛的补贴，源于共同农业政策，它是现代欧盟的中心政策，目
的是保证食品供给采用承受得起的价格，并保证农民过上不错的生活。[34]

相比之下，我国养奶牛的农户，在起跑线上已经落后于欧盟和日本一大
段路程，根本无法与欧盟、日本竞争，如果以同样严厉的要求对待他们，农
户也是不堪其重的。

因此，为消费者构建一个良好的、能够放心消费的环境，不仅需要动用
法律的手段，也需要动用财政手段，给农民适当补贴，提高他们养奶牛的积
极性，确保充分的奶源供应，也使得奶源质量更有保障。同时，由于补贴降
低了养奶牛农户的成本，也可以使得终端的消费者享受价格低廉而质量有保
障的奶制品。推而广之，其他类似食品问题也可以如此解决。

在食品安全甚至威胁到民族繁衍生息大问题的情况下，政府应多管齐下，
解决困扰民众食品消费的各种问题，尽快构筑起一个良好的消费环境，确保
国民的健康，同时，这也有利于启动内需，使中国经济从内需不振的困境中
走出来，步入良性发展的轨道。

注　释

1. 最终消费指常住单位在一定时期内对于货物和服务的全部最终消费支出，也就是常住单位为
满足物质、文化和精神生活的需要，从本国经济领土和国外购买的货物和服务的支出；不包
括非常住单位在本国经济领土内的消费支出。最终消费分为居民消费和政府消费。
2. 居民消费率是指消费需求占国内生产总值的比重，它反映拉动经济增长的三大需求中消费所
起的作用大小。国际上，居民消费一般占最终消费的80%以上，所以居民消费率的高低决定
最终消费率的高低。
3. 储蓄率指个人可支配收入总额中储蓄所占的百分比。导致储蓄率持续居高的原因主要有三
个：其一，人口负担轻，因此经济剩余比例大；其二，普通劳动者家庭收入增长缓慢，内需
不足，导致居民具有高储蓄倾向；其三，社会保障不充分和预期不稳定，诱导居民通过储蓄

来实现自我保险。

4. 王小鲁. 货币供应、经济增长与启动内需应配合和适应. 中国金融，2008年11月26日。

5. 买方市场是指在商品供过于求的条件下，买方掌握着市场交易主动权的一种市场形态。其主要特征是：（1）市场商品丰富，货源充沛，消费者能够任意挑选商品；（2）卖者之间在产品的花色、品种、服务、价格、促销等方面展开激烈竞争；（3）卖者积极开展促销活动；（4）消费者需求是企业生产与经营的轴心；（5）顾客能够获得满意的售前、售中和售后服务；（6）商品的市场价格呈下降趋势，卖者削价竞销。

6. 投资热潮不要变成一场比赛. 新华社《现代快报》，2008年11月17日。

7. 钟南山：食品安全问题严重 使男性精子浓度减半. 南方日报，2004年3月26日。

8. 邓聿文. 流动性过剩其实是经济危机前兆. 中国保险报，2007年2月12日。

9. 时寒冰. 支出增速快于收入增速挤压民生空间. 上海证券报，2007年5月31日。

10. 时寒冰. 工资落后于经济增长有违世界潮流. 上海证券报，2007年5月24日。

11. 时寒冰. 什么阻碍了内需拉动. 上海证券报，2006年12月15日。

12. 同第10条。

13. 同第9条。

14. 近年我国行政管理费用疯涨. 新华社，2006年3月13日电。

15. 何翔舟，万斌. 中国公共财政支出的有效性评价：1978年以来行政管理成本支出的实证分析. 中华人民共和国财政部网站. 网址：http://www.mof.gov.cn/caizhengbuzhuzhan/zhengwuxinxi/diaochayanjiu/200811/t20081119_90783.html。

16. 央视披露我国每年"3公"9000亿. 天府早报，2008年11月30日。

17. 陈志武. 我们的政府有多大？经济观察报，2008年2月23日。

18. 奶业品牌：还能相信谁？国际金融报，2008年9月24日。

19. 神武景气：1956年，日本制定"电力五年计划"，进行以电力工业为中心的建设，并以石油取代煤炭发电。因此，从外地进口大量原油，大大促进了炼油工业的发展。日本经济至此不仅完全从第二次世界大战中复兴，而且进入积极建立独立经济的新阶段。1955～1957年，日本出现了第一次经济发展高潮。日本人把这个神话般的繁荣称为神武景气。

20. 岩户景气：1958年是日本经济高度成长的开始。日本大量生产汽车、电视及半导体收音机等家用电器，钢铁取代纺织品成为主要出口物资，这时出现了第二次经济发展高潮，被称为岩户景气。

21. 时寒冰. 百姓承受能力是否已被高估. 上海证券报，2007年1月10日。

22. 李若愚. 我国国民收入分配正向政府倾斜. 上海证券报，2006年6月19日。

23. 时寒冰. 税收过快增长难藏富于民. 上海证券报，2007年1月26日。

24. 马洪漫. 中国政府公共投入须让穷人多受益. 环球时报，2007年8月6日。

25. 时寒冰. 假如最低工资追上个税起征点. 上海证券报，2007年11月7日。

26. 《南风窗》记者赵灵敏对陈志武的采访，2007年6月1日。

27. 中国80%医疗费被850万以上干部享用. 中国青年报，2006年9月19日。

28. 冯培恩：我国人均负担行政费用20年增长23倍. 北京青年报, 2007年3月13日。

29. 节电——北京公务员表率作用意义深远. 光明日报, 2005年7月4日。

30. 时寒冰. 制止政府浪费关键在于引入监督. 上海证券报, 2007年3月7日。

31. 陈北元. 赋权消费者才能根治产品质量事件. 南方都市报, 2008年9月22日。

32. 刘一粟. 深圳市罗湖区人民法院民事判决书. 网址：http://www.szlhfy.gov.cn/flws_detail.php?InfoID=0402000020040317001。

33. 对于汽车的双倍赔偿, 目前法院的判决各地不一, 绝大部分不支持双倍赔偿, 但个别地方支持。对于房屋, 仅限于"面积"适用。根据最高院1999年出台的《关于审理商品房买卖合同纠纷案件适用法律若干问题的解释》规定, (一)面积误差比绝对值在3%以内(含3%), 按照合同约定的价格据实结算, 买受人请求解除合同的, 不予支持; (二)面积误差比绝对值超出3%, 买受人请求解除合同、返还已付购房款及利息的, 应予支持。买受人同意继续履行合同, 房屋实际面积大于合同约定面积的, 面积误差比在3%以内(含3%)部分的房价款由买受人按照约定的价格补足, 面积误差比超过3%部分的房价款由出卖人承担, 所有权归买受人; 房屋实际面积小于合同约定面积的, 面积误差比在3%以内(含3%)部分的房价款及利息由出卖人返还买受人, 面积误差比超过3%部分的房价款由出卖人双倍返还买受人。但对于房屋质量, 没有类似的双倍赔偿的规定。最高人民法院《关于审理商品房买卖合同纠纷案件适用法律若干问题的解释》第十三条规定, 因房屋质量问题严重影响正常居住使用, 买受人请求解除合同和赔偿损失的, 应予支持。

34. 杰西卡·威廉姆斯. 决定人类未来的50件事. 王晶, 成芬, 包特日格勒, 译. 中央编译出版社, 2008。

出 版 说 明

次贷危机来了，世界怎么办？中国怎么办？面对扑面而来的危机，国内外的经济学家众说纷纭。著名财经评论家时寒冰先生没有人云亦云，而是静下心来深入地去思考这场危机，用细致入微的观察和透过表象直击问题要害的分析，淋漓尽致地向我们揭示了这场危机的实质，剖析了次贷危机问题的根源、影响以及未来走势，提出了许多以长远眼光发展中国经济的对策建议。《中国怎么办——当次贷危机改变世界》一书正是时先生对这次危机深层次论述的思想精华的集中展现。我们根据"百花齐放、百家争鸣"的出版方针，出版了时先生的这部著作，希望广大读者能坚持与时俱进、辩证唯物的思维方式，对于这场席卷全球的经济风暴做出独立的思考，为我国的经济安全出谋划策，提出自己合理独到的见解。

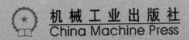

HZ BOOKS
华章经管

华章书院俱乐部反馈卡

写书评 赢大奖

身为读者，你是不是常感到不写不快？
无论是感同身受、热烈倾吐，还是淋漓痛批、指点文章，
我们真诚地邀请您，将您的阅读心得与我们共享。
您的心得，将有机会出现在我们的图书、主流媒体、各大网站上。
同时，您还有机会挑选一本自己喜爱的华章经管好书！

书评发至：hzjg@hzbook.com

欢迎登陆**www.hzbook.com**了解更多信息，
本网站会每月公布获奖信息。

华章经管博客已开通，欢迎留下宝贵意见与建议 http://blog.sina.com.cn/hzbook

◎反馈方式◎

网络登记：
登陆 www.hzbook.com，在网站上进行反馈卡登记。

传　真：
将此表填好后，传真到 010-68311602

邮　寄：
将填好的表邮寄到：100037 北京市西城区百万庄南街1号309室　闫　南　董丽华 收

个人资料（请用正楷完整填写，并附上名片）

姓名:＿＿＿＿ 性别:□男 □女 年龄:＿＿ 联系电话:＿＿＿＿＿＿ 手机:＿＿＿＿＿＿＿

E-mail:＿＿＿＿＿＿＿＿＿＿＿ 邮政编码:＿＿＿＿＿ 传真:＿＿＿＿＿＿＿

通讯地址:＿＿＿＿＿＿＿＿＿＿＿＿＿ 就职单位及部门:＿＿＿＿＿＿＿

职　务: □董事长/董事　 □总裁/总经理　 □副总裁/副总经理　 □高级秘书/高级助理
　　　　 □职员 □政府官员 □专业人员/工程人员 □其他（请注明）＿＿＿＿＿

学　历: □高中　 □大专　 □本科　 □研究生　 □研究生以上

所购书籍书名:＿＿＿＿＿＿＿＿＿＿＿＿＿＿＿

现在就填写读者反馈卡，成为华章书院会员，
将有机会参加读者俱乐部活动！

所有以邮寄，传真等方式登记，并意愿加入者均可成为普通会员，并可以享受以下服务。

- ◆ 每月3次的免费电子邮件通知当月出版新书
- ◆ 共同享有读华章论坛会员交流平台
- ◆ 享受华章书院定期组织的各种活动
  （包括会员联谊活动专家讲座行业精英论坛等）
- ◆ 优先得到读华章书目
- ◆ 俱乐部将从每月新增会员中抽取10名，
  免费赠送当月最新出版书籍1本
- ◆ VIP会员享受全年12本最新出版精品书籍阅读

1. 您通过什么途径了解到本书？

   □朋友介绍　□会议培训　□书店广告　□报刊杂志　□其他＿＿＿＿＿

2. 您对本书整体评价为？

   □非常满意　□满意　□一般　□其他，原因＿＿＿＿＿

3. 您的阅读方向？（类别）

   ＿＿＿＿＿＿＿＿＿＿＿＿＿＿＿＿＿＿＿＿＿＿＿

4. 您对以下哪些活动形式最感兴趣？

   □大型联谊会　□专业研讨会　□专家讲座　□沙龙　□其他

5. 您希望华章书院俱乐部为会员提供怎样的增值服务？

   ＿＿＿＿＿＿＿＿＿＿＿＿＿＿＿＿＿＿＿＿＿＿＿

6. 您是否愿意支付500元升级为VIP会员，享受全年12本最新出版精品书籍阅读？

   □愿意　　　□不愿意，原因＿＿＿＿＿＿＿＿＿＿

读华章俱乐部反馈卡